1001

Cupcakes, cookies
et autres gourmandises

1001
Cupcakes, cookies
et autres gourmandises

CONSULTANTE : **Susanna Tee**

Bath · New York · Singapore · Hong Kong · Cologne · Delhi
Melbourne · Amsterdam · Johannesburg · Auckland · Shenzhen

Réalisation : *In*Texte, Toulouse

ISBN : 978-1-4454-4682-0

Imprimé en Chine
Printed in China

Note aux lecteurs
Une cuillerée à soupe correspond à 15 à 20 g d'ingrédients secs et à 15 ml
d'ingrédients liquides. Une cuillerée à café correspond à 3 à 5 g d'ingrédients
secs et à 5 ml d'ingrédients liquides.

Sans autre précision, le lait est entier, les œufs sont de taille moyenne
et le poivre est du poivre noir fraîchement moulu.

Les temps de préparation et de cuisson des recettes pouvant varier en fonction,
notamment, du four utilisé, ils sont donnés à titre indicatif.

La consommation des œufs crus ou peu cuits n'est pas recommandée
aux enfants, aux personnes âgées, malades ou convalescentes et aux femmes
enceintes.

Sommaire

Introduction

Les recettes de cupcakes, de biscuits et autres gourmandises proposées ici sont simples et amusantes à réaliser, et pourront se déguster à toute heure de la journée. Chaque foyer devrait toujours avoir dans ses placards quelques sucreries faites maison dans lesquelles piocher au petit déjeuner avec un café serré, à l'heure du goûter ou pour accompagner une tasse de thé. Que vous organisiez un anniversaire ou que vous prévoyiez de recevoir, vous trouverez assurément votre bonheur parmi les 1 001 recettes compilées ici.

La préparation des biscuits trouve son origine en Égypte, avec une préparation à base de farine et d'eau cuite au gril et permettant d'obtenir un gâteau plat et ferme. À cette préparation furent peu à peu ajoutés des agents levants et, bien sûr, du sucre. Le feu de bois et la cuisson à la braise se développèrent rapidement, et de ces modestes débuts descendent les gourmandises que nous connaissons, telles que les muffins, les cupcakes, les brownies et autres biscuits. Aujourd'hui, chaque pays s'enorgueillit de ses spécialités, et la liste en est infinie !

Les ingrédients stars

Le sucre, la matière grasse, les œufs, la farine et un liquide quelconque composent la majorité des recettes.

Sucre

Le sucre blanc et fin est généralement recommandé parce qu'il se dissout plus facilement que le sucre cristallisé. Toutefois, ce denier peut parfois avoir son utilité dans certaines recettes.

Matière grasse

Le beurre est la matière grasse la plus employée dans les recettes car il ajoute de la richesse et de la saveur à la préparation. Le beurre peut être remplacé par de la margarine allégée, mais il est important de choisir un produit ne contenant pas moins de 60 % de matière grasse – opter pour les margarines indiquant sur l'emballage qu'elles conviennent à la cuisson. Les seules recettes préconisant l'emploi de margarine indiquent de battre tous les ingrédients de la recette ensemble dans un robot de cuisine.

Œufs

La taille des œufs requise dans les recettes de cet ouvrage est toujours moyenne, à moins qu'une précision soit apportée dans la liste des ingrédients. Si possible, utilisez des œufs qui sont à température ambiante car des œufs froids peuvent faire tourner la préparation et rendre le résultat trop ferme.

Farine

La farine utilisée ici peut être normale ou levante. Si de la farine levante est requise et que vous n'en avez pas, ajoutez 2½ cuillerées à café de levure chimique pour 250 g de farine.

Liquide

Un ingrédient liquide est toujours utilisé pour lier les ingrédients. Il s'agit le plus souvent de lait, d'œufs, de beurre fondu, d'huile, d'eau ou de jus de fruits.

Équipement et techniques utiles

Pour préparer les recettes de cet ouvrage, vous n'aurez besoin que de très peu d'ustensiles spécifiques et, dans de nombreux cas, l'improvisation peut se révéler payante. Toutefois, voici quelques suggestions qui pourront vous être utiles :

● Utilisez vos mains ! Humectez-les légèrement avant de façonner les biscuits en billes.

● Un batteur électrique est très pratique pour battre et fouetter les différentes préparations. À défaut, utilisez un simple fouet à main pour fouetter et une cuillère en bois pour battre.

● Si vous n'avez pas le moule précisément indiqué dans la recette, improvisez. Une quantité de pâte destinée à un moule carré conviendra aussi pour un moule rond de 2,5 cm plus large, et inversement. Les recettes de brownies et de petits pavés indiquant une forme de moule spécifique peuvent tout à fait être préparées dans un moule de forme différente, mais de même capacité.

● Utilisez un robot de cuisine pour incorporer le beurre à la farine. Une fois que vous avez ajouté les œufs ou tout autre liquide, veillez cependant à procéder très rapidement car une préparation trop mixée donnera un résultat trop ferme.

● Lorsque vous chemisez un moule pour y faire cuire des brownies ou des pavés, veillez à laisser dépasser le papier sulfurisé. Cela vous facilitera le démoulage.

● Si la recette requiert l'utilisation de fruits à coques grillés et que vous n'en avez pas dans vos placards, faites-les griller vous-même (*voir* conseil ci-contre.)

Faire griller des fruits à coque

Préchauffez le four à 180 °C (th. 6). Étalez les amandes, les noix ou tout autre fruit à coque sur une plaque de four et faites-les cuire 5 à 10 minutes en les remuant souvent et en les surveillant, jusqu'à ce qu'ils soient dorés.

Faire fondre du chocolat

Dans une jatte

Certaines recettes vous indiqueront de faire fondre le chocolat dans une jatte résistant à la chaleur au-dessus d'une casserole d'eau frémissante. Cette technique est sûre car le chocolat ne peut ni sécher, ni durcir. Assurez-vous que la jatte ne touche pas l'eau.

Au four à micro-ondes

Cassez le chocolat dans une jatte et faites-le cuire à puissance minimale jusqu'à ce qu'il soit mou en surface. On peut dire que 100 g fondront en 4 minutes. Remuez toutes les minutes.

La réussite assurée

La plupart des recettes présentées ici sont très simples à réaliser. Suivez ces quelques conseils et la réussite vous sera assurée :

● Préchauffez le four 10 à 15 minutes avant d'enfourner, même si le fabriquant du four indique que ce n'est pas nécessaire.

● Il est indispensable de mesurer les ingrédients avec la plus grande des précisions, et cela mérite d'investir dans une balance fiable et dans des cuillères à mesurer.

● Prenez l'habitude de préparer les plaques de four ou les moules avant d'entamer la réalisation de votre recette, car les préparations contenant de la levure commencent à réagir dès que le liquide est ajouté et doivent donc être cuites le plus rapidement possible.

● Si le beurre doit être ramolli au moment d'entamer la recette, pensez à le sortir du réfrigérateur une ou deux heures avant. En cas d'oubli, coupez le beurre en dés, mettez-le dans une jatte et passez-le 10 secondes au four à micro-ondes, jusqu'à ce qu'il soit légèrement mou. Veillez à ne pas le faire fondre complètement.

● Il n'est pas nécessaire de tamiser la farine, sauf si vous mélangez plusieurs ingrédients secs.

● Après avoir ajouté la farine à une préparation pour muffin, ne mélangez surtout pas trop car les muffins seraient trop fermes.

● Lorsque la préparation doit être réfrigérée pour être plus ferme et facile à manier, vous pouvez accélérer le procédé en enveloppant la pâte de papier sulfurisé et en la mettant au congélateur un tiers du temps de réfrigération indiqué.

● Ne mélangez pas trop les préparations pour brownies car la pâte lèverait trop à la cuisson, puis s'affaisserait ensuite.

● Disposez toujours les biscuits crus sur une plaque de four froide pour éviter que la pâte se répande trop et brûle sur les bords. Si vous prévoyez de réaliser plusieurs fournées, pensez à laisser refroidir la plaque entre chaque cuisson.

● Faites cuire les biscuits sur une plaque antiadhésive ou sur du papier sulfurisé mais, à moins que la recette ne l'indique, ne beurrez pas de plaque de four. Les biscuits se répandraient trop et brûleraient donc sur les bords.

● Espacez bien les biscuits sur les plaques de sorte qu'ils puissent s'étendre légèrement à la cuisson. Un espace de 5 cm entre les biscuits est généralement suffisant.

● Afin que les cupcakes, les biscuits, les brownies et les muffins dorent uniformément, positionnez vos plaques au milieu du four.

● À moins que l'inverse ne soit indiqué, transférez toujours les biscuits sur une grille dès qu'ils sont assez fermes pour être manipulés, et les muffins et les cupcakes directement à la sortie du four. La vapeur peut ainsi s'échapper et cela évitera à vos gourmandises d'être lourdes et détrempées.

● Lorsque vous faites cuire des muffins ou des cupcakes, résistez à la tentation d'ouvrir la porte du four au cours de la première moitié du temps de cuisson – une entrée d'air froid ferait s'effondrer la pâte en son centre.

Cuire et conserver

À quelques exceptions près, les cupcakes, biscuits et autres gourmandises de cet ouvrage se conservent très bien dans un récipient hermétique – les brownies se gardent même parfaitement dans le moule, couvert de papier d'aluminium. Les conseils suivants pourront toutefois vous être utiles :

● Conservez dans un placard les cupcakes, les biscuits et les muffins non décorés. Tout biscuit garni de crème, de fromage frais ou de yaourt doit être gardé au réfrigérateur.

● Conservez les biscuits moelleux séparément des biscuits croustillants de sorte qu'ils ne deviennent pas tous trop mous. De même, ne mélangez pas les biscuits et les gâteaux car les premiers absorberaient l'humidité des seconds.

● Conservez les biscuits aromatisés séparément afin de ne pas mélanger et altérer les parfums.

● Attendez toujours que vos réalisations soient bien froides avant de les stocker sous peine de les voir se coller entre eux et devenir trop fermes et lourds.

● Un ou deux morceaux de sucre ajoutés dans une boîte à biscuits aide ces derniers à conserver leur moelleux.

● La plupart des cupcakes, biscuits et pâtisseries se congèlent, mais le résultat est toujours meilleur peu après la sortie du four.

La présentation

Lorsque vous proposez vos cupcakes, biscuits et autres gourmandises, la présentation est primordiale. Servez les biscuits délicats dans des plats de service en verre ou en porcelaine, et les gourmandises plus rustiques dans des paniers au fond desquels vous aurez disposé des serviettes en papier.

Les magnifiques photographies de cet ouvrage vous aideront à trouver l'inspiration – et avec 1 001 recettes, vous n'aurez que l'embarras du choix !

Les touches finales

Glaçage basique

115 g de sucre glace
1 cuil. à soupe d'eau froide

Tamiser le sucre glace dans une jatte et incorporer progressivement l'eau de façon à obtenir une consistance qui nappe le dos d'une cuillère.

Variantes
Glaçage à l'orange ou au citron : remplacer l'eau par du jus de fruit.
Glaçage au chocolat : remplacer 2 cuil. à soupe de sucre glace par du cacao.
Glaçage au café : dissoudre 1 cuil. à café de café soluble dans 1 cuil. à soupe d'eau bouillante. Laisser refroidir et incorporer au sucre glace.
Glaçage alcoolisé : remplacer l'eau par 1 cuil. à soupe de liqueur.
Glaçage à l'eau de rose ou de fleur d'oranger : ajouter ½ cuil. à soupe d'eau de rose ou de fleur d'oranger à ½ cuil. à soupe d'eau, et incorporer au sucre glace.
Glaçage au moka : remplacer 2 cuil. à soupe de sucre par 2 cuil. à soupe de cacao. Dissoudre 1 cuil. à café de café soluble dans 1 cuil. à soupe d'eau bouillante et ajouter au sucre.

Nappage royal

Nappage basique

225 g de beurre, ramolli
1 cuil. à soupe de crème fraîche ou de lait
350 g de sucre glace

Mettre le beurre et la crème fraîche dans une jatte et battre jusqu'à ce que le mélange blanchisse, puis incorporer progressivement le sucre glace.

Variantes
Nappage à l'orange ou au citron : remplacer la crème par du jus de fruit et ajouter un peu de colorant.
Nappage au chocolat : remplacer 55 g de sucre glace par 55 g de cacao.
Nappage au café : remplacer la crème par 1 cuil. à soupe de café serré et ajouter ¼ de cuil. à café d'extrait de café.
Nappage au moka : remplacer 55 g de sucre glace par 55 g de cacao, et la crème par 1 cuil. à soupe de café serré froid.
Nappage aux cacahuètes : battre 175 g de beurre en crème avec le sucre glace, ajouter ¼ de cuil. à café d'extrait de vanille, 55 g de beurre de cacahuètes et 100 g de cacahuètes hachées.

Crème au beurre

2 jaunes d'œufs
175 g de beurre, ramolli
75 g de sucre
4 cuil. à soupe d'eau

Mettre les jaunes d'œufs dans une jatte et fouetter légèrement. Battre le beurre en crème dans une autre jatte. Mettre le sucre et l'eau dans une casserole et chauffer à feu doux jusqu'à ce qu'ils aient fondu, puis porter à ébullition et laisser bouillir 2 à 3 minutes, jusqu'à ce qu'un thermomètre à sucre indique 107 °C. Sans cesser de fouetter, verser le sirop sur les jaunes d'œufs en mince filet. Continuer à fouetter jusqu'à ce que la préparation épaississe et ait refroidi. Incorporer progressivement la préparation au beurre en crème.

Variantes
Crème au beurre au chocolat : ajouter 1½ cuil. à soupe d'extrait de chocolat à la crème au beurre achevée.
Crème au beurre au café : ajouter 1½ cuil. à soupe d'extrait de café à la crème au beurre achevée.
Crème au beurre au moka : mélanger 1 cuil. à soupe d'extrait de chocolat et ½ cuil. à soupe d'extrait de café. Incorporer le mélange à la crème au beurre achevée.
Crème au beurre à l'orange ou au citron : incorporer 2 cuil. à soupe de jus de fruit et 1 cuil. à café de zeste râpé de citron ou d'orange à la crème au beurre achevée.
Crème au beurre à la framboise ou à la fraise : ajouter 2 cuil. à soupe de sirop de fraise ou de framboise à la crème au beurre achevée.

Nappage royal

3 gros blancs d'œufs
500 g de sucre glace
1 cuil. à café de glycérine liquide

Mettre les blancs d'œufs dans une jatte et tamiser progressivement 200 g de sucre glace dans la jatte en battant bien après chaque ajout de sorte que la consistance épaississe. Ajouter le sucre restant sans cesser de fouetter et fouetter 10 minutes, jusqu'à obtention d'une consistance épaisse. Incorporer la glycérine.

Fondant

450 g de sucre glace
1 gros blanc d'œuf
2 cuil. à soupe de glycérine liquide
1 cuil. à café d'extrait de vanille ou d'amande

Tamiser le sucre glace dans une jatte et incorporer progressivement le blanc d'œuf de façon à obtenir une consistance épaisse. Ajouter la glycérine et l'extrait de vanille.

Pâte d'amande

175 g de sucre glace, un peu plus pour saupoudrer
175 g de sucre en poudre
2 gros œufs, plus un gros jaune d'œuf
½ cuil. à café d'extrait d'amande
1 cuil. à café de jus de citron
350 g de poudre d'amandes

Tamiser le sucre glace dans une jatte résistant à la chaleur et ajouter le sucre en poudre. Fouetter les œufs avec le jaune d'œuf et les ajouter dans la jatte. Fouetter 10 à 12 minutes au-dessus d'une casserole d'eau frémissante, jusqu'à ce que le mélange épaississe et blanchisse. Plonger le fond de la jatte dans de l'eau froide. Incorporer l'extrait d'amande et le jus de citron, et fouetter jusqu'à refroidissement. Incorporer la poudre d'amandes et abaisser la pâte sur un plan de travail saupoudré de sucre glace.

Glaçage à l'abricot

200 g de confiture d'abricots sans morceaux
100 g de sucre
225 ml d'eau

Mettre la confiture, le sucre et l'eau dans une casserole et porter au point de frémissement sans cesser de remuer. Laisser refroidir.

Nappage au caramel

Nappage au fudge

100 g de sucre
90 ml de lait concentré
3 cuil. à soupe de beurre
¼ de cuil. à café d'extrait de vanille

Mettre le sucre et le lait concentré dans une casserole et chauffer à feu doux sans cesser de remuer jusqu'à ce que le sucre soit dissous. Porter à ébullition, réduire le feu et laisser mijoter 5 à 6 minutes. Retirer du feu et ajouter le beurre et l'extrait de vanille, et fouetter jusqu'à obtention d'une consistance homogène. Laisser refroidir, couvrir et laisser épaissir 2 heures.

Variantes
Fudge au café : remplacer la vanille par 1 cuil. à soupe d'extrait de café.
Fudge au chocolat : ajouter 115 g de chocolat noir haché avec le beurre et remuer jusqu'à ce qu'il ait fondu.
Fudge à la noix de coco : ajouter 2 cuil. à soupe de noix de coco râpée avec le beurre et remuer.
Fudge aux noix de pécan : ajouter 100 g de noix de pécan grillées hachées.

Nappage au caramel

55 g de beurre
100 g de sucre blond
1 pincée de sel
90 ml de lait concentré
225 g de sucre glace
½ cuil. à café d'extrait de vanille

Mettre le beurre, le sucre, le sel et le lait concentré dans une casserole et chauffer jusqu'à ce que le sucre soit dissous, puis remuer jusqu'à ce que la préparation refroidisse. Tamiser le sucre glace et l'extrait de vanille dans la casserole et battre le tout. Laisser refroidir complètement.

Nappage au fromage frais

125 g de beurre, ramolli
225 g de fromage frais
450 g de sucre glace
1 cuil. à café d'extrait de vanille

Battre le beurre en crème avec le fromage frais et incorporer progressivement le sucre glace tamisé et l'extrait de vanille.

Nappage à la vanille

25 g de beurre, ramolli
1 gousse de vanille
225 g de sucre glace
3 à 4 cuil. à soupe de crème fraîche épaisse

Battre le beurre en crème dans une jatte. Fendre la gousse de vanille en deux dans la longueur, prélever les graines et les ajouter au beurre. Incorporer le sucre glace tamisé, ajouter la crème fraîche et battre jusqu'à obtention d'une consistance crémeuse et homogène.

Nappage au chocolat

100 g de chocolat noir, haché
140 g de beurre, ramolli
140 g de sucre glace
½ cuil. à café d'extrait de chocolat

Faire fondre le chocolat au bain-marie et laisser refroidir. Battre le beurre en crème dans une jatte, puis tamiser le sucre dans la jatte et battre vigoureusement. Ajouter le chocolat et l'extrait de chocolat, et battre de nouveau.

Nappage américain

225 g de sucre
4 cuil. à soupe d'eau
¼ de cuil. à café de crème de tartre ou ½ cuil. à café de jus de citron
½ cuil. à café d'extrait de vanille
1 gros blanc d'œuf

Mettre le sucre, l'eau et la crème de tartre dans une casserole et chauffer à feu doux jusqu'à ce que le sucre soit dissous. Ajouter l'extrait de vanille et chauffer sans laisser bouillir et sans cesser de remuer jusqu'à ce que le thermomètre à sucre indique 120 °C. Laisser tiédir. Monter le blanc d'œuf en neige et incorporer la préparation progressivement, sans cesser de battre.

Nappage 7 minutes

1 gros blanc d'œuf
1 pincée de sel
300 g de sucre en poudre
5 cuil. à soupe d'eau
¼ de cuil. à café de crème de tartre
1 cuil. à café d'extrait de vanille

Mettre le blanc d'œuf dans une jatte résistant à la chaleur, ajouter le sel, le sucre, l'eau et la crème de tartre et battre le tout. Fouetter 7 minutes au-dessus d'une casserole d'eau frémissante jusqu'à obtention d'une neige épaisse. Retirer du feu, incorporer progressivement et battre jusqu'à refroidissement.

Ganache au chocolat

150 g de chocolat noir, haché
150 ml de crème fraîche épaisse

Mettre le chocolat dans une jatte résistant à la chaleur. Porter la crème fraîche au point de frémissement dans une casserole, la verser sur le chocolat et remuer jusqu'à obtention d'une consistance homogène.

Crème au beurre

Cupcakes

01 Cupcakes multicolores

115 g de beurre, ramolli
115 g de sucre en poudre
2 œufs, légèrement battus
115 g de farine levante

GARNITURE
200 g de sucre glace
2 cuil. à soupe d'eau chaude
quelques gouttes de colorant alimentaire
   (facultatif)
fleurs en sucre, confettis en sucre, cerises
   confites et/ou confettis en chocolat,
   pour décorer

Préchauffer le four à 190 °C (th. 6-7). Chemiser deux moules à 12 alvéoles avec 16 caissettes en papier. Dans une jatte, battre le beurre en crème avec le sucre jusqu'à ce que le mélange blanchisse, puis incorporer progressivement les œufs. Tamiser la farine dans la jatte et mélanger. Répartir la préparation obtenue dans les caissettes en papier.

Cuire 10 à 15 minutes au four préchauffé. Transférer sur une grille et laisser refroidir complètement.

Pour le glaçage, tamiser le sucre glace dans un bol et incorporer juste assez d'eau pour obtenir une pâte épaisse qui nappe le dos de la cuillère. Incorporer éventuellement quelques gouttes de colorant alimentaire. Étaler le glaçage sur les cupcakes et décorer selon son goût.

02 Cupcakes à l'orange

Ajouter le zeste râpé d'une demi-orange à la préparation après avoir incorporé les œufs. Remplacer l'eau par du jus d'orange dans le glaçage.

03 Cupcakes au citron

Ajouter le zeste râpé d'un demi-citron à la préparation après avoir incorporé les œufs. Remplacer l'eau par du jus de citron dans le glaçage.

04 Cupcakes au chocolat

Remplacer 2 cuil. à soupe de farine par 2 cuil. à soupe de cacao et ajouter 2 cuil. à café de cacao au sucre glace dans le glaçage.

05 Cupcakes au café

Dissoudre 2 cuil. à soupe de café soluble dans 3 cuil. à soupe d'eau bouillante et ajouter les deux tiers à la préparation après avoir incorporé les œufs. Ajouter le tiers restant au sucre glace dans le glaçage.

06 Cupcakes au moka

Dissoudre 1 cuil. à soupe de café soluble dans 2 cuil. à soupe d'eau bouillante, et ajouter à la préparation après avoir incorporé les œufs. Ajouter 1 cuil. à soupe de cacao à la farine. Pour un glaçage au moka, ajouter 1 cuil. à café de cacao au sucre glace. Dissoudre 1 cuil. à café de café soluble dans 1 cuil. à soupe d'eau bouillante, et l'incorporer au sucre glace avec l'eau.

07 Cupcakes aux amandes

Ajouter 1 cuil. à café d'extrait d'amande après avoir incorporé les œufs. Remplacer 2 cuil. à soupe de farine par de la poudre d'amandes.

08 Cupcakes aux noix

Ajouter 40 g de noix, de noix de pécan ou de noisettes grillées avant d'incorporer la farine.

140 g de beurre, ramolli,
  ou de margarine
140 g de sucre en poudre
1½ cuil. à café d'extrait de vanille
2 gros œufs, légèrement battus
200 g de farine levante

GARNITURE
1 portion de crème au beurre (page 10)
assortiment de petits bonbons,
  pour décorer

Préchauffer le four à 190 °C (th. 6-7). Chemiser deux moules à 12 alvéoles avec 18 caissettes en papier. Dans une jatte, battre le beurre en crème avec le sucre jusqu'à ce que le mélange blanchisse, puis ajouter l'extrait de vanille. Incorporer progressivement les œufs, puis tamiser la farine dans la jatte et mélanger. Répartir la préparation dans les caissettes en papier.

Cuire 12 à 15 minutes au four préchauffé, jusqu'à ce que les cupcakes soient dorés et souples au toucher. Laisser refroidir complètement sur une grille.

Mettre la crème au beurre dans une poche à douille munie d'un petit embout en forme d'étoile et décorer chaque cupcake. Répartir les bonbons de son choix sur l'ensemble des cupcakes.

10 · *Cupcakes au chocolat et aux bonbons*

Réduire la quantité d'extrait de vanille à ½ cuil. à café. Faire fondre 70 g de chocolat au lait brisé en carrés, et l'ajouter à la préparation après avoir incorporé les œufs. Décorer de crème au beurre au chocolat (page 10) et de bonbons au chocolat.

225 g de beurre, ramolli,
  ou de margarine
225 g de sucre en poudre
4 œufs
225 g de farine levante

GARNITURE
175 g de beurre, ramolli
350 g de sucre glace

assortiments de bonbons et de chocolats,
  de chocolats enrobés de sucre, de fruits
  secs, de fleurs en sucre, de confettis
  multicolores, de petits bonbons
  argentés ou dorés, de tubes de glaçage
  coloré et de bougies (facultatif),
  pour décorer

Préchauffer le four à 180 °C (th. 6). Chemiser deux moules à 12 alvéoles avec 24 caissettes en papier. Mettre le beurre, le sucre, les œufs et la farine dans une jatte et battre le tout. Répartir la préparation obtenue dans les caissettes en papier.

Cuire 10 à 15 minutes au four préchauffé, jusqu'à ce que les cupcakes aient bien levé, qu'ils soient dorés et fermes au toucher. Laisser refroidir sur une grille.

Pour la garniture, battre le beurre en crème avec le sucre glace jusqu'à obtention d'une consistance homogène. Napper les cupcakes de crème au beurre, décorer de sucreries selon son goût et ajouter éventuellement des bougies.

12 · *Cupcakes d'anniversaire aux amandes*

Pour un goûter d'anniversaire destiné à des enfants plus âgés, remplacer 55 g de farine par de la poudre d'amandes et incorporer 25 g de zestes d'agrumes confits hachés. Décorer avec des petits bonbons.

25 g de chocolat noir, brisé en carrés
125 g de beurre, ramolli
125 g de sucre en poudre
150 g de farine levante
2 gros œufs
2 cuil. à soupe de cacao en poudre amer
sucre glace, pour saupoudrer

CRÈME AU BEURRE CITRONNÉE
100 g de beurre, ramolli
225 g de sucre glace
zeste râpé d'un demi-citron
1 cuil. à soupe de jus de citron

Préchauffer le four à 180 °C (th. 6). Chemiser un moule à 12 alvéoles avec 12 caissettes en papier. Mettre le chocolat dans une jatte résistant à la chaleur et faire fondre au-dessus d'une casserole d'eau frémissante, puis laisser tiédir.

Mettre le beurre, le sucre, la farine, les œufs et le cacao dans une jatte et battre le tout. Incorporer le chocolat fondu et répartir la préparation obtenue dans les caissettes en papier.

Cuire 15 minutes au four préchauffé, jusqu'à ce que les cupcakes soient souples au toucher. Laisser refroidir complètement sur une grille.

Pour la crème au beurre, battre le beurre en crème avec le sucre glace. Ajouter le zeste de citron, puis incorporer progressivement le jus de citron. Prélever le sommet de chaque cupcake, puis le couper en deux. Napper la surface coupée des cupcakes avec la crème au beurre et planter les demi-sommets dedans pour figurer les ailes. Saupoudrer de sucre glace.

14 *Cupcakes papillons chocolat-orange*

Ajouter le zeste râpé d'une demi-orange et 2 cuil. à soupe de jus d'orange à la préparation. Pour la crème au beurre, remplacer le jus et le zeste de citron avec du jus et du zeste d'orange, et décorer les cupcakes avec de fines lanières de zeste d'orange.

15 *Cupcakes papillons chocolat-noisette*

Ajouter 40 g de noisettes finement hachées à la préparation. Parsemer les cupcakes de noisettes finement hachées et grillées pour décorer.

16 *Cupcakes papillons au chocolat blanc*

Remplacer le chocolat noir fondu avec du chocolat blanc fondu. Décorer les cupcakes avec de la crème au beurre au chocolat (page 10).

140 g de beurre

100 g de sucre roux

100 g de miel

200 g de farine levante

1 cuil. à café de quatre-épices

2 œufs, légèrement battus

24 amandes entières, mondées

Préchauffer le four à 180 °C (th. 6). Chemiser deux moules à 12 alvéoles avec 24 caissettes en papier. Mettre le beurre, le sucre et le miel dans une casserole et chauffer à feu doux sans cesser de remuer jusqu'à ce que le beurre ait fondu. Retirer du feu. Tamiser la farine et le quatre-épices dans la casserole, puis ajouter les œufs et mélanger jusqu'à obtention d'une consistance homogène.

Répartir la préparation dans les caissettes et garnir d'amandes. Cuire 20 à 25 minutes au four préchauffé, jusqu'à ce que les cupcakes aient levé et soient dorés. Laisser refroidir complètement sur une grille.

18 *Cupcakes au sirop d'érable*

Remplacer le miel par du sirop d'érable, et le quatre-épices par de la cannelle. Décorer de noix de pécan plutôt que d'amandes.

19 *Cupcakes aux noisettes*

Ajouter 1 cuil. à soupe de noisettes grillées finement hachées à la préparation. Remplacer le quatre-épices par de la noix muscade et, pour décorer, des amandes par des noisettes.

100 g de beurre, ramolli
100 g de sucre en poudre
2 gros œufs
100 g de farine levante
100 g de pépites de chocolat noir

Préchauffer le four à 190 °C (th. 6-7). Chemiser un moule à 12 alvéoles avec 8 caissettes en papier.

Mettre le beurre, le sucre, les œufs et la farine dans une jatte et battre le tout. Incorporer les pépites de chocolat et répartir la préparation dans les caissettes.

Cuire 20 à 25 minutes au four préchauffé, jusqu'à ce que les cupcakes aient levé et soient dorés. Laisser refroidir complètement sur une grille.

21 Cupcakes chocolat-noisette

Remplacer les pépites de chocolat noir avec 55 g de pépites de chocolat au lait et 55 g de noisettes hachées.

22 Cupcakes aux bonbons chocolatés

Remplacer les pépites de chocolat noir par des bonbons de chocolat enrobés de sucres brisés en petits morceaux.

115 g de beurre, ramolli,
ou de margarine
115 g de sucre en poudre
2 gros œufs, légèrement battus

4 cuil. à café de jus de citron
175 g de farine levante
115 g de raisins secs
2 à 4 cuil. à soupe de lait, si nécessaire

Préchauffer le four à 190 °C (th. 6-7). Chemiser deux moules à 12 alvéoles avec 18 caissettes en papier. Dans une jatte, battre le beurre en crème avec le sucre jusqu'à ce que le mélange blanchisse. Incorporer progressivement les œufs, puis ajouter le jus de citron et 1 cuillerée à soupe de farine. Incorporer la farine restante et les raisins secs. Ajouter un peu de lait si la préparation est trop sèche. Répartir la préparation obtenue dans les caissettes en papier.

Cuire 10 à 15 minutes au four préchauffé, jusqu'à ce que les cupcakes aient levé et soient dorés. Laisser refroidir complètement sur une grille.

24 *Cupcakes de la reine à l'orange*

Remplacer le jus de citron par du jus d'orange et ajouter le zeste râpé et le jus d'une demi-orange.

25 *Cupcakes de la reine glacés au sucre*

Tamiser 150 g de sucre glace dans un bol et incorporer environ 4 cuil. à café de jus de citron de façon à obtenir une consistance qui nappe la cuillère. Étaler le glaçage obtenu sur les cupcakes.

26 *Cupcakes aux pétales de roses*   POUR 12 CUPCAKES

115 g de beurre, ramolli
115 g de sucre en poudre
2 œufs, légèrement battus
1 cuil. à soupe de lait
quelques gouttes d'extrait de rose
¼ de cuil. à café d'extrait de vanille
175 g de farine levante
petits bonbons argentés, pour décorer

PÉTALES DE ROSE CRISTALLISÉS
12 à 24 pétales de roses
2 blancs d'œufs légèrement battus,
pour enduire
sucre en poudre, pour saupoudrer

NAPPAGE
85 g de beurre, ramolli
175 g de sucre glace
colorant alimentaire rose ou violet
(facultatif)

Pour les pétales de roses cristallisés, rincer les pétales et les sécher avec du papier absorbant. À l'aide d'un pinceau, enduire les pétales de blanc d'œuf, puis saupoudrer de sucre en poudre. Mettre sur une plaque, couvrir de papier d'aluminium et laisser reposer une nuit.

Préchauffer le four à 200 °C (th. 6-7). Chemiser un moule à 12 alvéoles avec 12 caissettes en papier.

Dans une jatte, battre le beurre en crème avec le sucre jusqu'à ce que le mélange blanchisse, puis ajouter progressivement les œufs. Ajouter le lait et les extraits de rose et de vanille, puis incorporer la farine. Répartir la préparation obtenue dans les caissettes en papier.

Cuire 12 à 15 minutes au four préchauffé, jusqu'à ce que les cupcakes aient levé et soient dorés. Laisser refroidir complètement sur une grille.

Pour le nappage, battre le beurre en crème dans une jatte. Tamiser le sucre glace dans la jatte et bien mélanger. Ajouter éventuellement quelques gouttes de colorant alimentaire de façon à imiter la couleur des pétales.

Garnir les cupcakes froids de nappage et les décorer avec un ou deux pétales de rose cristallisés et des petits bonbons argentés.

115 g de farine
2 cuil. à café de gingembre en poudre
¼ de cuil. à café de cannelle en poudre
1 morceau de gingembre confit, haché
¾ de cuil. à café de bicarbonate
4 cuil. à soupe de lait
85 g de beurre, ramolli
70 g de sucre roux non raffiné
2 cuil. à soupe de mélasse

2 œufs, légèrement battus
1 morceau de gingembre confit, émincé,
*   pour décorer*

NAPPAGE
85 g de beurre, ramolli
175 g de sucre glace
2 cuil. à soupe de sirop prélevé dans
*   le bocal du gingembre confit*

Préchauffer le four à 160 °C (th. 5-6). Chemiser deux moules à 12 alvéoles avec 16 caissettes en papier. Tamiser la farine, le gingembre en poudre et la cannelle dans une jatte. Ajouter le gingembre haché et bien mélanger le tout. Dans une autre jatte, dissoudre le bicarbonate dans le lait.

Dans une troisième jatte, battre le beurre en crème avec le sucre jusqu'à ce que le mélange blanchisse.

Incorporer la mélasse, puis ajouter progressivement les œufs, le mélange à base de farine et le lait. Répartir la préparation obtenue dans les caissettes en papier.

Cuire 20 minutes au four préchauffé, jusqu'à ce que les cupcakes aient levé et soient dorés. Laisser complètement refroidir sur une grille.

Pour le nappage, battre le beurre en crème, puis ajouter le sucre glace et le sirop de gingembre, et bien battre le tout jusqu'à obtention d'une consistance homogène et crémeuse.

Garnir les cupcakes froids de nappage, puis décorer avec de petits morceaux de gingembre confit.

28 *Cupcakes au gingembre et aux noix*

Ajouter 40 g de noix ou de noix de pécan finement hachées avec le gingembre confit. Décorer de noix hachées.

200 ml d'eau
85 g de beurre
85 g de sucre en poudre
1 cuil. à soupe de sirop de maïs
3 cuil. à soupe de lait
1 cuil. à café d'extrait de vanille
1 cuil. à café de bicarbonate
225 g de farine
2 cuil. à soupe de cacao
en poudre amer

NAPPAGE
50 g de chocolat noir, brisé en carrés
4 cuil. à soupe d'eau
50 g de beurre
50 g de chocolat blanc,
brisé en carrés
350 g de sucre glace
100 g de copeaux de chocolat noir
et 100 g de copeaux de chocolat
blanc, pour décorer

Préchauffer le four à 180 °C (th. 6). Chemiser deux moules à 12 alvéoles avec 20 caissettes en papier. Mettre l'eau, le beurre, le sucre et le sirop dans une casserole et chauffer à feu doux sans cesser de remuer jusqu'à ce que le sucre soit dissous. Porter à ébullition, réduire le feu et cuire 5 minutes à feu doux.

Mettre l'extrait de vanille et le lait dans une jatte et y dissoudre le bicarbonate. Tamiser la farine et le cacao dans une autre jatte et incorporer le contenu refroidi de la casserole. Ajouter le mélange à base de lait et battre jusqu'à obtention d'une consistance homogène. Répartir la préparation dans les caissettes.

Cuire 20 minutes au four préchauffé, jusqu'à ce que les cupcakes aient levé et soient fermes au toucher. Laisser refroidir complètement sur une grille.

Pour le nappage, mettre le chocolat noir dans une jatte résistant à la chaleur, ajouter la moitié de l'eau et du beurre, et faire fondre le tout au-dessus d'une casserole d'eau frémissante. Mélanger et laisser refroidir au-dessus de la casserole. Répéter l'opération avec l'eau et le beurre restants et le chocolat blanc. Répartir le sucre glace dans chaque jatte et battre jusqu'à obtention d'une consistance épaisse.

Garnir les cupcakes de nappage blanc ou noir et décorer de copeaux de chocolat.

30 *Cupcakes au fudge et noix de pécan*

Incorporer 40 g de noix de pécan à la préparation à base de farine et de cacao avant d'ajouter le sirop. Décorer de noix de pécan concassées au lieu de copeaux de chocolat.

55 g de beurre, ramolli,
ou de margarine
225 g de sucre roux
115 g de beurre de cacahuètes
avec des éclats
2 œufs, légèrement battus
1 cuil. à café d'extrait de vanille
225 g de farine
2 cuil. à café de levure chimique
100 ml de lait

NAPPAGE
200 g de fromage frais
2 cuil. à soupe de beurre, ramolli
225 g de sucre glace

Préchauffer le four à 180 °C (th. 6). Chemiser deux moules à 12 alvéoles avec 16 caissettes en papier. Mettre le beurre, le sucre et le beurre de cacahuètes dans une jatte et battre le tout 1 à 2 minutes. Incorporer les œufs, puis ajouter l'extrait de vanille. Tamiser la farine et la levure dans la jatte et mélanger en ajoutant progressivement le lait. Répartir la préparation dans les caissettes.

Cuire 25 minutes au four préchauffé, jusqu'à ce que les cupcakes aient levé et soient dorés. Laisser refroidir complètement sur une grille.

Pour le nappage, mettre le fromage frais et le beurre dans une jatte et battre jusqu'à obtention d'une consistance homogène. Tamiser le sucre glace dans la jatte et bien battre le tout, puis en garnir les cupcakes.

32 *Cupcakes confiture-cacahuètes*

Répartir la moitié de la préparation dans les caissettes en papier, puis déposer environ ½ cuil. à café de confiture de fraises ou de framboises au centre de chacun. Ajouter délicatement la préparation restante de façon à enfermer totalement la confiture. Saupoudrer de sucre roux et cuire comme précédemment.

33 *Cupcakes chocolat-cacahuètes*

Répartir la moitié de la préparation dans les caissettes en papier, puis déposer environ ½ cuil. à café de pâte à tartiner au chocolat au centre de chacun. Ajouter délicatement la préparation restante de façon à enfermer totalement la pâte à tartiner. Cuire comme précédemment, laisser refroidir et napper de pâte à tartiner supplémentaire.

85 g de noix
55 g de beurre, ramolli, coupé en dés
100 g de sucre en poudre
zeste râpé d'un demi-citron
70 g de farine levante
2 œufs
12 cerneaux de noix, pour décorer

NAPPAGE
55 g de beurre, ramolli
85 g de sucre glace
zeste râpé d'un demi-citron
1 cuil. à café de jus de citron

Préchauffer le four à 190 °C (th. 6-7). Chemiser un moule à 12 alvéoles avec 12 caissettes en papier. Réduire les noix en poudre dans un robot de cuisine. Veiller à ne pas trop mixer, car les noix produiraient de l'huile.

Ajouter le beurre, le sucre, le zeste de citron, la farine et les œufs, et mixer jusqu'à obtention d'une pâte homogène. Répartir la préparation dans les caissettes.

Cuire 20 minutes au four préchauffé, jusqu'à ce que les cupcakes aient levé et soient dorés. Laisser refroidir complètement sur une grille.

Pour le nappage, battre le beurre en crème dans une jatte. Tamiser le sucre glace dans la jatte, ajouter le zeste et le jus de citron, et bien mélanger le tout. Étaler le nappage sur les cupcakes refroidis et garnir de cerneaux de noix pour décorer.

35 *Cupcakes moelleux orange-noix*

Dans les cupcakes, remplacer le zeste de citron par du zeste d'orange. Omettre le nappage. Chauffer 6 cuil. à soupe de jus d'orange et 2 cuil. à soupe de sucre en poudre sans cesser de remuer de façon à dissoudre le sucre, puis faire bouillir jusqu'à obtention d'un sirop. Verser sur les cupcakes chauds et laisser refroidir.

36 *Cupcakes moelleux aux noix de pécan*

Remplacer les noix par des noix de pécan, et le zeste et le jus de citron par du zeste et du jus d'orange.

---

37 *Cupcakes des anges au café* POUR 16 CUPCAKES

1 cuil. à soupe de café soluble
1 cuil. à soupe d'eau bouillante
115 g de beurre, ramolli,
ou de margarine
115 g de sucre roux
2 œufs
115 g de farine levante
½ cuil. à café de levure chimique
2 cuil. à soupe de crème aigre

GLAÇAGE
225 g de sucre glace
4 cuil. à café d'eau chaude
1 cuil. à café de café soluble,
dissoute dans 2 cuil. à café
d'eau bouillante

Préchauffer le four à 190 °C (th. 6-7). Chemiser deux moules à 12 alvéoles avec 16 caissettes en papier. Mettre le café dans un bol et le dissoudre dans l'eau bouillante. Laisser tiédir. Mettre le beurre, le sucre et les œufs dans une jatte. Tamiser la farine et la levure dans la jatte et battre jusqu'à obtention d'une consistance homogène. Incorporer le café et la crème aigre, et répartir la préparation dans les caissettes.

Cuire 20 minutes au four préchauffé, jusqu'à ce que les cupcakes aient levé et soient dorés. Laisser refroidir complètement sur une grille.

Pour le glaçage, tamiser 85 g de sucre glace dans un bol et ajouter assez d'eau chaude pour obtenir une consistance qui nappe la cuillère. Tamiser le sucre glace restant dans un bol et incorporer le café. Couvrir les cupcakes de glaçage blanc, puis dessiner des lignes verticales avec le glaçage au café. Tracer des lignes horizontales de gauche à droite, et de droite à gauche, avec une pique à cocktail. Laisser prendre.

38 *Cupcakes des anges au moka*

Remplacer la crème aigre par 55 g de chocolat noir fondu.

39 *Cupcakes des anges au chocolat*

Dans les cupcakes, remplacer le café soluble par du cacao en poudre amer. Pour compléter les cupcakes, faire fondre séparément 175 g de chocolat au lait et 25 g de chocolat blanc. Étaler le chocolat au lait sur les cupcakes, puis dessiner immédiatement des lignes verticales avec le chocolat blanc. Tracer des lignes horizontales de gauche à droite, et de droite à gauche, avec une pique à cocktail.

115 g de beurre, ramolli,
ou de margarine
115 g de sucre en poudre
2 cuil. à soupe de lait
2 œufs, légèrement battus
85 g de farine levante
½ cuil. à café de levure chimique
85 g de noix de coco
déshydratée râpée
115 g de cerises confites, coupées
en quartiers

GARNITURE
1 portion de crème au beurre (page 10)
12 cerises entières fraîches ou confites,
pour décorer

Préchauffer le four à 180 °C (th. 6). Chemiser un moule à 12 alvéoles avec 12 caissettes en papier.

Dans une jatte, battre le beurre en crème avec le sucre jusqu'à ce que le mélange blanchisse. Ajouter le lait et incorporer les œufs progressivement. Tamiser la farine et la levure dans la jatte, ajouter la noix de coco et mélanger. Ajouter une grande partie des cerises en quartiers et mélanger délicatement.

Répartir la préparation obtenue dans les caissettes en papier et parsemer avec les quartiers de cerises restants.

Cuire 20 à 25 minutes au four préchauffé, jusqu'à ce que les cupcakes aient levé, qu'ils soient dorés et fermes au toucher. Laisser refroidir sur une grille.

Mettre la crème au beurre dans une poche à douille munie d'un embout large en étoile. Décorer les cupcakes refroidis de crème au beurre, puis ajouter une cerise fraîche ou confite au centre.

41 *Cupcakes cerise-coco glacés au sucre*

Couvrir les cupcakes refroidis avec du glaçage au sucre (page 10). Couper 12 cerises confites en deux et déposer deux demi-cerises sur chaque cupcake, côté bombé vers le haut. Faire fondre 55 g de chocolat noir et dessiner les queues des cerises à l'aide d'une poche à douille.

42 *Cupcakes cerise-amande*

Remplacer la noix de coco par de la poudre d'amandes.

115 g de beurre, ramolli,
ou de margarine
115 g de sucre roux
jus et zeste finement râpé
d'une petite orange
2 gros œufs, légèrement battus
175 g de carottes râpées
25 g de noix, concassées
125 g de farine
1 cuil. à café de quatre-épices
1½ cuil. à café de levure chimique

NAPPAGE
280 g de mascarpone
4 cuil. à soupe de sucre glace
zeste râpé d'une grosse orange

Préchauffer le four à 180 °C (th. 6). Chemiser un moule à 12 alvéoles avec 12 caissettes en papier.

Dans une jatte, battre le beurre en crème avec le sucre et le zeste d'orange, puis incorporer les œufs progressivement. Bien essorer les carottes et les ajouter dans la jatte avec les noix et le jus d'orange. Bien mélanger le tout. Tamiser la farine, la levure et le quatre-épices dans la jatte et mélanger. Répartir la préparation obtenue dans les caissettes en papier.

Cuire 25 minutes au four préchauffé, jusqu'à ce que les cupcakes aient levé et soient dorés et fermes au toucher.

Laisser refroidir complètement sur une grille.

Pour le nappage, mettre dans une jatte le mascarpone, le sucre glace et le zeste d'orange, puis bien battre le tout.

Étaler le nappage sur les cupcakes refroidis en lui donnant de la texture à l'aide d'un couteau à bout rond.

44 *Cupcakes carotte-citron*

Dans les cupcakes, remplacer le zeste et le jus d'orange par du zeste et du jus de citron. Omettre le nappage. Tamiser 25 g de sucre glace dans une jatte et incorporer assez de jus de citron pour obtenir un glaçage fluide. Étaler le glaçage sur les cupcakes froids et laisser tel quel ou décorer de citron confit.

45 *Cupcakes carotte-chocolat*

Ajouter 85 g de pépites de chocolat noir avec les carottes. Incorporer 55 g de chocolat noir fondu au mascarpone avant d'étaler le nappage sur les cupcakes.

46 Cupcakes au chocolat et au fromage frais

*85 g de beurre, ramolli,
ou de margarine
100 g de sucre en poudre
2 œufs, légèrement battus
2 cuil. à soupe de lait
55 g de pépites de chocolat noir
225 g de farine levante
25 g de cacao en poudre amer*

*GARNITURE
225 g de chocolat blanc,
brisé en carrés
150 g de fromage frais allégé
copeaux de chocolat, pour décorer*

Préchauffer le four à 200 °C (th. 6-7). Chemiser deux moules à 12 alvéoles avec 18 caissettes en papier.

Dans une jatte, battre le beurre en crème avec le sucre jusqu'à ce que le mélange blanchisse, puis incorporer progressivement les œufs. Ajouter le lait et les pépites de chocolat. Tamiser la farine et le cacao dans la jatte et mélanger. Répartir la préparation dans les caissettes et lisser la surface.

Cuire 20 minutes au four préchauffé, jusqu'à ce que les cupcakes aient levé et soient souples au toucher. Laisser refroidir sur une grille.

Pour le nappage, mettre le chocolat dans une jatte résistant à la chaleur et le faire fondre au-dessus d'une casserole d'eau frémissante. Laisser tiédir. Mettre le fromage frais dans une autre jatte et battre vigoureusement, puis incorporer le chocolat.

Étaler le nappage sur les cupcakes refroidis, puis mettre au réfrigérateur et laisser prendre 1 heure avant de servir. Décorer éventuellement de copeaux de chocolat.

47 Cupcakes au chocolat blanc

Remplacer les pépites de chocolat noir par 85 g de pépites de chocolat blanc. Omettre le cacao et le remplacer par 250 g de farine. Décorer les cupcakes de copeaux de chocolat blanc.

48 Cupcakes au chocolat et au mascarpone

Dans le nappage, remplacer le fromage frais par du mascarpone et décorer de copeaux de chocolat au lait.

49 Cupcakes papillons au citron

*115 g de farine levante
½ cuil. à café de levure chimique
115 g de beurre, ramolli
115 g de sucre en poudre
2 œufs
zeste finement râpé d'un demi-citron
2 cuil. à soupe de lait
sucre glace, pour saupoudrer*

*NAPPAGE AU CITRON
85 g de beurre, ramolli
175 g de sucre glace
1 cuil. à soupe de jus de citron*

Préchauffer le four à 190 °C (th. 6-7). Chemiser un moule à 12 alvéoles avec 12 caissettes en papier.

Tamiser la farine et la levure dans une grande jatte, ajouter le beurre, le sucre, les œufs, le zeste de citron et le lait, et battre le tout jusqu'à obtention d'une consistance homogène. Répartir la préparation dans les caissettes en papier.

Cuire 10 à 15 minutes au four préchauffé, jusqu'à ce que les cupcakes aient levé et soient dorés. Laisser complètement refroidir sur une grille.

Pour le nappage, battre le beurre en crème dans une jatte. Tamiser le sucre glace dans la jatte, ajouter le jus de citron et battre le tout jusqu'à obtention d'une consistance homogène et crémeuse.

Prélever le sommet des cupcakes refroidis et couper les sommets en deux.

Garnir la surface coupée des cupcakes avec le nappage, puis planter délicatement les demi-sommets dans le nappage pour figurer les ailes. Saupoudrer de sucre glace tamisé juste avant de servir.

50 Cupcakes papillons à l'orange

Remplacer le zeste et jus de citron par du zeste et jus d'orange.

51 Cupcakes papillons à la vanille

Omettre le zeste de citron dans les cupcakes, et remplacer le jus de citron par 1 cuil. à café d'extrait de vanille dans le nappage. Décorer éventuellement de cristaux de sucre.

225 g de farine
1¼ cuil. à café de levure chimique
¼ de cuil. à café de bicarbonate
2 bananes mûres
115 g de beurre, ramolli
115 g de sucre en poudre
½ cuil. à café d'extrait de vanille
2 œufs, légèrement battus

4 cuil. à soupe de crème aigre
55 g de noix de pécan, concassées

GARNITURE
115 g de beurre, ramolli
115 g de sucre glace
1 cuil. à soupe de noix de pécan,
        finement hachées

Préchauffer le four à 190 °C (th. 6-7). Chemiser deux moules à 12 alvéoles avec 24 caissettes en papier. Tamiser ensemble la farine, la levure et le bicarbonate. Réduire les bananes en purée à l'aide d'une fourchette.

Dans une jatte, battre le beurre en crème avec le sucre et l'extrait de vanille jusqu'à ce que le mélange blanchisse, puis incorporer progressivement les œufs. Ajouter la purée de bananes, la crème aigre, les ingrédients tamisés et les noix de pécan, bien mélanger le tout et répartir la préparation obtenue dans les caissettes en papier.

Cuire 20 minutes au four préchauffé, jusqu'à ce que les cupcakes aient levé et soient dorés. Laisser refroidir complètement sur une grille.

Pour la garniture, battre le beurre en crème dans une jatte et y ajouter le sucre glace. Garnir les cupcakes du nappage obtenu et parsemer de noix de pécan hachées juste avant de servir.

53 *Cupcakes banane-datte*

Omettre les noix de pécan dans les cupcakes et la garniture. Ajouter 55 g de dattes hachées aux cupcakes au moment d'incorporer la farine.

54 *Cupcakes banane-chocolat*

Remplacer les noix de pécan par 85 g de pépites de chocolat noir ou au lait. Décorer les cupcakes de copeaux de chocolat ou de confettis en chocolat.

55 *Cupcakes banane-caramel*

Remplacer les noix de pécan par 85 g de caramels concassés. Décorer éventuellement les cupcakes de caramels concassés supplémentaires.

75 g de beurre, ramolli,
ou de margarine
100 g de sucre en poudre
1 gros œuf, légèrement battu
2 cuil. à soupe de lait
100 g de farine levante
1 cuil. à de levure chimique
75 g de canneberges, surgelées

Préchauffer le four à 180 °C (th. 6).
Chemiser deux moules à 12 alvéoles
avec 14 caissettes en papier.

Dans une jatte, battre le beurre
en crème avec le sucre jusqu'à ce
que le mélange blanchisse, puis
incorporer progressivement
l'œuf et le lait. Tamiser la farine
et la levure dans la jatte, et bien
mélanger. Ajouter délicatement
les canneberges surgelées. Répartir
la préparation obtenue dans
les caissettes en papier.

Cuire 10 à 15 minutes au four
préchauffé, jusqu'à ce que
les cupcakes aient levé et soient
dorés. Laisser refroidir
complètement sur une grille.

57 *Cupcakes aux myrtilles*

Remplacer les canneberges par des myrtilles surgelées.

58 *Cupcakes aux cerises*

Remplacer les canneberges par des cerises noires en bocal. Bien les égoutter
et les couper en deux avant de les ajouter à la pâte.

½ cuil. à café de bicarbonate
280 g de compote de pommes
55 g de beurre, ramolli,
ou de margarine
85 g de sucre roux
1 gros œuf, légèrement battu
175 g de farine levante
½ cuil. à café de cannelle en poudre
½ cuil. à café de noix muscade
fraîchement râpée

GARNITURE
50 g de farine
50 g de sucre roux
¼ de cuil. à café de cannelle en poudre
¼ de cuil. à café de noix muscade
fraîchement râpée
35 g de beurre, coupé en dés

Préchauffer le four à 180 °C (th. 6). Chemiser deux moules à 12 alvéoles avec 14 caissettes en papier.

Pour la garniture, mettre la farine, le sucre, la cannelle et la noix muscade dans une jatte et incorporer le beurre avec le bout des doigts jusqu'à obtenir une consistance de fine chapelure. Réserver.

Pour les cupcakes, délayer le bicarbonate dans la compote de pommes. Dans une jatte, battre le beurre en crème avec le sucre jusqu'à ce que le mélange blanchisse, puis incorporer progressivement l'œuf. Tamiser la farine, la cannelle et la noix muscade dans la jatte, et bien mélanger le tout en ajoutant progressivement la compote. Répartir la préparation obtenue dans les caissettes en papier. Parsemer la garniture réservée sur les cupcakes et la presser légèrement dans la préparation. Cuire 20 minutes au four préchauffé, jusqu'à ce que les cupcakes aient levé et soient dorés. Laisser reposer 2 à 3 minutes avant de servir, ou laisser refroidir complètement sur une grille.

60 *Cupcakes à l'abricot façon crumble*

Égoutter 280 g d'abricots en bocaux en réservant le jus. Hacher les abricots et délayer 1 cuil. à café de Maïzena dans un peu du jus réservé. Mettre les abricots dans une casserole avec le jus réservé restant et porter à ébullition. Ajouter la Maïzena délayée et cuire à feu doux sans cesser de remuer jusqu'à épaississement. Laisser refroidir, puis réaliser la recette comme précédemment, en remplaçant la compote de pommes par la sauce aux abricots.

61 *Cupcakes à la canneberge façon crumble*

Remplacer la compote de pommes par de la compote de canneberges.

62 *Cupcakes à la cerise façon crumble*

Remplacer la compote de pommes par 200 g compote de cerises.

63 Cupcakes coulants au chocolat noir

55 g de beurre, ramolli,
ou de margarine
55 g de sucre en poudre
1 gros œuf
85 g de farine levante
1 cuil. à soupe de cacao en poudre amer
55 g chocolat noir
sucre glace, pour saupoudrer

Préchauffer le four à 190 °C (th. 6-7). Chemiser un moule à 12 alvéoles avec 8 caissettes en papier.

Mettre le beurre, le sucre, l'œuf, la farine et le cacao dans une jatte et battre le tout. Répartir la moitié de la préparation dans les caissettes en papier. À l'aide d'une cuillère à café, ménager une petite cavité au centre de chaque caissette. Casser le chocolat en 8 carrés de même taille et les déposer dans la cavité. Répartir la préparation restante dans les caissettes en veillant à bien recouvrir les carrés de chocolat.

Cuire 20 minutes au four préchauffé, jusqu'à ce que les cupcakes aient levé et soient souples au toucher. Laisser reposer 2 à 3 minutes avant de servir, saupoudré de sucre glace tamisé.

64 Cupcakes coulants au chocolat blanc

Remplacer le chocolat noir par des carrés de chocolat blanc.

65 Cupcakes vanille-chocolat

Ajouter 100 g de farine et omettre le cacao en poudre. Ajouter ½ cuil. à café d'extrait de vanille à la préparation, et remplacer le chocolat noir par du chocolat au lait.

66 Cupcakes aux cerises et au chocolat

50 g de chocolat noir, brisé en carrés
60 g de beurre
115 g de confiture de cerises
60 g de sucre en poudre
2 gros œufs
100 g de farine levante

GARNITURE
4 cuil. à café de liqueur de cerise
150 ml de crème fraîche épaisse
12 cerises fraîches, confites
ou en bocal
copeaux de chocolat,
pour décorer

Cuire 20 minutes au four préchauffé, jusqu'à ce que les cupcakes soient fermes au toucher. Laisser reposer 10 minutes dans le moule, puis transférer sur une grille et laisser refroidir complètement.

Arroser les cupcakes refroidis de liqueur et laisser reposer au moins 15 minutes.

Juste avant de servir, mettre la crème fraîche dans une jatte et la fouetter jusqu'à ce qu'elle soit légèrement ferme. Étaler la crème fouettée sur les cupcakes à l'aide d'un couteau de façon à créer de la texture. Garnir le tout de cerises fraîches, confites ou en bocal, et décorer de copeaux de chocolat.

67 Cupcakes aux fraises et au chocolat

Remplacer la confiture de cerises par de la confiture de fraises et la liqueur de cerise par du cognac. Décorer chaque cupcake d'une petite fraise entière.

Préchauffer le four à 180 °C (th. 6). Chemiser un moule à 12 alvéoles avec 12 caissettes en papier. Mettre le chocolat et le beurre dans une casserole et chauffer à feu doux sans cesser de remuer jusqu'à ce que le tout ait fondu. Transférer dans une jatte, bien mélanger et laisser tiédir. Ajouter la confiture, le sucre et les œufs, et bien battre le tout. Incorporer la farine et répartir la préparation obtenue dans les caissettes en papier.

115 g de beurre, ramolli,
un peu plus pour graisser
les tasses
4 cuil. à soupe de confiture
de fraises
115 g de sucre en poudre
2 œufs, légèrement battus
1 cuil. à café d'extrait de vanille
115 g de farine levante
6 fraises entières, pour décorer
sucre glace, pour saupoudrer

la pointe d'un couteau piquée au centre ressorte sans trace de pâte. Couvrir les cupcakes de papier d'aluminium s'ils brunissent trop. Laisser reposer 2 à 3 minutes, puis retirer délicatement les tasses du plat et les déposer sur leur sous-tasse.

Garnir chaque cupcake d'une fraise, saupoudrer de sucre glace et servir chaud.

Préchauffer le four à 180 °C (th. 6). Beurrer six tasses à café épaisses d'une contenance de 200 ml. Déposer 2 cuillerées à café de confiture de fraises au fond de chaque tasse.

Dans une jatte, battre le beurre en crème avec le sucre jusqu'à ce que le mélange blanchisse. Ajouter progressivement les œufs en battant bien après chaque ajout, puis incorporer l'extrait de vanille. Tamiser la farine dans la jatte et mélanger. Répartir la préparation obtenue dans les tasses.

Déposer les tasses dans un plat à rôti et verser de l'eau dans le plat de sorte que les tasses soient immergées au tiers. Cuire 40 minutes au four préchauffé, jusqu'à ce que les cupcakes aient levé et soient dorés, et que

69 *Cupcakes chauds aux framboises*

Remplacer la confiture de fraises par de la confiture de framboises et décorer de framboises fraîches.

70 *Cupcakes chauds aux pêches*

Remplacer la confiture de fraises par quelques demi-pêches au sirop bien égouttées et décorer de pêches supplémentaires.

71 *Cupcakes tropicaux à l'ananas*   POUR 12 CUPCAKES

2 tranches d'ananas en conserve
au naturel
85 g de beurre, ramolli,
ou de margarine
85 g de sucre en poudre
1 gros œuf, légèrement battu
85 g de farine levante

NAPPAGE
2 cuil. à soupe de beurre, ramolli
100 g de fromage frais
zeste râpé d'un citron
ou d'un citron vert
100 g de sucre glace
1 cuil. à café de jus de citron
de jus de citron vert

1 cuillerée à soupe du jus réservé. Répartir la préparation obtenue dans les caissettes en papier. Cuire 20 minutes au four préchauffé, jusqu'à ce que les cupcakes aient levé et soient dorés. Laisser refroidir sur une grille.

Pour le nappage, mettre le beurre et le fromage frais dans une jatte et battre le tout jusqu'à obtention d'une consistance homogène, puis ajouter le zeste de citron ou de citron vert.

Tamiser le sucre glace dans la jatte et battre vigoureusement. Incorporer progressivement le jus de citron ou de citron vert jusqu'à obtention d'une consistance de pâte à tartiner.

Garnir les cupcakes refroidis de nappage à l'aide d'un couteau à bout rond ou d'une poche à douille munie d'un embout large en forme d'étoile.

Préchauffer le four à 180 °C (th. 6). Chemiser un moule à 12 alvéoles avec 12 caissettes en papier. Égoutter l'ananas en réservant le jus et hacher finement les tranches. Dans une jatte, battre le beurre en crème avec le sucre jusqu'à ce que le mélange blanchisse, puis incorporer progressivement l'œuf. Ajouter la farine et bien mélanger le tout. Incorporer l'ananas haché et

72 *Cupcakes façon Piña Colada*

Ajouter 25 g de noix de coco râpée déshydratée et ½ cuil. à soupe de jus d'ananas supplémentaire à la préparation. Incorporer 2 cuil. à soupe de noix de coco déshydratée au nappage, et remplacer le jus de citron par du rhum.

Cupcakes aux zestes d'orange

85 g de beurre, ramolli,
ou de margarine
85 g de sucre en poudre
1 gros œuf, légèrement battu
85 g de farine levante
25 g de poudre d'amandes
zeste râpé et jus d'une petite orange

GARNITURE
1 orange
55 g de sucre en poudre
1 cuil. à soupe d'amandes
effilées grillées

Préchauffer le four à 180 °C (th. 6).
Chemiser un moule à 12 alvéoles
avec 12 caissettes en papier.
Dans une jatte, battre le beurre
en crème avec le sucre jusqu'à ce
que le mélange blanchisse, puis
incorporer progressivement l'œuf.
Ajouter la farine, la poudre
d'amandes, le zeste et le jus
d'orange, et bien mélanger le tout.
Répartir la préparation obtenue
dans les caissettes en papier.

Cuire 20 à 25 minutes au four
préchauffé, jusqu'à ce que
les cupcakes aient levé et soient
bien dorés.

Pendant ce temps, préparer
la garniture. À l'aide d'un zesteur,
détailler le zeste de l'orange en
filaments, puis presser le fruit.
Mettre le zeste et le jus d'orange
dans une casserole, ajouter le sucre
et chauffer à feu doux sans cesser
de remuer jusqu'à ce que le sucre
soit dissous. Laisser mijoter
5 minutes. Piquer les cupcakes
refroidis à l'aide d'une brochette,
les arroser de sirop chaud et
laisser imbiber.

Parsemer d'amandes
effilées et laisser refroidir
sur une grille.

74 *Cupcakes aux zestes de citron*

Remplacer le zeste et le jus d'orange par du zeste et du jus de citron.

75 *Cupcakes coco-citron vert*

Dans les cupcakes, remplacer le zeste et le jus d'orange par le zeste et le jus d'un demi-citron, et ajouter 25 g de noix de coco râpée déshydratée. Dans la garniture, utiliser des filaments de zeste de citron vert et le jus de 2 citrons verts à la place de l'orange. Remplacer les amandes par de la noix de coco déshydratée grillée.

76 *Cupcakes au moka et à la crème fouettée*

2 cuil. à soupe de café soluble
85 g de beurre
85 g de sucre en poudre
1 cuil. à soupe de miel
200 ml d'eau
225 g de farine
2 cuil. à soupe de cacao en poudre amer
1 cuil. à café de bicarbonate
3 cuil. à soupe de lait
1 gros œuf, légèrement battu

GARNITURE
225 ml de crème fouettée
cacao en poudre amer,
pour saupoudrer

Préchauffer le four à 180 °C (th. 6).
Chemiser deux moules à 12 alvéoles
avec 20 caissettes en papier. Mettre
le café soluble, le beurre, le sucre,
le miel et l'eau dans une casserole
et chauffer à feu doux sans cesser
de remuer jusqu'à ce que le sucre
soit dissous. Porter à ébullition,
puis réduire le feu et laisser mijoter

5 minutes. Transférer dans une jatte
et laisser refroidir complètement.
Tamiser la farine et le cacao dans
la jatte et mélanger. Dissoudre le
bicarbonate dans le lait, puis ajouter
dans la jatte avec l'œuf et battre
le tout jusqu'à obtention d'une
consistance homogène. Répartir
la préparation obtenue dans
les caissettes en papier.

Cuire 10 à 15 minutes au four
préchauffé, jusqu'à ce que
les cupcakes aient levé et soient
fermes au toucher. Laisser refroidir
complètement sur une grille.

Pour la garniture, mettre
la crème fouettée dans une jatte
et battre vigoureusement jusqu'à
ce qu'elle soit ferme. Déposer
des cuillerées de crème fouettée
sur les cupcakes, et saupoudrer
légèrement de cacao.

77 *Cupcakes au moka et aux noix*

Ajouter 40 g de noix concassées à la préparation. Pour la garniture, dissoudre 2 cuil. à café de café soluble dans 1 cuil. à soupe d'eau bouillante et laisser refroidir. Fouetter la crème légèrement, puis ajouter le café et 2 cuil. à soupe de sucre glace. Fouetter de nouveau, en garnir les cupcakes et décorer de cerneaux de noix.

400 g de tranches de pêche au sirop
115 g de beurre, ramolli
115 g de sucre en poudre
2 œufs, légèrement battus
115 g de farine levante
150 ml de crème fraîche épaisse

Préchauffer le four à 180 °C (th. 6). Chemiser un moule à 12 alvéoles avec 12 caissettes en papier.

Égoutter les pêches en réservant le jus. Réserver également 12 petites tranches et hacher finement les tranches restantes.

Battre le beurre en crème avec le sucre dans une jatte et incorporer progressivement les œufs. Tamiser la farine dans la jatte et mélanger. Ajouter les pêches hachées et 1 cuillerée à soupe du jus réservé. Répartir la préparation obtenue dans les caissettes en papier.

Cuire 25 minutes au four préchauffé, jusqu'à ce que les cupcakes soient dorés. Laisser reposer 10 minutes, puis transférer sur une grille et laisser refroidir complètement.

Juste avant de servir, mettre la crème fraîche dans une jatte et la fouetter vigoureusement. Étaler la crème fouettée sur les cupcakes à l'aide d'un couteau à bout rond pour donner de la texture. Décorer chaque cupcake d'une petite tranche de pêche.

79 *Cupcakes aux abricots et à la crème*

Remplacer les pêches par 8 oreillons d'abricots au sirop. Couper 4 oreillons en 3 tranches et les réserver pour décorer. Hacher finement les oreillons restants et les ajouter à la préparation avec 1 cuil. à soupe du jus réservé du bocal.

80 *Cupcakes aux abricots secs*

Remplacer les pêches par 85 g d'abricots secs moelleux finement hachés et ajouter 1 cuil. à soupe de jus d'orange pour remplacer le jus du bocal. Pour décorer, saupoudrer de sucre glace tamisé.

Cupcakes aux carottes et à l'orange

175 g de beurre, ramolli,
 ou de margarine
115 g de sucre en poudre
2 œufs, légèrement battus
300 g de carottes râpées
55 g de noix, finement hachées
2 cuil. à soupe de jus d'orange
zeste râpé d'une demi-orange

175 g de farine levante
1 cuil. à café de cannelle en poudre
12 cerneaux de noix, pour décorer

NAPPAGE
115 g de fromage frais
225 g de sucre glace
1 cuil. à soupe de jus d'orange

Préchauffer le four à 180 °C (th. 6). Chemiser un moule à 12 alvéoles avec 12 caissettes en papier. Dans une jatte, battre le beurre en crème avec le sucre jusqu'à ce que le mélange blanchisse, puis incorporer progressivement les œufs. Ajouter les carottes, les noix, le jus et le zeste d'orange. Tamiser la farine et la cannelle dans la jatte et bien mélanger le tout. Répartir la préparation obtenue dans les caissettes en papier.

Cuire 10 à 15 minutes au four préchauffé, jusqu'à ce que les cupcakes soient dorés et souples au toucher. Laisser refroidir complètement sur une grille.

Pour le nappage, mettre le fromage frais, le sucre glace et le jus d'orange dans une jatte et bien battre le tout. Garnir les cupcakes de nappage et les décorer de cerneaux de noix.

82 # Cupcakes aux carottes et aux courgettes

Utiliser 85 g de carottes râpées et 85 g de courgettes râpées, et remplacer les noix par 55 g de raisins secs. Décorer chaque cupcake d'un cerneau de noix de pécan.

Cupcakes gourmands aux amandes

100 g de beurre, ramolli
100 g de sucre en poudre
2 œufs, légèrement battus
¼ de cuil. à café d'extrait d'amande
4 cuil. à soupe de crème fraîche liquide
175 g de farine
1½ cuil. à café de levure chimique
70 g de poudre d'amandes

GARNITURE
115 g de beurre, ramolli
225 g de sucre glace
quelques gouttes d'extrait d'amande
25 g d'amandes effilées grillées

Préchauffer le four à 180 °C (th. 6). Chemiser un moule à 12 alvéoles avec 12 caissettes en papier. Dans une jatte, battre le beurre en crème avec le sucre jusqu'à ce que le mélange blanchisse. Incorporer les œufs progressivement, puis ajouter l'extrait d'amande et la crème fraîche. Tamiser la farine et la levure dans la jatte, bien mélanger et ajouter la poudre d'amandes. Répartir la préparation dans les caissettes.

Cuire 25 minutes au four préchauffé, jusqu'à ce que les cupcakes soient dorés et fermes au toucher. Laisser reposer 10 minutes, puis laisser refroidir complètement sur une grille.

Pour le nappage, battre le beurre en crème, puis ajouter le sucre glace et l'extrait d'amande et battre jusqu'à obtention d'une consistance homogène. Étaler le nappage sur les cupcakes à l'aide d'un couteau à bout rond de façon à donner de la texture. Parsemer d'amandes effilées.

Cupcakes façon cornets de glace

175 g de beurre, ramolli,
    ou de margarine
175 g de sucre en poudre
1 cuil. à café d'extrait de vanille
3 œufs, légèrement battus
55 g de poudre d'amandes
150 g de farine levante

GARNITURE
1 portion de crème au beurre
    (page 10)
8 barres de chocolat
confettis en sucre
confiture de framboises
    (facultatif)

Préchauffer le four à 180 °C (th. 6). Chemiser un moule à 12 alvéoles avec 8 caissettes en papier. Dans une jatte, battre le beurre en crème avec le sucre jusqu'à ce que le mélange blanchisse, puis ajouter l'extrait de vanille. Incorporer progressivement les œufs, puis ajouter la poudre d'amandes et la farine. Répartir la préparation dans les caissettes en papier en créant un léger dôme au centre.

Cuire 20 à 25 minutes au four préchauffé, jusqu'à ce que les cupcakes soient dorés et souples au toucher. Laisser refroidir sur une grille.

Mettre la crème au beurre dans une poche à douille munie d'un embout large en forme d'étoile et décorer les cupcakes pour figurer des cornets de glace. Planter les barres de chocolat et parsemer de confettis. Réchauffer la confiture et en arroser éventuellement les cupcakes.

85 *Cupcakes façon cornets au chocolat*

Remplacer 2 cuil. à soupe de farine par du cacao. Décorer avec de la crème au beurre au chocolat (page 10) et des confettis de chocolat, et arroser de sauce au chocolat.

Cupcakes à l'orange et au babeurre

140 g de sucre roux
240 g de beurre, ramolli
2 œufs, légèrement battus
200 g de farine
¾ de cuil. à café de levure chimique
½ cuil. à café de bicarbonate
125 ml de babeurre

NAPPAGE
225 g de sucre glace
zeste finement râpé de 2 oranges,
    plus 1 cuil. à soupe de jus

Préchauffer le four à 180 °C (th. 6). Chemiser un moule à 12 alvéoles avec 12 caissettes en papier. Dans une jatte, battre 125 g de beurre en crème avec le sucre jusqu'à ce que le mélange blanchisse, puis incorporer progressivement les œufs. Tamiser la farine, la levure et le bicarbonate dans la jatte, bien mélanger le tout et ajouter le babeurre et le zeste râpé d'une orange. Répartir la préparation obtenue dans les caissettes.

Cuire 30 minutes au four préchauffé, jusqu'à ce que les cupcakes soient fermes au toucher. Laisser reposer 10 minutes, puis transférer sur une grille et laisser refroidir complètement.

Pour le nappage, battre le beurre restant en crème. Ajouter le sucre glace tamisé, le jus d'orange et le zeste restant, et battre le tout jusqu'à obtention d'une consistance homogène.

Garnir les cupcakes refroidis de nappage à l'aide d'un couteau à bout rond de façon à créer de la texture.

100 g de beurre, ramolli
100 g de sucre en poudre
2 gros œufs
100 g de farine levante
100 g de pépites de chocolat noir

Préchauffer le four à 190 °C (th. 6-7). Chemiser un moule à 12 alvéoles avec 12 caissettes en papier. Mettre le beurre, le sucre, les œufs et la farine dans une jatte et bien battre le tout. Incorporer les pépites de chocolat. Répartir la préparation obtenue dans les caissettes en papier.

Cuire 10 à 15 minutes au four préchauffé, jusqu'à ce que les cupcakes aient levé et soient dorés. Laisser refroidir complètement sur une grille.

88 *Cupcakes aux trois chocolats*

Utiliser seulement 85 g de farine et ajouter 2 cuil. à soupe de cacao. Utiliser des pépites de chocolat noir, au lait et blanc.

89 *Cupcakes caramel-cacahuète*

Remplacer les pépites de chocolat par des éclats de bonbons au caramel et ajouter à la pâte 40 g de cacahuètes concassées.

90 *Cupcakes nappés de fudge*

Pour le nappage, mettre 3 cuil. à soupe de beurre et 2 cuil. à soupe de lait dans une casserole et chauffer sans cesser de remuer jusqu'à ce que le beurre ait fondu. Ajouter 50 g de sucre glace et 1½ cuil. à soupe de cacao, et battre jusqu'à obtention d'une consistance homogène. Laisser tiédir et napper les cupcakes.

275 g de framboises fraîches
150 ml d'huile de tournesol
2 œufs
140 g de sucre en poudre
½ cuil. à café d'extrait de vanille
275 g de farine
¼ de cuil. à café de bicarbonate

GARNITURE
150 ml de crème fraîche épaisse
12 framboises fraîches
petites feuilles de menthe,
    pour décorer

Préchauffer le four à 180 °C (th. 6). Chemiser un moule à 12 alvéoles avec 12 caissettes en papier. Mettre les framboises dans une jatte et les écraser légèrement à l'aide d'une fourchette.

Mettre l'huile, les œufs, le sucre et l'extrait de vanille dans une jatte et fouetter le tout vigoureusement. Tamiser la farine et le bicarbonate dans la jatte et mélanger, puis incorporer les framboises écrasées. Répartir la préparation obtenue dans les caissettes en papier.

Cuire 30 minutes au four préchauffé, jusqu'à ce que les cupcakes soient dorés et fermes au toucher. Laisser reposer 10 minutes, puis laisser refroidir complètement sur une grille.

Juste avant de servir, mettre la crème fraîche dans une jatte et la fouetter vigoureusement. Garnir les cupcakes de crème fouettée et lisser la surface à l'aide d'un couteau à bout rond. Décorer chaque cupcake d'une framboise entière et de petites feuilles de menthe.

92 *Cupcakes aux fraises fraîches*

Remplacer les framboises par des fraises et ajouter le zeste râpé d'une petite orange à la pâte. Il est également possible de mettre la crème fouettée dans une poche à douille munie d'un embout large en forme d'étoile pour décorer les cupcakes.

125 g de beurre, ramolli
140 g de sucre en poudre
2 œufs, légèrement battus
140 g de farine
½ cuil. à café de levure chimique

125 g de myrtilles déshydratées
    moelleuses
2 cuil. à soupe de lait
sucre glace, pour saupoudrer

Préchauffer le four à 180 °C (th. 6). Chemiser un moule à 12 alvéoles avec 12 caissettes en papier. Dans une jatte, battre le beurre en crème avec le sucre jusqu'à ce que le mélange blanchisse, puis incorporer progressivement les œufs. Tamiser la farine et la levure dans la jatte et mélanger, puis incorporer les myrtilles et le lait. Répartir la préparation obtenue dans les caissettes en papier.

Cuire 25 minutes au four préchauffé, jusqu'à ce que les cupcakes soient dorés et fermes au toucher. Laisser reposer 10 minutes, puis transférer sur une grille et laisser refroidir complètement.

Saupoudrer les cupcakes refroidis de sucre glace tamisé.

150 g de beurre, ramolli, ou de margarine	*DÉCORATION*
150 g de sucre en poudre	115 g de pâte de sucre
1 cuil. à café d'extrait de vanille	colorants alimentaires verts et jaunes
2 gros œufs, légèrement battus	300 g de sucre glace
140 g de farine levante	environ 3 cuil. à soupe d'eau froide
40 g de Maïzena	confettis de sucre

Préchauffer le four à 190 °C (th. 6-7). Chemiser deux moules à 12 alvéoles avec 24 caissettes en papier. Dans une jatte, battre le beurre en crème avec le sucre jusqu'à ce que le mélange blanchisse, puis ajouter l'extrait de vanille. Incorporer progressivement les œufs. Tamiser la farine et la Maïzena dans la jatte et mélanger. Répartir la préparation obtenue dans les caissettes en papier.

Cuire 12 à 15 minutes au four préchauffé, jusqu'à ce que les cupcakes soient dorés et souples au toucher. Transférer sur une grille et laisser refroidir complètement.

Pour décorer, diviser la pâte de sucre en deux et colorer une moitié en jaune pâle. Abaisser les deux portions de pâte de sucre et y découper des pétales à l'aide d'un emporte-pièce. Réserver les pétales jaunes et blancs obtenus.

Tamiser le sucre glace dans un bol, ajouter l'eau et mélanger de façon à obtenir un glaçage fluide. Transférer la moitié du glaçage dans une poche à douille munie d'un petit embout lisse. Diviser le glaçage restant de nouveau en deux, puis colorer une portion en jaune et l'autre en vert.

Couvrir la moitié des cupcakes de glaçage jaune et l'autre moitié de glaçage vert. Disposer les pétales blancs sur les cupcakes jaunes et les pétales jaunes sur les cupcakes verts pour figurer des fleurs. Dessiner un gros rond de glaçage blanc au centre de chaque fleur à l'aide de la poche à douille, puis garnir de confettis de sucre. Laisser prendre.

175 g de farine levante	*DÉCORATION*
1 cuil. à café de levure chimique	200 g de sucre glace
175 g de sucre en poudre	1 cuil. à soupe de jus de citron
175 g de beurre très mou, coupé en dés	1 à 2 cuil. à soupe d'eau
3 œufs	quelques gouttes de colorant alimentaire bleu et vert
1 cuil. à café d'extrait de vanille	pastilles de chocolat blanc
2 cuil. à soupe de lait	pastilles de chocolat blanc multicolores
	bonbons en forme de petites bêtes

Préchauffer le four à 180 °C (th. 6). Chemiser un moule à 12 alvéoles avec 12 caissettes en papier. Tamiser la farine, la levure et le sucre dans une jatte. Ajouter le beurre, les œufs, la vanille et lait, et battre le tout jusqu'à obtention d'une consistance crémeuse. Répartir la préparation dans les caissettes. Cuire 10 à 15 minutes au four préchauffé, jusqu'à ce que les cupcakes aient levé et soient dorés. Laisser refroidir sur une grille.

Mélanger le sucre glace, le jus de citron et l'eau pour obtenir un glaçage. Colorer la moitié en bleu et l'autre moitié en vert. Couvrir la moitié des cupcakes avec le glaçage bleu et figurer des fleurs au centre à l'aide des pastilles. Dessiner une feuille sur les cupcakes restants avec le glaçage vert et déposer une petite bête sur chaque feuille.

Cupcakes du zoo

175 g de beurre, ramolli,
   ou de margarine
175 g de sucre en poudre
1 cuil. à café d'extrait de vanille
3 œufs, légèrement battus
55 g de noix de coco déshydratée
   non sucrée
150 g de farine levante

DÉCORATION
1½ cuil. à café cacao en poudre amer
55 g de sucre glace
300 g de pâte de sucre
colorants alimentaires rose, jaune,
   marron et noir

Préchauffer le four à 180 °C (th. 6). Chemiser un moule à 12 alvéoles avec 9 caissettes en papier. Dans une jatte, battre le beurre en crème avec le sucre, puis ajouter l'extrait de vanille. Incorporer les œufs un à un, puis ajouter la noix de coco et la farine. Répartir la préparation dans les caissettes. Cuire 20 à 25 minutes au four préchauffé, jusqu'à ce que les cupcakes soient dorés et souples au toucher. Laisser refroidir sur une grille.

Pour décorer, tamiser le cacao et le sucre glace dans un bol et ajouter pour obtenir un glaçage fluide et épais. Transférer dans une petite poche à douille. Laisser un petit morceau de pâte de sucre blanc et colorer un autre petit morceau en rose. Diviser la pâte restante en deux gros morceaux et un morceau moyen. Colorer un gros morceau en gris avec du colorant noir, l'autre gros morceau en jaune et l'autre en marron.

Pour faire les éléphants, abaisser la pâte de sucre grise et y découper trois ronds de la taille des cupcakes. Découper 6 petits ronds et en ôter un tiers pour figurer les oreilles. Abaisser la pâte de sucre rose, puis y découper 6 ronds plus petits, pour constituer l'intérieur des oreilles. Façonner de petits boudins gris pour figurer la trompe. Avec de la pâte de sucre blanche, façonner les yeux et les défenses. Assembler le tout avec un peu d'eau, puis tracer les pupilles et les sourcils avec le glaçage au cacao.

Pour les singes, abaisser la pâte de sucre marron et y découper trois ronds de la taille des cupcakes. Découper les oreilles dans la pâte marron, ainsi que l'intérieur des oreilles dans la pâte rose. Découper 3 ronds dans la pâte de sucre jaune pour figurer la face des singes. Façonner les yeux avec la pâte de sucre blanche. Assembler le tout avec un peu d'eau, puis dessiner le reste avec le glaçage au cacao.

Pour les lions, abaisser la pâte de sucre jaune et y découper trois ronds de la taille des cupcakes. Façonner les oreilles avec les pâtes de sucre marron et rose, puis le nez avec la pâte de sucre marron. Façonner les yeux avec la pâte de sucre blanche. Assembler le tout avec un peu d'eau, puis dessiner le reste avec le glaçage au cacao.

Cupcakes-animaux

55 g de raisins secs
zeste râpé et d'une demi-orange
115 g de beurre, ramolli,
   ou de margarine
115 g de sucre en poudre
½ cuil. à café d'extrait de vanille
2 œufs, légèrement battus
175 g de farine levante
¼ de portion de crème au beurre
   (page 10)

DÉCORATION
250 g de sucre glace, tamisé
2 à 3 cuil. à soupe de jus d'orange
petits animaux en sucre

Préchauffer le four à 180 °C (th. 6). Chemiser deux moules à 12 alvéoles avec 15 caissettes en papier. Mettre les raisins secs dans une casserole avec le zeste et le jus d'orange, et porter au point de frémissement à feu doux. Retirer du feu et laisser refroidir.

Dans une jatte, battre le beurre en crème avec le sucre jusqu'à ce que le mélange blanchisse, puis ajouter l'extrait de vanille. Incorporer les œufs progressivement, puis ajouter le contenu de la casserole. Tamiser la farine dans la jatte et bien mélanger. Répartir la préparation obtenue dans les caissettes en papier.

Cuire 10 à 15 minutes au four préchauffé, jusqu'à ce que les cupcakes soient dorés et souples au toucher. Laisser refroidir sur une grille.

Pour décorer, tamiser le sucre glace dans une jatte et ajouter assez de jus d'orange pour obtenir un glaçage fluide. Couvrir les cupcakes de glaçage et laisser prendre. Garnir les cupcakes de crème au beurre à l'aide d'une poche à douille munie d'un embout en forme d'étoile et déposer de petits animaux en sucre sur le tout.

175 g de beurre, ramolli,
  ou de margarine
175 g de sucre en poudre
1 cuil. à café d'extrait de vanille
3 œufs, légèrement battus
150 g de framboises
225 g de farine levante

DÉCORATION
1 portion de crème au beurre (page 10)
colorants alimentaires rose, noir, rouge
  et jaune
55 à 85 g de pâte de sucre
petits bonbons argentés
petits bonbons

Préchauffer le four à 180 °C (th. 6). Chemiser un moule à 12 alvéoles avec 10 caissettes en papier. Dans une jatte, battre le beurre en crème avec le sucre jusqu'à ce que le mélange blanchisse, puis ajouter l'extrait de vanille.

Incorporer progressivement les œufs, puis les framboises et la farine. Répartir la préparation obtenue dans les caissettes en papier.

Cuire 20 à 25 minutes au four préchauffé, jusqu'à ce que les cupcakes soient dorés et souples au toucher. Laisser refroidir complètement sur une grille.

Pour décorer, colorer la crème au beurre en rose pâle, puis la mettre dans une poche à douille munie d'un embout en forme d'étoile et garnir les cupcakes.

Colorer la pâte de sucre de diverses couleurs et la façonner selon des formes liées au thème du shopping – chaussures à talon, sac à main ou bijoux. Déposer les formes sur les cupcakes, puis presser des petits bonbons argentés dans la pâte de sucre ou la crème au beurre pour parfaire la décoration. Utiliser les bonbons pour figurer des diamants, par exemple.

99 *Cupcakes shopping express*

Pour gagner du temps, garnir les cupcakes de décorations non comestibles : chaussures de poupées, bijoux en plastique, etc. Veiller à bien avertir les convives que les décorations ne sont pas comestibles et ne pas proposer ces cupcakes à des enfants.

---

100 *Cupcakes fondants au chocolat et fromage frais* POUR 12 CUPCAKES

175 g de farine
20 g de cacao en poudre amer
¼ de cuil. à café de bicarbonate
200 g de sucre en poudre
50 ml d'huile de tournesol
175 ml d'eau

2 cuil. à café de vinaigre de vin
  blanc
½ cuil. à café d'extrait de vanille
150 g de fromage frais
1 œuf, légèrement battu
100 g de pépites de chocolat noir

Préchauffer le four à 180 °C (th. 6). Chemiser un moule à 12 alvéoles avec 12 caissettes en papier. Tamiser la farine, le cacao et le bicarbonate dans une grande jatte. Ajouter 150 g de sucre, l'huile, l'eau, le vinaigre et l'extrait de vanille, et bien mélanger le tout.

Mettre le sucre restant, le fromage frais et l'œuf dans une autre jatte et bien battre le tout. Incorporer les pépites de chocolat.

Répartir la préparation au chocolat dans les caissettes en papier et ajouter la préparation au fromage frais par-dessus.

Cuire 25 minutes au four préchauffé, jusqu'à ce que les cupcakes soient fermes au toucher. Laisser reposer 10 minutes, puis transférer sur une grille et laisser refroidir complètement.

60 g de beurre

125 g de petits beurres, émiettés

85 g de sucre en poudre

275 g de fromage frais

2 gros œufs

zeste finement râpé d'un gros citron

2 cuil. à café de jus de citron

125 ml de crème aigre

4 cuil. à soupe de farine

2 petits citrons, coupées en rondelles, pour décorer

Préchauffer le four à 160 °C (th. 5-6). Chemiser un moule à 12 alvéoles avec 12 caissettes en papier. Mettre le beurre dans une casserole et chauffer à feu doux jusqu'à ce qu'il ait fondu. Retirer du feu, puis ajouter les petits beurres et 1 cuillerée à soupe du sucre et bien mélanger. Répartir le mélange dans les caissettes et presser fermement avec le dos d'une petite cuillère. Réserver au réfrigérateur.

Pendant ce temps, mettre le sucre restant, le fromage frais et les œufs dans une jatte et battre jusqu'à obtention d'une consistance homogène. Ajouter la crème aigre, le zeste et le jus de citron, et bien battre le tout. Incorporer la farine, puis répartir la préparation dans les caissettes.

Cuire 30 minutes au four préchauffé, jusqu'à ce que les cupcakes aient pris mais ne soient pas encore dorés. Laisser reposer 20 minutes, puis transférer sur une grille et laisser refroidir complètement.

Mettre les cupcakes au réfrigérateur et laisser prendre au moins 3 heures. Décorer de rondelles de citron torsadées.

102 Cupcakes à l'orange façon cheesecake

Remplacer le jus et le zeste de citron par du jus et du zeste d'orange, et décorer les cupcakes de rondelles d'orange torsadées.

---

115 g de beurre, ramolli, ou de margarine

115 g de sucre en poudre

2 œufs, légèrement battus

85 g de farine levante

25 g de cacao en poudre amer

GARNITURE

85 g de beurre, ramolli

175 g de sucre glace

1 cuil. à soupe de lait

2 ou 3 gouttes d'extrait de vanille

260 g de mini-œufs au chocolat ou à la liqueur enrobés de sucre

Préchauffer le four à 180 °C (th. 6). Chemiser un moule à 12 alvéoles avec 12 caissettes en papier.

Dans une jatte, battre le beurre en crème avec le sucre jusqu'à ce que le mélange blanchisse, puis incorporer progressivement les œufs. Tamiser la farine et le cacao dans la jatte et mélanger. Répartir la préparation obtenue dans les caissettes en papier.

Cuire 10 à 15 minutes au four préchauffé, jusqu'à ce que les cupcakes aient levé et soient fermes au toucher. Transférer sur une grille et laisser refroidir.

Pour la garniture, battre le beurre en crème dans une jatte.

Tamiser le sucre glace dans la jatte et battre vigoureusement en ajoutant progressivement le lait et l'extrait de vanille.

Mettre le nappage dans une poche à douille munie d'un embout large en forme d'étoile et décorer les cupcakes refroidis en forme de nid. Déposer les œufs au centre de chaque nid et servir.

104 Cupcakes de Pâques chocolatés

Parsemer les cupcakes décorés de copeaux de chocolat et les presser légèrement dans la crème au beurre.

105 Cupcakes de Pâques tout chocolat

Ajouter 85 g de pépites de chocolat noir à la préparation. Garnir les cupcakes de crème au beurre au chocolat (page 10) et presser des copeaux de chocolat dans la crème au beurre.

125 g de beurre, ramolli
200 g de sucre en poudre
4 à 6 gouttes d'extrait d'amande
4 œufs, légèrement battus
150 g de farine levante
175 g de poudre d'amandes

GARNITURE
450 g de pâte de sucre blanche
55 g de pâte de sucre verte
25 g de pâte de sucre rouge
sucre glace, pour saupoudrer

Préchauffer le four à 180 °C (th. 6). Chemiser un moule à 12 alvéoles avec 12 caissettes en papier. Mettre le beurre, le sucre et l'extrait d'amande dans une jatte et battre le tout jusqu'à ce que le mélange blanchisse, puis incorporer progressivement les œufs. Tamiser la farine dans la jatte et mélanger, puis incorporer la poudre d'amandes. Répartir la préparation obtenue dans les caissettes en papier.

Cuire 20 minutes au four préchauffé, jusqu'à ce que les cupcakes aient levé, qu'ils soient dorés et fermes au toucher. Laisser refroidir complètement sur une grille.

Pétrir la pâte de sucre de sorte qu'elle soit bien souple, puis l'abaisser sur un plan de travail saupoudré de sucre glace. Découper 12 ronds de 7 cm de diamètre à l'aide d'un emporte-pièce en abaissant de nouveau les chutes si nécessaire. Déposer les ronds sur les cupcakes refroidis.

Abaisser la pâte de sucre verte sur un plan de travail saupoudré de sucre glace. Découper 24 feuilles de houx à l'aide d'un emporte-pièce en abaissant de nouveau les chutes si nécessaire. Enduire les feuilles d'un peu d'eau bouillie et refroidie, et les déposer deux par deux sur les cupcakes. Rouler 36 billes de pâte de sucre rouge entre la paume des mains et en déposer 3 sur chaque cupcake pour figurer les baies du houx.

107 *Cupcakes de Noël épicés*

Ajouter 1 cuil. à café de quatre-épices à la préparation. Pour décorer, couvrir les cupcakes de ronds de pâte de sucre blancs. Découper des petits sapins dans la pâte de sucre verte et utiliser de la pâte de sucre jaune pour figurer l'étoile au sommet.

108 *Cupcakes au massepain et aux fruits*

Ajouter 55 g d'un mélange de fruits secs à la préparation. Pour décorer, abaisser le massepain et y découper des étoiles. Enduire les cupcakes d'un peu de confiture d'abricots chaude et y déposer les étoiles en massepain.

Cupcakes d'Halloween

115 g de beurre, ramolli,
ou de margarine
115 g de sucre en poudre
2 œufs
115 g de farine levante

GARNITURE
200 g de pâte de sucre orange
sucre glace, pour saupoudrer
55 g de pâte de sucre noire
tube de glaçage noir
tube de glaçage blanc

Préchauffer le four à 180 °C (th. 6). Chemiser un moule à 12 alvéoles avec 12 caissettes en papier. Mettre le beurre, le sucre, les œufs et la farine dans une jatte et battre le tout jusqu'à obtention d'une consistance homogène. Répartir la préparation obtenue dans les caissettes en papier.

Cuire 10 à 15 minutes au four préchauffé, jusqu'à ce que les cupcakes aient levé, qu'ils soient dorés et fermes au toucher. Laisser refroidir sur une grille.

Pétrir la pâte de sucre orange de sorte qu'elle soit souple puis l'abaisser sur un plan de travail saupoudré de sucre glace. Découper 12 ronds de 5,5 cm de diamètre avec un emporte-pièce en abaissant de nouveau les chutes si nécessaire. Déposer les ronds sur les cupcakes.

Abaisser la pâte de sucre noir sur un plan saupoudré de sucre glace. Découper 12 ronds de 3 cm de diamètre à l'aide d'un emporte-pièce et les déposer au centre des ronds orange. Dessiner 8 pattes à chaque araignée avec le glaçage noir, puis des yeux et une bouche avec le glaçage blanc.

110 Cupcakes-citrouilles

Couvrir les cupcakes de ronds de pâte de sucre blanche. Utiliser le fondant orange pour façonner des citrouilles et les déposer sur les ronds de pâte de sucre blancs. Dessiner les tiges avec du glaçage vert et figurer la bouche et les yeux de chaque citrouille avec du glaçage noir.

111 Cupcakes en toiles d'araignées

Faire fondre 55 g de chocolat noir et le mettre dans une petite poche à douille. Couvrir les cupcakes de glaçage de base (page 10). Dessiner des cercles concentriques avec le chocolat sur chaque cupcake, puis passer immédiatement une pique à cocktail depuis le centre vers l'extérieur en plusieurs rayons de façon à figurer une toile d'araignée.

112 Cupcakes de la Saint Valentin

85 g de beurre, ramolli,
ou de margarine
85 g de sucre en poudre
½ cuil. à café d'extrait de vanille
2 œufs, légèrement battus
70 g de farine
1 cuil. à soupe de cacao en poudre amer
1 cuil. à café de levure chimique

CŒUR EN MASSEPAIN
sucre glace, pour saupoudrer
35 g de massepain
colorant alimentaire rouge

NAPPAGE
55 g de beurre, ramolli
115 g de sucre glace
25 g de chocolat noir, fondu
6 petites fleurs en chocolat

Pour les cœurs, couvrir une plaque de papier sulfurisé et saupoudrer de sucre glace. Pétrir le massepain pour l'assouplir, puis incorporer du colorant rouge. Sur un plan saupoudré de sucre glace, abaisser le massepain de sorte qu'il ait 5 mm d'épaisseur et y découper 6 cœurs avec un petit emporte-pièce. Laisser reposer 4 heures sur la plaque.

Pour les cupcakes, préchauffer le four à 180 °C (th. 6). Chemiser un moule à 12 alvéoles avec 6 caissettes en papier. Dans une jatte, battre le beurre en crème avec le sucre et l'extrait de vanille, puis incorporer progressivement les œufs. Tamiser la farine, le cacao et la levure dans la jatte et mélanger. Répartir la préparation dans les caissettes. Cuire 20 à 25 minutes au four préchauffé, jusqu'à ce que les cupcakes aient levé et soient fermes au toucher. Laisser refroidir complètement sur une grille.

Pour le nappage, battre le beurre en crème et incorporer le sucre glace. Ajouter le chocolat fondu et bien mélanger. Garnir les cupcakes de nappage et décorer de cœurs en massepain et de petites fleurs en chocolat.

113 Cupcakes vanille-cerise

Utiliser 1 cuil. à café d'extrait de vanille et 85 g de farine. Omettre le cacao et ajouter 40 g de cerises confites coupées en quartiers. Décorer de crème au beurre plutôt que de nappage au chocolat.

225 g de beurre, ramolli
225 g de sucre en poudre
1 cuil. à café d'extrait de vanille
4 gros œufs, légèrement battus
225 g de farine levante
5 cuil. à soupe de lait

GARNITURE
175 g de beurre
350 g de sucre glace
petits bonbons dorés
   et argentés

Préchauffer le four à 180 °C (th. 6). Chemiser deux moules à 12 alvéoles avec 24 caissettes en papier dorées ou argentées. Dans une jatte, battre le beurre en crème avec le sucre et l'extrait de vanille, puis incorporer progressivement les œufs. Tamiser la farine dans la jatte et mélanger en ajoutant progressivement le lait. Répartir la préparation obtenue dans les caissettes.

Cuire 10 à 15 minutes au four préchauffé, jusqu'à ce que les cupcakes aient levé et soient fermes au toucher. Laisser refroidir complètement sur une grille.

Pour la garniture, battre le beurre en crème dans une jatte et incorporer le sucre glace. Transférer dans une poche à douille munie d'un embout de taille moyenne en forme d'étoile.

Garnir les cupcakes de crème au beurre et les parsemer de petits bonbons dorés ou argentés.

115 *Cupcakes d'anniversaire rubis*

Ajouter 55 g de cerises confites coupées en quartiers à la préparation et décorer de petits bonbons rouges.

140 g de beurre, ramolli,
   ou de margarine
140 g de sucre en poudre
1 cuil. à café d'extrait de vanille
3 œufs, légèrement battus
150 g de farine levante
55 g de cacao en poudre amer

GARNITURE
1 portion de crème au beurre
   (page 10)
85 g de mini-chamallows
40 g de noix, concassées
55 g de chocolat noir ou de chocolat
   au lait, brisé en carrés

Préchauffer le four à 180 °C (th. 6). Chemiser un moule à 12 alvéoles avec 10 caissettes en papier. Dans une jatte, battre le beurre en crème avec le sucre et l'extrait de vanille jusqu'à ce que le mélange blanchisse, puis incorporer progressivement les œufs. Tamiser la farine et le cacao dans la jatte et bien mélanger. Répartir la préparation dans les caissettes.

Cuire 20 à 25 minutes au four préchauffé, jusqu'à ce que les cupcakes soient dorés et souples au toucher. Laisser refroidir sur une grille.

Pour décorer, garnir les cupcakes refroidis de crème au beurre à l'aide d'une poche à douille de façon à former un dôme. Mélanger les mini-chamallows et les noix, répartir le mélange sur la crème au beurre et presser légèrement. Faire fondre le chocolat au bain-marie, en arroser les cupcakes et laisser prendre.

Cupcakes de naissance aux dragées

400 g de beurre, ramolli
400 g de sucre en poudre
zeste finement râpé de 2 citrons
8 œufs, légèrement battus
400 g de farine levante

GARNITURE
350 g de sucre glace
6 à 8 cuil. à café d'eau chaude
colorant alimentaire rose ou bleu
24 dragées roses ou bleues

Préchauffer le four à 180 °C (th. 6). Chemiser deux moules à 12 alvéoles avec 24 caissettes en papier. Battre le beurre en crème avec le sucre et le zeste jusqu'à ce que le mélange blanchisse, puis incorporer progressivement les œufs. Tamiser la farine dans la jatte et mélanger. Répartir la préparation obtenue dans les caissettes en papier.

Cuire 20 à 25 minutes au four préchauffé, jusqu'à ce que les cupcakes aient levé, qu'ils soient dorés et fermes au toucher. Laisser refroidir complètement sur une grille.

Pour la garniture, tamiser le sucre glace dans une jatte et ajouter assez d'eau chaude pour obtenir un glaçage épais et fluide qui nappe le dos de la cuillère. Plonger une brochette dans le colorant alimentaire et la remuer dans le glaçage jusqu'à obtention d'une couleur homogène. Couvrir les cupcakes de glaçage, garnir de dragées et laisser prendre 30 minutes.

118 ## Cupcakes de naissance à la lavande

Omettre le zeste de citron et ajouter 1 cuil. à soupe de lavande hachée à la préparation après avoir incorporé les œufs. Décorer de dragées ou de confettis multicolores.

119 # Cupcakes façon brownies au chocolat

225 g chocolat noir,
    brisé en carrés
85 g de beurre
2 gros œufs
200 g de sucre roux

1 cuil. à café d'extrait de vanille
140 g de farine
75 g de noix, concassées

Préchauffer le four à 180 °C (th. 6). Chemiser un moule à 12 alvéoles avec 12 caissettes en papier. Mettre le chocolat et le beurre dans une casserole et chauffer à feu doux sans cesser de remuer jusqu'à ce qu'ils aient fondu. Retirer du feu, mélanger et laisser tiédir.

Mettre les œufs et le sucre dans une jatte, battre vigoureusement et ajouter l'extrait de vanille. Incorporer la farine et le chocolat fondu, et mélanger jusqu'à obtention d'une consistance homogène. Ajouter les noix concassées et répartir la préparation obtenue dans les caissettes en papier.

Cuire 30 minutes au four préchauffé, jusqu'à ce que les cupcakes soient fermes au toucher, mais toujours très moelleux au centre. Laisser reposer 10 minutes, puis transférer sur une grille et laisser refroidir complètement.

Cupcakes aux fraises fraîches et cognac

*70 g chocolat noir, brisé en carrés,
un peu plus pour décorer*
140 g de sucre
140 g de sucre en poudre
2 gros œufs, légèrement battus
2 cuil. à soupe de cognac
175 g de farine levante
1 cuil. à soupe de cacao en poudre

GARNITURE
200 ml de crème fraîche
1 cuil. à soupe de sucre glace
1 cuil. à soupe de cognac
9 grosses fraises mûres

Préchauffer le four à 180 °C (th. 6). Chemiser un moule à 12 alvéoles avec 9 caissettes en papier. Mettre le chocolat dans une jatte résistant à la chaleur et le faire fondre au-dessus d'une casserole d'eau frémissante. Retirer du feu et laisser tiédir. Dans une jatte, battre le beurre en crème avec le sucre jusqu'à ce que le mélange blanchisse, puis incorporer progressivement les œufs. Ajouter le cognac et le chocolat fondu, puis incorporer délicatement la farine. Répartir la préparation obtenue dans les caissettes en papier.

Cuire 20 à 25 minutes au four préchauffé, jusqu'à ce que les cupcakes soient dorés et souples au toucher. Laisser refroidir complètement sur une grille.

Pour décorer, mettre la crème fraîche, le sucre et le cognac dans une jatte et fouetter vigoureusement. Transférer la crème fouettée dans une poche à douille munie d'un embout en forme d'étoile et en garnir les cupcakes. Décorer chaque cupcake d'une fraise fraîche et servir.

121 *Cupcakes aux framboises et au cognac*

Ajouter 115 g de framboises à la préparation et décorer de framboises fraîches plutôt que de fraises.

Cupcakes façon tarte aux pommes

50 g de beurre, ramolli
70 g de sucre roux
1 œuf, légèrement battu
150 g de farine
1½ cuil. à café de levure chimique
½ cuil. à café de quatre-épices
*1 grosse pomme à cuire, pelée, évidée
et finement hachée*
1 cuil. à soupe de jus d'orange

GARNITURE
40 g de farine
½ cuil. à café de quatre-épices
25 g de beurre
40 g de sucre en poudre

Préchauffer le four à 180 °C (th. 6). Chemiser un moule à 12 alvéoles avec 12 caissettes en papier.

Pour la garniture, mettre la farine, le quatre-épices, le beurre et le sucre dans une jatte et mélanger avec les doigts de façon à obtenir une consistance de chapelure. Réserver.

Pour les cupcakes, battre le beurre en crème avec le sucre dans une jatte jusqu'à ce que le mélange blanchisse, puis incorporer progressivement l'œuf. Tamiser la farine, la levure et le quatre-épices dans la jatte, mélanger et incorporer la pomme hachée et le jus d'orange. Répartir la préparation obtenue dans les caissettes en papier. Couvrir avec la garniture et presser légèrement.

Cuire 30 minutes au four préchauffé, jusqu'à ce que les cupcakes soient dorés. Laisser reposer 2 à 3 minutes et servir chaud, ou laisser reposer 10 minutes, transférer sur une grille et laisser refroidir complètement.

1 petite courgette
85 g de chocolat noir,
    brisé en carrés
2 gros œufs
50 g de sucre roux
90 ml d'huile de tournesol

115 g de farine
½ cuil. à de levure chimique
¼ de cuil. à café de bicarbonate
1 cuil. à soupe de noix de pécan,
    finement hachées
sucre glace, pour saupoudrer

Préchauffer le four à 180 °C (th. 6). Chemiser un moule à 12 alvéoles avec 12 caissettes en papier. Peler la courgette, puis la râper et bien l'égoutter. Réserver.

Mettre le chocolat dans une jatte résistant à la chaleur et le faire fondre au-dessus d'une casserole d'eau frémissante. Retirer du feu et remuer jusqu'à obtention d'une consistance homogène. Laisser tiédir.

Mettre les œufs, le sucre et l'huile dans une jatte et battre le tout. Tamiser la farine, la levure et le bicarbonate dans la jatte et bien mélanger le tout. Incorporer la courgette, les noix de pécan et le chocolat fondu. Répartir la préparation obtenue dans les caissettes en papier.

Cuire 25 minutes au four préchauffé, jusqu'à ce que les cupcakes soient fermes au toucher. Laisser reposer 10 minutes, puis laisser refroidir complètement sur une grille. Saupoudrer les cupcakes refroidis de sucre glace tamisé.

---

175 g de margarine ramollie
175 g de sucre en poudre
3 œufs
175 g de farine levante
2 cuil. à soupe de lait
55 g chocolat noir, fondu

Préchauffer le four à 180 °C (th. 6). Chemiser deux moules à muffins à 12 alvéoles avec 21 caissettes en papier. Mettre la margarine, le sucre, les œufs, la farine et lait dans une jatte et battre jusqu'à obtention d'une consistance homogène. Répartir la préparation dans deux jattes et ajouter le chocolat fondu dans l'une d'elles. Déposer 4 demi-cuillerées à café dans chaque caissette en alternant la préparation nature et celle au chocolat.

Cuire 20 minutes au four préchauffé, jusqu'à ce que les cupcakes aient levé. Laisser refroidir sur une grille.

125 *Cupcakes marbrés chocolat-orange*

Ajouter the zeste râpé et le jus d'une demi-orange et quelques gouttes de colorant alimentaire orange à la préparation nature.

126 *Cupcakes marbrés et leur glaçage*

Préparer les cupcakes comme indiqué ci-contre. Tamiser 250 g de sucre glace dans une jatte et incorporer 2 à 3 cuil. à soupe d'eau pour obtenir un glaçage fluide. Diviser le glaçage en deux et ajouter 1 cuil. à soupe de cacao à l'une des portions en incorporant un peu d'eau supplémentaire si nécessaire. Déposer de petites quantités des deux glaçages sur les cupcakes et y passer la pointe d'un couteau pour donner un effet marbré.

115 g de beurre, ramolli
115 g de sucre en poudre
2 œufs, légèrement battus
115 g de farine levante
zeste finement râpé d'un citron
1 cuil. à soupe de crème au citron
100 g de framboises fraîches

GARNITURE
2 cuil. à soupe de beurre
1 cuil. à soupe de sucre roux
1 cuil. à soupe de poudre d'amandes
1 cuil. à soupe de farine

Préchauffer le four à 200 °C (th. 6-7). Chemiser un moule à 12 alvéoles avec 12 caissettes en papier. Pour la garniture, mettre le beurre dans une casserole et chauffer à feu doux jusqu'à ce qu'il ait fondu. Verser le beurre dans une jatte, ajouter le sucre, la poudre d'amandes et la farine, et mélanger jusqu'à obtention d'une consistance homogène.

Pour les cupcakes, battre le beurre en crème avec le sucre dans une jatte jusqu'à ce que le mélange blanchisse, puis ajouter progressivement les œufs. Tamiser la farine dans la jatte et mélanger. Incorporer le zeste de citron, la crème de citron et les framboises. Répartir la préparation obtenue dans les caissettes en papier, recouvrir avec la garniture et presser légèrement.

Cuire 10 à 15 minutes au four préchauffé, jusqu'à ce que les cupcakes soient dorés et fermes au toucher. Laisser reposer 10 minutes, puis laisser refroidir complètement sur une grille.

300 g de chocolat noir,
  brisé en carrés
150 g de beurre, coupé en dés
250 g de golden syrup
100 g de noix du Brésil,
  concassées

100 g de raisins secs
  réhydratés
200 g de pétales de maïs
  soufflés
18 cerises confites,
  pour décorer

Déposer 18 caissettes en papier sur une plaque à pâtisserie. Mettre le chocolat, le beurre et le golden syrup dans une grande casserole et chauffer à feu doux jusqu'à ce que le tout soit fluide, sans être brûlant. Retirer du feu et bien mélanger.

Ajouter les noix du Brésil et les raisins secs, et mélanger de nouveau de façon à bien les enrober de chocolat. Incorporer les pétales de maïs.

Répartir la préparation obtenue dans les caissettes en papier et garnir de cerises confites. Mettre au réfrigérateur et laisser prendre 2 à 4 heures avant de servir.

3½ cuil. à soupe de beurre, ramolli,
    ou de margarine
115 g de sucre roux
2 gros œufs
115 g de farine
½ cuil. à café de bicarbonate
25 g de cacao en poudre amer
125 ml de crème aigre

NAPPAGE
125 g de chocolat noir, brisé en carrés
2 cuil. à soupe de sucre en poudre
150 ml de crème aigre

BÂTONNETS DE CHOCOLAT
    (facultatif)
100 g de chocolat noir

Préchauffer le four à 180 °C (th. 6). Chemiser deux moules à muffins à 12 alvéoles avec 18 caissettes en papier. Mettre le beurre, le sucre, les œufs, la farine, le bicarbonate et le cacao dans une jatte et battre le tout jusqu'à obtention d'une consistance homogène. Incorporer la crème aigre. Répartir la préparation obtenue dans les caissettes en papier.

Cuire 20 minutes au four préchauffé, jusqu'à ce que les cupcakes aient levé et soient fermes au toucher. Laisser refroidir sur une grille.

Pour le nappage, mettre le chocolat dans une jatte résistant à la chaleur et le faire fondre au-dessus d'une casserole d'eau frémissante. Laisser tiédir et incorporer le sucre et la crème aigre en battant vigoureusement. Napper les cupcakes avec le mélange obtenu et laisser prendre au réfrigérateur avant de servir.

Décorer éventuellement les cupcakes de bâtonnets de chocolat en raclant une tablette de chocolat à l'aide d'un couteau économe.

85 g de beurre, un peu plus pour graisser
225 g de farine levante, un peu plus
    pour saupoudrer
½ cuil. à de levure chimique
100 g de sucre en poudre
1 œuf, légèrement battu
2 à 3 cuil. à soupe de lait,
    un peu plus pour enduire

GARNITURE
1 cuil. à café d'extrait de vanille
250 g de mascarpone
3 cuil. à soupe de sucre glace, un peu
    plus pour saupoudrer
400 g de fraises

Préchauffer le four à 180 °C (th. 6). Graisser une grande plaque de four. Tamiser la farine, la levure et le sucre dans une jatte, puis incorporer le sucre avec les doigts de façon à obtenir une consistance de chapelure.

Mettre l'œuf et 2 cuillerées à soupe de lait dans une jatte et battre le tout, puis incorporer le mélange précédent à l'aide d'une fourchette de façon à obtenir une pâte souple et homogène, mais non collante, en ajoutant du lait si nécessaire.

Sur un plan de travail fariné, abaisser la pâte de sorte qu'elle ait 2 cm d'épaisseur. Découper des ronds dans la pâte à l'aide d'un emporte-pièce de 7 cm de diamètre. Répéter l'opération avec les chutes de pâte. Déposer les ronds de pâte sur la plaque et les enduire de lait.

Cuire 12 à 15 minutes au four préchauffé, jusqu'à ce que les sablés soient dorés et fermes. Laisser refroidir sur une grille.

Pour la garniture, incorporer l'extrait de vanille et 2 cuillerées à soupe de sucre glace au mascarpone. Réserver quelques fraises entières, puis émincer les fraises restantes et les saupoudrer du sucre glace restant. Couper les sablés en deux dans l'épaisseur.

Répartir la moitié du mascarpone sur la base des sablés et ajouter les fraises émincées. Couvrir avec le mascarpone restant et refermer les sablés. Saupoudrer de sucre glace et décorer de fraises entières.

131 *Sablés à la framboise*

Remplacer les fraises par des framboises entières et procéder comme indiqué ci-contre.

85 g de beurre,
un peu plus pour graisser
175 g de dattes dénoyautées, hachées
175 ml d'eau bouillante
½ cuil. à café de bicarbonate
140 g de sucre en poudre
1 gros œuf, légèrement battu
½ cuil. à café d'extrait de vanille
175 g de farine levante

SAUCE AU TOFFEE
85 g de sucre roux
3 cuil. à soupe de beurre
2 cuil. à soupe de crème fraîche
liquide ou de lait

Préchauffer le four à 180 °C (th. 6). Graisser un moule de 20 cm de côté.

Mettre les dattes, le bicarbonate et l'eau bouillante dans une petite casserole, et chauffer à feu doux 5 minutes sans laisser bouillir, jusqu'à ce que les dattes soient bien tendres.

Dans une jatte, battre le beurre en crème avec le sucre jusqu'à ce que le mélange blanchisse. Ajouter l'œuf, l'extrait de vanille et le mélange à base de dattes. Tamiser la farine dans la jatte, bien mélanger le tout et répartir dans le moule.

Cuire 40 à 45 minutes au four préchauffé, jusqu'à ce que le gâteau soit ferme et qu'il se décolle des parois du moule.

Pour la sauce au toffee, mettre le sucre, le beurre et la crème fraîche dans une casserole, chauffer à feu doux jusqu'à ce que le sucre soit dissous, puis laisser mijoter 2 minutes sans cesser de remuer.

Piquer toute la surface du gâteau à l'aide d'une brochette ou d'une fourchette et répartir la sauce dessus. Laisser refroidir dans le moule, puis découper en petits pavés avant de servir.

133 *Petits pavés aux noix et au toffee*

N'utiliser que 140 g de dattes et ajouter 55 g de noix concassées à la préparation. Il est également possible d'ajouter 1 cuillerée à soupe de noix finement concassées à la sauce au toffee.

134 *Petits pavés aux pommes et au toffee*

N'utiliser que 140 g de dattes et ajouter 1 pomme pelée, évidée et hachée à la préparation.

135 *Petits pavés à la banane et au toffee*

Ajouter 1 banane mûre à la préparation après avoir ajouté les dattes.

136 Cupcakes pomme-caramel

55 g de beurre,
un peu plus pour graisser
2 pommes
1 cuil. à soupe de jus de citron
250 g de farine
2 cuil. à de levure chimique
1½ cuil. à café de cannelle en poudre
70 g de sucre roux
100 ml de lait
100 ml de jus de pomme
1 œuf, légèrement battu

GARNITURE AU CARAMEL
2 cuil. à soupe de crème fraîche
liquide
40 g de sucre roux
1 cuil. à soupe de beurre

Préchauffer le four à 200 °C (th. 6-7). Graisser un moule à muffins à 12 alvéoles. Évider et râpé une pomme, puis la réserver. Émincer la pomme restante en lamelles de 5 mm d'épaisseur et arroser de jus de citron. Tamiser la farine, la levure et la cannelle dans une jatte, puis ajouter le sucre et la pomme râpée.

Faire fondre le beurre à feu doux dans une casserole, puis l'ajouter au lait, au jus de pomme et à l'œuf. Verser le mélange obtenu dans la jatte et remuer jusqu'à obtention d'une consistance homogène.

Répartir la préparation dans les alvéoles et déposer 2 lamelles au sommet de chacune. Cuire 20 à 25 minutes au four préchauffé, jusqu'à ce que les cupcakes aient levé et qu'ils soient fermes et dorés. Démouler les cupcakes en les détachant des parois à l'aide d'un couteau, puis les laisser refroidir sur une grille.

Pour la garniture, mettre les ingrédients dans une petite casserole et chauffer sans cesser de remuer jusqu'à ce que le sucre soit dissous. Augmenter le feu et faire bouillir 2 minutes, jusqu'à obtention d'un sirop. Laisser tiédir, en arroser les cupcakes et laisser prendre.

137 Cupcakes poire-caramel

Remplacer les pommes par des poires et la cannelle par du quatre-épices.

138 Petites spirales à la cannelle

7 cuil. à soupe de beurre, fondu,
un peu plus pour graisser
350 g de farine levante, un peu plus
pour saupoudrer
1 pincée de sel
2 cuil. à soupe de sucre en poudre
1 cuil. à café de cannelle en poudre
2 jaunes d'œufs
200 ml de lait, un peu plus
pour enduire

GARNITURE
1 cuil. à café de cannelle en poudre
55 g de sucre roux
2 cuil. à soupe de sucre en poudre
1 cuil. à soupe de beurre, fondu

GLAÇAGE
125 g de sucre glace
2 cuil. à soupe de fromage frais, ramolli
1 cuil. à soupe de beurre, ramolli
2 cuil. à soupe d'eau bouillante
1 cuil. à café d'extrait de vanille

Préchauffer le four à 180 °C (th. 6). Graisser un moule de 20 cm de diamètre et le chemiser de papier sulfurisé. Mettre la farine, le sel, le sucre et la cannelle dans une jatte et bien mélanger. Mettre le beurre, le jaune d'œuf et lait dans une autre jatte, bien battre le tout et incorporer le contenu de la première jatte de façon à obtenir une pâte homogène. Sur un morceau de papier sulfurisé fariné, abaisser la pâte en un rectangle de 30 x 25 cm.

Pour la garniture, mélanger les ingrédients et les répartir sur le rectangle de pâte. Enrouler la pâte sur elle-même en partant d'une des largeurs et découper 8 tranches dans le rouleau obtenu. Déposer les tranches à plat dans le moule et les enduire légèrement de lait. Cuire 30 à 35 minutes au four préchauffé, jusqu'à ce que les spirales soient dorées. Laisser reposer 5 minutes et démouler.

Tamiser le sucre glace dans une jatte et ménager un puits au centre. Mettre le fromage frais et le beurre dans le puits, y verser l'eau et mélanger. Ajouter de l'eau bouillante supplémentaire, quelques gouttes à la fois, jusqu'à obtention d'une consistance qui nappe le dos de la cuillère. Incorporer l'extrait de vanille, puis arroser les petites spirales et servir chaud ou froid.

139 Petites spirales aux noix et aux raisins

Parsemer la garniture de 40 g de raisins secs et de 1 cuil. à soupe de noix concassées avant de rouler le rectangle de pâte.

55 g de beurre, coupé en dés,
un peu plus pour graisser
450 g de farine,
un peu plus pour saupoudrer
½ cuil. à café de sel
2 cuil. à de levure chimique
2 cuil. à soupe de sucre
en poudre
250 ml de lait, un peu plus
pour enduire
confiture de fraises
et crème fouettée,
en accompagnement

Préchauffer le four à 220 °C (th. 7-8) et graisser une plaque de four. Tamiser la farine, le sel et la levure dans une grande jatte. Incorporer le beurre avec les doigts de façon à obtenir une consistance de chapelure. Ajouter le sucre et du lait de sorte que la pâte soit souple et homogène.

Sur un plan de travail fariné, abaisser la pâte en un rond de 1 cm d'épaisseur. Découper des ronds à l'aide d'un emporte-pièce de 6 cm de diamètre et les déposer sur la plaque beurrée. Enduire les scones d'un peu de lait.

Cuire 10 à 12 minutes au four préchauffé, jusqu'à ce que les scones aient levé et soient bien dorés. Laisser refroidir sur une grille et servir accompagné de confiture de fraises et de crème fouettée.

141 Scones aux raisins secs

Incorporer 55 g de raisins secs à la préparation avec le sucre et servir accompagné de beurre.

142 Scones aux zestes confits

Incorporer 55 g de zestes d'agrumes confits à la préparation avec le sucre et servir accompagné de confiture d'oranges et de crème fouettée.

143 Scones au citron

Incorporer le zeste râpé d'un citron à la préparation avec le sucre et servir accompagné de crème au citron.

144 Scones au sucre roux et aux noix

Ajouter 55 g de noix concassées et remplacer le sucre blanc par du sucre roux. Servir accompagné de beurre.

Scones au chocolat

5 cuil. à soupe de beurre, coupé en dés,
un peu plus pour graisser
280 g de farine levante
1 cuil. à soupe de sucre en poudre

55 g de pépites de chocolat noir
150 ml de lait, un peu plus
pour enduire
farine, pour saupoudrer

Préchauffer le four à 220 °C (th. 7-8). Graisser légèrement une plaque de four. Tamiser la farine dans une grande jatte et incorporer le beurre avec les doigts de façon à obtenir une consistance de fine chapelure. Ajouter le sucre, les pépites de chocolat et du lait de sorte que la pâte soit souple et homogène.

Sur un plan fariné, abaisser la pâte en un rectangle de 10 x 15 cm de 2,5 cm d'épaisseur. Découper en 9 rectangles de mêmes dimensions et les déposer sur la plaque de four en les espaçant bien. Enduire légèrement de lait.

Cuire 10 à 12 minutes au four préchauffé, jusqu'à ce que les scones aient levé et soient dorés. Laisser refroidir sur une grille.

146 *Scones chocolatés aux cacahuètes*

Remplacer 2 cuil. à soupe de farine par du cacao et remplacer les pépites de chocolat par des cacahuètes concassées.

147 *Petits pains londoniens*

huile, pour graisser
500 g de farine
85 g de beurre, coupé en dés
55 g de sucre en poudre
½ cuil. à café de sel
1 cuil. à café de levure de boulanger
déshydratée
2 œufs, légèrement battus

1 cuil. à café de graines de carvi
(facultatif)
150 ml de lait tiède
115 g de raisins secs
55 g de zestes d'agrumes confits
œuf battu, pour dorer
cristaux de sucre ou morceaux de sucre
pilés, pour décorer

Graisser une grande jatte et deux plaques de four. Mettre la farine dans une jatte et incorporer le beurre avec les doigts de façon à obtenir une consistance de chapelure fine. Ajouter le sucre, le sel, la levure, les graines de carvi, les œufs et assez de lait pour obtenir une pâte souple et homogène. Pétrir 10 minutes, puis mettre la pâte dans la jatte graissée et couvrir partiellement. Laisser lever 1 heure près d'une source de chaleur.

Déposer la pâte sur un plan de travail fariné et incorporer les raisins secs et les zestes confits en pétrissant bien. Diviser la pâte en 10 portions. Façonner chaque portion en boule et répartir les boules sur les plaques de four. Couvrir et laisser lever 45 minutes près d'une source de chaleur.

Préchauffer le four à 200 °C (th. 6-7). Enduire les boules de pâte de jaune d'œuf légèrement battu et saupoudrer de cristaux de sucre. Cuire 12 à 15 minutes au four préchauffé, jusqu'à ce que les petits pains sonnent creux. Laisser refroidir sur une grille.

55 g de beurre, un peu plus
    pour graisser
6 œufs
150 g de sucre en poudre
175 g de farine, tamisée
250 g de noix de coco déshydratée râpée
    non sucrée

NAPPAGE
500 g de sucre glace
40 g de cacao en poudre amer
85 ml d'eau bouillante
75 g de beurre, fondu

Préchauffer le four à 180 °C (th. 6). Graisser un moule à gâteau
de 20 cm de côté et chemiser le fond de papier sulfurisé. Faire fondre
le beurre à feu doux dans une casserole et le laisser tiédir.

Mettre les œufs et le sucre dans une jatte résistant à la chaleur
et fouetter au-dessus d'une casserole d'eau frémissante jusqu'à ce
que le mélange blanchisse et fasse un ruban. Retirer du feu, puis
incorporer la farine et le beurre fondu. Répartir le tout dans le moule.

Cuire 35 à 40 minutes au four préchauffé, jusqu'à ce que le gâteau ait
levé et qu'il soit doré et souple au toucher. Laisser reposer 2 à 3 minutes,
démouler sur une grille et laisser refroidir. Découper en 16 carrés.

Pour le nappage, tamiser le sucre glace et le cacao dans une jatte et
incorporer l'eau et le beurre jusqu'à obtention d'une consistance homogène.
Plonger chaque carré dans le nappage, puis le passer dans la noix
de coco pour l'enrober. Laisser prendre sur du papier sulfurisé.

149 *Lamingtons à la framboise*

*Remplacer le nappage au chocolat par de la confiture de framboises. Chauffer
85 g de confiture dans une petite casserole jusqu'à ce qu'elle soit fluide.
Enduire les carrés de confiture avant de les passer dans la noix de coco.*

---

150 *Petits pavés à la cannelle* POUR 16 PETITS PAVÉS

225 g de beurre, ramolli, un peu plus
    pour graisser
225 g de sucre en poudre
3 œufs, légèrement battus
225 g de farine levante

½ cuil. à café de bicarbonate
1 cuil. à soupe de cannelle en poudre
150 ml de crème aigre
55 g de graines de tournesol

Préchauffer le four à 180 °C (th. 6).
Graisser un moule à gâteau de
23 cm de côté et chemiser le fond
de papier sulfurisé.

Mettre le beurre et le sucre
dans une jatte et battre le tout
jusqu'à ce que le mélange
blanchisse, puis ajouter les œufs.

Tamiser la farine, le bicarbonate
et la cannelle dans la jatte
et mélanger. Ajouter la crème
aigre et les graines de tournesol,
et bien mélanger le tout à
nouveau. Répartir la préparation

obtenue dans le moule et lisser la
surface avec le dos d'une cuillère
ou un couteau à bout rond.

Cuire 45 minutes au four
préchauffé, jusqu'à ce que
le gâteau soit ferme au toucher.
Détacher les bords du gâteau
en passant un couteau à bout

rond le long des parois du moule,
puis démouler et laisser refroidir
complètement sur une grille.
Découper en petits pavés avant
de servir.

151 *Petits pavés pomme-cannelle*

*Ajouter 1 pomme pelée, évidée et hachée à la préparation après avoir
incorporé les œufs.*

152 *Petits pavés aux deux gingembres*

*Remplacer la cannelle par du gingembre en poudre et ajouter 40 g de
gingembre confit haché après avoir incorporé les œufs.*

115 g de beurre, un peu plus
    pour graisser
3 œufs
1 jaune d'œuf

1 cuil. à café d'extrait de vanille
140 g de sucre en poudre
140 g de farine
1 cuil. à de levure chimique

Préchauffer le four à 190 °C (th. 6-7). Graisser légèrement 30 alvéoles dans 3 moules à madeleines de taille standard. Faire fondre le beurre dans une casserole, puis le laisser refroidir.

Mettre les œufs, le jaune d'œuf, l'extrait de vanille et le sucre dans une jatte et battre jusqu'à ce que le mélange blanchisse. Tamiser la farine et la levure dans la jatte, puis mélanger et incorporer le beurre fondu. Répartir la préparation obtenue dans les alvéoles.

Cuire 8 à 10 minutes au four préchauffé, jusqu'à ce que les madeleines aient levé et soient dorées. Démouler délicatement et laisser refroidir sur une grille. Servir le jour même.

154 *Madeleines aux amandes*

Remplacer l'extrait de vanille par de l'extrait d'amande. Réduire la quantité de farine à 115 g et incorporer 25 g de poudre d'amandes avec la farine.

155 *Madeleines enrobées de chocolat*

Mettre 225 g de chocolat noir ou au lait dans une jatte résistant à la chaleur et faire fondre au-dessus d'une casserole d'eau frémissante, puis retirer du feu. Chemiser une ou deux plaques de four avec du papier sulfurisé. Plonger à demi les amandes natures ou aux amandes dans le chocolat fondu et laisser l'excédent de chocolat retomber dans la jatte. Laisser prendre sur les plaques chemisées de papier sulfurisé.

huile, pour graisser
200 ml de lait
1 cuil. à café de pistils de safran
500 g de farine
55 g de beurre, coupé en dés
55 g de sucre glace

½ cuil. à café de sel
1 cuil. à café de levure de boulanger
    déshydratée
1 œuf
40 raisins secs
œuf battu, pour dorer

Huiler légèrement une jatte et deux plaques de four. Porter le lait à frémissement dans une petite casserole, ajouter le safran et remuer. Retirer du feu et laisser infuser 20 minutes.

Mettre la farine dans une jatte et incorporer le beurre avec les doigts de façon à obtenir une consistance de chapelure. Ajouter le sucre, le sel et la levure.

Ajouter le lait safrané et l'œuf, et mélanger jusqu'à obtention d'une pâte souple et homogène. Pétrir 10 minutes, puis mettre dans la jatte huilée et couvrir partiellement. Laisser lever 1 heure près d'une source de chaleur.

Pétrir de nouveau la pâte sur un plan de travail fariné et diviser la pâte en 10 portions. Façonner chaque portion en boule, puis en boudin de 25 cm de longueur. Presser les extrémités ensemble et torsader les cercles ainsi obtenus de façon à former des huit. Déposer les huit sur les plaques de four en veillant à ce que les extrémités soient au centre et en dessous du huit. Presser un ou deux raisins secs sur chaque boucle des huit. Couvrir et laisser lever 45 minutes près d'une source de chaleur.

Préchauffer le four à 200 °C (th. 6-7). Enduire les huit d'œuf battu et cuire 12 à 15 minutes au four préchauffé, jusqu'à ce que les petits pains sonnent creux. Laisser refroidir complètement sur une grille.

157 *Pain au safran*

Après l'avoir laissé levé, pétrir légèrement la pâte. Façonner un boudin et le déposer dans un moule à cake de 23 x 13 x 8 cm. Couvrir partiellement et laisser 1 heure près d'une source de chaleur jusqu'à ce que la pâte ait doublé de volume. Cuire 40 à 45 minutes au four préchauffé, jusqu'à ce que le pain sonne creux. Enduire le pain encore chaud de golden syrup, puis laisser refroidir. Servir coupé en tranches et nappé de beurre.

158 *Churros*

85 g de beurre, coupé en dés
225 ml d'eau
6 cuil. à soupe de sucre en poudre

150 g de farine
3 œufs, légèrement battus
huile de tournesol, pour la friture

Mettre le beurre, l'eau et 2 cuillerées à soupe d'eau dans une casserole et chauffer à feu doux jusqu'à ce que le beurre ait fondu. Augmenter le feu et porter rapidement à ébullition. Retirer immédiatement du feu et ajouter la farine en une seule fois. Battre jusqu'à ce que la préparation forme une boule. Laisser tiédir, puis incorporer progressivement les œufs jusqu'à obtention d'une pâte homogène et brillante.

Transférer la pâte dans une poche à douille munie d'un embout en forme d'étoile et former des churros de 10 cm de longueur sur une plaque chemisée de papier sulfurisé. Mettre 30 minutes au réfrigérateur.

Chauffer l'huile de friture à 180 °C. Plonger quelques churros dans l'huile et les faire frire 3 à 4 minutes, en les retournant une fois, jusqu'à ce qu'ils soient croustillants et dorés. Retirer de l'huile à l'aide d'une écumoire et égoutter sur le papier absorbant. Répéter l'opération avec la pâte restante. Saupoudrer de sucre et laisser refroidir

159 *Churros à la cannelle*

Ajouter 1 cuil. à café de cannelle en poudre au sucre avant de saupoudrer les churros. De plus, 1 cuil. à café de cannelle en poudre peut être ajoutée à la pâte elle-même.

2 cuil. à soupe de beurre,
un peu plus pour graisser
350 g de pâte feuilletée
farine, pour saupoudrer
2 pommes, pelées, évidées
et coupées en fines lamelles
1 cuil. à soupe de sucre roux
½ cuil. à café de graines
de fenouil

Préchauffer le four à 200 °C (th. 6-7) et graisser une plaque de four. Faire fondre le beurre dans une petite casserole, puis le laisser tiédir.

Abaisser la pâte sur un plan de travail fariné et découper des ronds de 13 cm de diamètre en se guidant avec une assiette à dessert de la taille adéquate.

Déposer les ronds de pâte sur la plaque graissée, puis strier la circonférence sur 1 cm et piquer le centre à l'aide d'une fourchette. Enduire les ronds de beurre fondu et déposer les lamelles de pomme au centre en formant une spirale et en veillant à ne pas déborder sur la circonférence striée. Parsemer de sucre et de graines de fenouil, et enduire de nouveau de beurre fondu. Cuire 25 à 30 minutes au four préchauffé, jusqu'à ce que la pâte soit croustillante et dorée.

161 *Tartelettes fines aux pêches*

Remplacer les pommes par 3 pêches coupées en fines lamelles. Arroser d'un peu de cognac et de 2 cuil. à soupe de sucre roux. Garnir de noix de beurre et cuire 20 à 25 minutes au four préchauffé.

162 *Tartelettes fines aux poires*

Remplacer les pommes par des poires et parsemer de noix de pécan finement concassées.

175 g de beurre, ramolli, un peu plus
pour graisser
175 g de sucre en poudre
3 gros œufs, légèrement battus
100 g de poudre d'amandes
150 g de polenta
2 cuil. à de levure chimique

zeste finement râpé d'un citron
2 cuil. à soupe de jus de citron
300 g de fruits des bois surgelés
(myrtilles, groseilles ou canneberges)
sucre glace, pour décorer

Préchauffer le four à 180 °C (th. 6). Graisser un moule à gâteau de 23 cm de côté et chemiser le fond de papier sulfurisé. Dans une jatte, battre le beurre en crème avec le sucre jusqu'à ce que le mélange blanchisse, puis incorporer progressivement les œufs de façon à obtenir une consistance homogène. Ajouter la poudre d'amandes, la polenta, la levure, le zeste et le jus de citron, et bien mélanger le tout. Incorporer les fruits rouges de son choix. Transférer la préparation obtenue dans le moule et lisser la surface.

Cuire 45 minutes au four préchauffé, jusqu'à ce que le gâteau soit doré et ferme au toucher. Laisser refroidir complètement sur une grille.

Saupoudrer le gâteau de sucre glace et le découper en petits pavés.

600 g de farine, un peu plus
pour saupoudrer
1 cuil. à soupe de levure de boulanger
déshydratée
115 g de sucre en poudre
½ cuil. à café de sel
1 cuil. à café de cannelle en poudre
85 g de beurre

2 gros œufs
300 ml de lait
huile, pour graisser
1 petit œuf, pour dorer
6 cuil. à soupe de pâte à tartiner
au chocolat et à la noisette
200 g de chocolat au lait,
concassé

Mettre la farine, la levure, le sucre, le sel et la cannelle dans une jatte et bien mélanger.

Faire fondre le beurre dans une petite casserole et le laisser tiédir. Battre les œufs avec le lait, puis les verser dans la jatte et mélanger jusqu'à obtention d'une pâte homogène.

Pétrir la pâte 10 minutes sur un plan de travail fariné, jusqu'à ce qu'elle soit bien souple, puis la mettre dans une grande jatte farinée. Couvrir de film alimentaire et laisser lever 1 h 30 à 2 heures près d'une source de chaleur.

Préchauffer le four à 220 °C (th. 7-8). Huiler légèrement deux plaques de four. Retirer la pâte de la jatte et la pétrir rapidement. Diviser la pâte en 4 portions et abaisser chaque portion en un rectangle de 2,5 cm d'épaisseur. Napper chaque rectangle de pâte à tartiner et parsemer de chocolat au lait concassé. Enrouler chaque rectangle en partant d'une des largeurs, puis découper chaque rouleau en 6 tranches.

Déposer les tranches à plat sur les plaques de four et les enduire d'œuf battu.

Cuire 12 à 15 minutes au four préchauffé, jusqu'à ce que les spirales soient bien cuites. Servir chaud.

165 *Petites spirales chocolatées aux noix*

Parsemer la pâte à tartiner de 140 g de noisettes grillées concassées avant d'enrouler les rectangles de pâte.

166 *Bugnes*

3 cuil. à soupe d'huile de tournesol,
un peu plus pour la friture
2 gros œufs
90 ml de lait
325 g de farine, un peu plus
pour saupoudrer

1 cuil. à de levure chimique
2 cuil. à café de sucre roux
4 cuil. à soupe de sucre en poudre blanc
1 cuil. à café de cannelle en poudre

Battre les œufs avec l'huile et lait. Mettre la farine, la levure et le sucre dans une jatte et mélanger, puis incorporer le mélange à base d'œufs de façon à obtenir une pâte homogène. Pétrir la pâte sur un plan de travail fariné jusqu'à ce qu'elle soit très souple.

Diviser la pâte en 12 portions et façonner chaque portion en boule. Abaisser les boules en ronds de 10 cm de diamètre et les laisser reposer 20 minutes. Mélanger le sucre en poudre et la cannelle, et réserver jusqu'au moment de servir.

Chauffer l'huile de friture à 190 °C et faire frire les bugnes en plusieurs fournées 2 à 3 minutes en les retournant une fois, jusqu'à ce qu'elles aient gonflé et qu'elles soient dorées. Transférer sur du papier absorbant à l'aide d'une écumoire. Saupoudrer de sucre à la cannelle et servir chaud.

huile de tournesol
450 g de farine
55 g de beurre, coupé en dés
2 cuil. à soupe de sucre en poudre,
un peu plus pour saupoudrer
½ cuil. à café de sel
1 cuil. à soupe de levure de boulanger
déshydratée
1 œuf, légèrement battu
175 ml de lait tiède
150 g de confiture de framboises

Graisser une jatte et deux plaques de four. Mettre la farine dans une autre jatte et incorporer le beurre avec les doigts de façon à obtenir une consistance de chapelure. Ajouter le sucre, le sel et la levure, ménager un puits au centre et y verser l'œuf et lait. Mélanger jusqu'à obtention d'une pâte souple, puis pétrir 10 minutes. Mettre la pâte dans la jatte graissée, couvrir et laisser lever 1 heure près d'une source de chaleur.

Pétrir de nouveau la pâte et la diviser en dix. Façonner les portions en boules et les mettre sur les plaques. Couvrir et laisser lever 45 minutes, jusqu'à ce que les boules aient doublé de volume.

Chauffer de l'huile à 180 °C et y faire frire les beignets en plusieurs fournées, 2 à 3 minutes de chaque côté. Égoutter et saupoudrer de sucre.

Mettre la confiture dans une poche à douille. Percer chaque doughnut à l'aide d'un couteau, planter la poche à douille dans le trou et farcir de confiture.

168 **Doughnuts**

Après le premier temps de repos, pétrir de nouveau la pâte et l'abaisser en un rond de 1 cm d'épaisseur. Découper des ronds à l'aide d'un emporte-pièce de 8 cm de diamètre et percer le centre de chaque rond à l'aide d'un autre emporte-pièce de 2,5 cm de diamètre. Laisser lever sur une plaque. Faire frire comme indiqué à droite et saupoudrer de sucre et de cannelle, ou arroser de glaçage (voir page 10) et parsemer de confettis en sucre.

169 **Beignets à la crème**

Farcir de crème fouettée légèrement sucrée ou additionnée de chocolat fondu.

Petits pavés au gingembre

175 g de beurre,
un peu plus pour graisser
150 g de sucre roux
175 g de golden syrup
zeste finement râpé et jus
d'une petite orange
2 gros œufs, légèrement battus
225 g de farine levante
100 g de farine complète
2 cuil. à café de gingembre
en poudre
40 g de gingembre confit haché
morceaux de gingembre confit,
pour décorer

Préchauffer le four à 180 °C (th. 6). Graisser un moule de 23 cm de côté et chemiser le fond de papier sulfurisé. Mettre le beurre, le sucre et le golden syrup dans une casserole et chauffer à feu doux sans cesser de remuer jusqu'à ce que le tout ait fondu.

Retirer du feu. Incorporer le zeste et le jus d'orange, les œufs, les farines et le gingembre en poudre, puis bien battre le tout. Ajouter le gingembre confit et répartir la préparation dans le moule.

Cuire 40 à 45 minutes au four préchauffé, jusqu'à ce que le gâteau ait levé et soit ferme au toucher. Laisser reposer 10 minutes, puis démouler et laisser refroidir sur une grille. Couper en petits pavés et décorer de gingembre confit.

171 *Petits pavés gingembre-noix*

Remplacer le gingembre confit par 85 g de noix ou de noix de pécan hachées.

172 *Petits pavés au gingembre et à la pomme*

150 g de beurre, un peu plus
pour graisser
175 g de sucre roux
2 cuil. à soupe de mélasse
225 g de farine
1 cuil. à de levure chimique

2 cuil. à café de bicarbonate
2 cuil. à café de gingembre en poudre
150 ml de lait
1 œuf, légèrement battu
2 pommes, pelées, hachées et enduites
avec 1 cuil. à soupe de jus de citron

Préchauffer le four à 160 °C (th. 5-6). Graisser un moule à gâteau de 23 cm de côté et chemiser le fond de papier sulfurisé. Mettre le beurre, le sucre et la mélasse dans une casserole et chauffer à feu doux jusqu'à ce que le beurre ait fondu, puis laisser refroidir.

Tamiser la farine, la levure, le bicarbonate et le gingembre dans une jatte et ajouter le lait, l'œuf et le mélange à base de beurre, puis les pommes. Mélanger le tout, transférer dans le moule et lisser la surface.

Cuire 30 à 35 minutes au four préchauffé, jusqu'à ce que le gâteau ait levé et que la pointe d'un couteau piquée au centre ressorte sans trace de pâte. Laisser le gâteau refroidir avant de le démouler, puis le couper en 12 petits pavés.

173 *Petits pavés poire-gingembre*

Remplacer les pommes par des poires. Ajouter 25 g de gingembre confit haché à la pâte avec le gingembre en poudre.

150 g de beurre, ramolli, ou de margarine,
    un peu plus pour graisser
175 g de sucre en poudre
2 œufs
zeste finement râpé d'un citron
175 g de farine levante

125 ml de lait
sucre glace, pour saupoudrer

SIROP
140 g de sucre glace
50 ml de jus de citron frais

Préchauffer le four à 180 °C (th. 6). Graisser un moule à gâteau de 18 cm de côté et le chemiser de papier sulfurisé.

Mettre le beurre, le sucre et les œufs dans une jatte et battre le tout jusqu'à ce que le mélange blanchisse. Ajouter le zeste de citron, puis tamiser la farine dans la jatte et mélanger. Incorporer le lait, puis répartir la préparation obtenue dans le moule et lisser la surface.

Cuire 45 à 50 minutes au four préchauffé, jusqu'à ce que le gâteau soit doré et ferme au toucher. Déposer le moule sur une grille.

Pour le sirop, mettre le sucre glace et le jus de citron dans une petite casserole et chauffer à feu doux sans cesser de remuer, jusqu'à ce que le sucre soit dissous. Veiller à ne pas laisser bouillir. Piquer uniformément le gâteau à l'aide d'une fourchette, verser le sirop chaud sur gâteau et laisser imbiber.

Laisser le gâteau refroidir complètement avant de démouler, puis découper en 12 petits rectangles et saupoudrer de sucre glace.

175 *Petits moelleux aux agrumes*

Remplacer le zeste de citron par le zeste râpé d'une demi-orange et d'un citron vert. Pour le sirop, presser le jus du citron vert et ajouter assez de jus d'orange pour obtenir 50 ml, puis incorporer le zeste râpé d'une demi-orange.

115 g de beurre, un peu plus
    pour graisser
225 g de farine
2 cuil. à de levure chimique
85 g de sucre roux

85 g d'un mélange de fruits secs
zeste finement râpé d'un citron
1 œuf
1 à 2 cuil. à soupe de lait
2 cuil. à café de sucre roux non raffiné

Préchauffer le four à 200 °C (th. 6-7). Graisser deux plaques de four. Tamiser la farine et la levure dans une grande jatte et incorporer le beurre avec les doigts de façon à obtenir une consistance de chapelure. Ajouter le sucre roux, les fruits secs et le zeste de citron.

Battre légèrement l'œuf avec 1 cuillerée à soupe de lait et incorporer le mélange dans la jatte en ajoutant du lait supplémentaire si nécessaire de sorte que la préparation s'amalgame pour former une pâte humide mais ferme. Répartir de petites cuillerées de pâte sur les plaques de four et les saupoudrer de sucre roux non raffiné.

Cuire 10 à 15 minutes au four préchauffé, jusqu'à ce que les rochers soient fermes et dorés. Transférer sur une grille à l'aide d'une spatule et laisser refroidir.

177 *Petits rochers aux agrumes*

Remplacer le mélange de fruits secs par des zestes d'agrumes confits hachés, et remplacer le lait par du jus d'orange.

85 g de beurre, coupé en dés,
un peu plus pour graisser
450 g de farine levante, un peu plus
pour saupoudrer
1 pincée de sel
50 g de sucre en poudre
50 g de pecorino râpé
100 g de cerneaux de noix
300 ml de lait

Préchauffer le four à 200 °C
(th. 6-7) et graisser une plaque de
four. Tamiser la farine et le sel dans
une grande jatte et incorporer
le beurre avec les doigts de façon
à obtenir une consistance de
chapelure. Ajouter le sucre, les noix
et le fromage, puis incorporer
assez de lait pour obtenir une pâte
souple et homogène.

Abaisser délicatement la pâte
sur un plan de travail fariné de sorte
qu'elle ait 2,5 à 3 cm d'épaisseur.
Découper des ronds à l'aide
d'un emporte-pièce de 6 cm de
diamètre, ou selon son goût.
Déposer les ronds sur la plaque.

Cuire 15 minutes au four
préchauffé, jusqu'à ce que
les scones soient dorés et fermes
au toucher. Laisser refroidir sur
une grille.

179 *Scones aux olives et aux noix*

Remplacer le pecorino par 55 g d'olives vertes dénoyautées hachées.

180 *Scones au pecorino et aux tomates séchées*

Remplacer les noix par 4 tomates séchées à l'huile hachées.

huile végétale, pour graisser et cuire
450 g de farine, un peu plus
pour saupoudrer
½ cuil. à café de sel
1 cuil. à café de sucre en poudre
1½ cuil. à café de levure de boulanger
déshydratée
250 ml d'eau tiède
125 ml de yaourt nature
40 g de semoule fine

Graisser une jatte et fariner une plaque. Tamiser la farine et le sel dans une autre jatte et incorporer le sucre et la levure. Ménager un puits au centre et y verser l'eau et le yaourt. Mélanger jusqu'à ce que la préparation s'amalgame, pétrir jusqu'à obtention d'une pâte qui se détache des parois de la jatte. Pétrir encore 5 à 10 minutes sur un plan fariné, jusqu'à ce que la pâte soit homogène et élastique.

Façonner une boule et la mettre dans la jatte graissée. Couvrir avec un torchon humide et laisser lever 30 à 40 minutes près d'une source de chaleur.

Pétrir la pâte sur un plan fariné pour l'abaisser de sorte qu'elle ait 2 cm d'épaisseur. Découper 10 à 12 ronds à l'aide d'un emporte-pièce de 7,5 cm de diamètre et les saupoudrer de semoule. Mettre les ronds sur la plaque, couvrir et laisser lever 30 minutes près d'une source de chaleur.

Chauffer un gril en fonte ou une grande poêle à feu moyen à vif et enduire d'huile. Ajouter la moitié des muffins et les cuire 7 à 8 minutes de chaque côté, jusqu'à ce qu'ils soient dorés. Répéter l'opération avec les muffins restants.

182 *Muffins anglais au fromage*

Incorporer 85 g de fromage râpé avec le sucre et la levure.

183 *Muffins anglais au poivre noir*

Incorporer 1 cuil. à café de poivre noir du moulin avec le sucre et la levure.

Scones au fromage et à la moutarde

POUR 8 SCONES

50 g de beurre, coupé en dés,
    un peu plus pour graisser
225 g de farine levante, un peu plus
    pour saupoudrer
1 cuil. à de levure chimique
1 pincée de sel

125 g de fromage râpé
1 cuil. à café de poudre de moutarde
150 ml de lait, un peu plus
    pour enduire
poivre

Préchauffer le four à 220 °C (th. 7-8) et graisser une plaque de four. Tamiser la farine, la levure et le sel dans une grande jatte, puis incorporer le beurre avec les doigts de façon à obtenir une consistance de chapelure. Ajouter le fromage, la moutarde et assez de lait pour obtenir une pâte souple.

Pétrir la pâte très légèrement sur un plan de travail fariné, puis l'aplatir en un rond de 2,5 cm d'épaisseur avec la paume des mains.

Couper le rond en 8 quartiers à l'aide d'un couteau tranchant. Enduire chaque quartier d'un peu de lait et saupoudrer de poivre.

Cuire 10 à 15 minutes au four préchauffé, jusqu'à ce que les scones soient dorés. Laisser tiédir sur une grille avant de servir.

185 Scones au fromage et aux herbes

Remplacer la moutarde par 1 cuil. à soupe de fines herbes fraîches hachées, de la ciboulette, du persil, de la sauge, du romarin ou du thym par exemple.

186 Scones au fromage et au carvi

Remplacer la moutarde par 1½ cuil. à café de graines de carvi.

Petits moelleux au maïs

POUR 16 MOELLEUX

huile végétale, pour graisser
175 g de farine
1 cuil. à café de sel
4 cuil. à de levure chimique
1 cuil. à café sucre en poudre
280 g de polenta

115 g de beurre, ramolli,
    coupé en dés
4 œufs
250 ml de lait
3 cuil. à soupe de crème fraîche
    épaisse

Préchauffer le four à 200 °C (th. 6-7). Huiler un moule à gâteau de 20 cm de côté. Tamiser la farine, le sel et la levure dans une jatte, puis ajouter le sucre et la polenta. Incorporer le beurre avec les doigts de façon à obtenir une consistance de chapelure épaisse.

Battre légèrement les œufs avec le lait et la crème fraîche, et incorporer le mélange dans la jatte. Répartir la préparation obtenue dans le moule et lisser la surface.

Cuire 30 à 35 minutes au four préchauffé, jusqu'à ce que la pointe d'un couteau piquée au centre ressorte sans trace de pâte. Laisser reposer 5 à 10 minutes, puis couper en rectangles et servir chaud.

188 Petits moelleux au maïs pimentés

Incorporer 1 à 2 cuil. à café de flocons de piment à la préparation avec le sucre et la polenta.

189 Petits moelleux au maïs et aux poivrons

Faire revenir 1 poivron rouge épépiné et haché dans 1 cuil. à soupe d'huile jusqu'à ce qu'il soit tendre. Laisser refroidir, ajouter 115 g de grains de maïs et incorporer le tout à la préparation avec la crème fraîche et le lait.

huile végétale, pour graisser
350 g de farine, un peu plus
pour saupoudrer
2 cuil. à café de sel
1 cuil. à soupe de levure
de boulanger déshydratée
1 cuil. à soupe d'œuf battu
200 ml d'eau tiède
1 blanc d'œuf
2 cuil. à café d'eau
2 cuil. à soupe de graines de carvi

Graisser une jatte et deux plaques de four. Fariner une autre plaque. Tamiser la farine et le sel dans une autre jatte et ajouter la levure. Ménager un puits au centre, y verser l'œuf et l'eau, et mélanger jusqu'à obtention d'une pâte. Pétrir 10 minutes sur un plan fariné, jusqu'à ce que la pâte soit souple et homogène.

Façonner la pâte en boule, la mettre dans la jatte graissée et couvrir avec un torchon humide. Laisser lever 1 heure près d'une source de chaleur.

Pétrir vigoureusement la pâte 2 minutes sur un plan fariné et la diviser en dix. Façonner chaque portion en boule et laisser reposer 5 minutes. Les mains farinées, aplatir légèrement les boules, puis percer un trou au centre avec le manche fariné d'une cuillère en bois. Mettre les bagels sur la plaque farinée, couvrir avec un torchon humide et laisser lever encore 20 minutes près d'une source de chaleur.

Préchauffer le four à 220 °C (th. 7-8) et porter une casserole d'eau à frémissement. Plonger 2 bagels dans l'eau et les pocher 1 minute, puis les retourner et les pocher encore 30 secondes. Retirer de l'eau à l'aide d'une écumoire et égoutter sur un torchon. Répéter l'opération avec les bagels restants. Déposer les bagels sur les plaques huilées. Mélanger

le blanc d'œuf et l'eau, et en enduire les bagels. Parsemer de graines de carvi.

Cuire 25 à 30 minutes au four préchauffé, jusqu'à ce que les bagels soient dorés. Transférer sur une grille et laisser refroidir complètement.

191 *Bagels aux raisins et à la cannelle*

Ajouter 1 cuil. à café de cannelle en poudre à la farine et préparer la pâte comme indiqué ci-contre. Laisser lever. Après avoir pétri la pâte 2 minutes, incorporer 55 g de raisins secs et poursuivre la recette en omettant les graines de carvi.

Biscuits

192 *Cookies aux pépites de chocolat*

115 g de beurre, ramolli,
*   un peu plus pour graisser*
115 g de sucre roux
1 œuf
100 g de flocons d'avoine
1 cuil. à soupe de lait
1 cuil. à café d'extrait de vanille

125 g de farine
1 cuil. à soupe de cacao en poudre amer
½ cuil. à café de levure chimique
175 g de chocolat noir,
*   brisé en morceaux*
175 g de chocolat au lait,
*   brisé en morceaux*

Préchauffer le four à 180 °C (th. 6). Graisser deux plaques de four. Mettre le beurre et le sucre dans une grande jatte et battre jusqu'à ce que le mélange blanchisse. Incorporer l'œuf, puis ajouter les flocons d'avoine, le lait et l'extrait de vanille, et bien battre le tout. Tamiser la farine, le cacao, et la levure dans la préparation et mélanger. Incorporer les morceaux de chocolat.

Déposer des cuillerées à soupe de la préparation sur les plaques et les aplatir légèrement à l'aide d'une fourchette. Cuire 15 minutes au four préchauffé, jusqu'à ce que les cookies aient levé et soient légèrement dorés.

Laisser reposer 2 minutes sur les plaques, puis laisser refroidir complètement sur une grille.

193 *Cookies aux pépites de chocolat blanc*

Remplacer les pépites de chocolat au lait et les pépites de chocolat noir par 275 g de chocolat blanc concassé.

194 *Biscuits aux amandes et leur cerise confite*

200 g de beurre, coupé en dés,
*   un peu plus pour graisser*
90 g de sucre
½ cuil. à café d'extrait d'amande

280 g de farine levante
25 g de poudre d'amandes
25 cerises confites
*   (environ 125 g)*

Préchauffer le four à 180 °C (th. 6). Graisser plusieurs plaques de four.

Faire fondre le beurre dans une grande casserole et retirer du feu. Ajouter le sucre et l'extrait d'amande dans la casserole et mélanger. Incorporer la farine et la poudre d'amandes de façon à obtenir une pâte homogène.

Façonner 25 boules de pâte entre la paume des mains et les déposer sur les plaques en les espaçant bien. Les aplatir légèrement avec la paume des mains, puis presser une cerise confite au centre de chacune. Cuire 10 à 15 minutes au four préchauffé, jusqu'à ce que les biscuits soient dorés.

Laisser reposer les biscuits 2 à 3 minutes sur les plaques, puis les transférer sur une grille et les laisser refroidir complètement.

Biscuits chocolatés fourrés à la crème

125 g de beurre, ramolli
175 g de sucre glace
115 g de farine
40 g de cacao en poudre amer
½ cuil. à café de cannelle en poudre

GARNITURE
125 g de chocolat noir,
   brisé en morceaux
50 ml de crème fraîche
   épaisse

Préchauffer le four à 160 °C (th. 5-6). Chemiser deux plaques de four de papier sulfurisé. Mettre le beurre et le sucre dans une grande jatte et battre jusqu'à ce que le mélange blanchisse. Tamiser la farine, le cacao et la cannelle dans la préparation et mélanger jusqu'à obtention d'une pâte.

Mettre la pâte entre 2 feuilles de papier sulfurisé et l'abaisser de sorte qu'elle ait 3 mm d'épaisseur. Découper des ronds de 6 cm de diamètre et les déposer sur les plaques. Cuire 15 minutes au four préchauffé, jusqu'à ce que les biscuits soient fermes au toucher. Laisser reposer 2 minutes, puis transférer sur une grille et laisser refroidir complètement.

Pendant ce temps, préparer la garniture. Mettre le chocolat et la crème fraîche dans une casserole et chauffer à feu doux jusqu'à ce que le chocolat ait fondu. Remuer et laisser refroidir, puis mettre au réfrigérateur 2 heures, jusqu'à ce que la garniture ait pris. Assembler les biscuits deux par deux avec la garniture et servir.

196 *Biscuits chocolatés fourrés à la fraise*

Remplacer le chocolat noir par du chocolat blanc, puis hacher 85 g de fraises déshydratées et les incorporer à la garniture froide.

197 *Biscuits aux flocons d'avoine*

175 g de beurre ou de margarine,
   un peu plus pour graisser
275 g de sucre roux
1 œuf
4 cuil. à soupe d'eau

1 cuil. à café d'extrait de vanille
375 g de flocons d'avoine
125 g de farine
1 cuil. à café de sel
½ cuil. à café de bicarbonate

Préchauffer le four à 180 °C (th. 6). Graisser deux plaques de four. Mettre le beurre et le sucre dans une grande jatte et battre jusqu'à ce que le mélange blanchisse, puis incorporer l'œuf, l'eau et l'extrait de vanille. Mélanger les flocons d'avoine, la farine, le sel et le bicarbonate, puis incorporer progressivement le mélange obtenu dans la jatte.

Déposer des cuillerées à soupe de préparation sur les plaques en les espaçant bien. Cuire 15 minutes au four préchauffé, jusqu'à ce que les biscuits soient dorés. Transférer sur une grille et laisser refroidir complètement.

198 *Biscuits avoine-raisins secs*

Ajouter 85 g de raisins secs hachés à la préparation.

115 g de beurre, ramolli
50 g de sucre roux
1 gros œuf, blanc et jaune séparés
½ cuil. à café d'extrait de vanille
125 g de farine
1 pincée de sel

150 g d'un mélange de fruits à coque
    concassés
36 cacahuètes enrobées de chocolat,
    pour décorer
1 portion de crème au beurre
    (page 10)

Mettre le beurre et le sucre dans une grande jatte et battre jusqu'à ce que le mélange blanchisse. Ajouter le jaune d'œuf et l'extrait de vanille, mélanger et incorporer la farine et le sel. Envelopper la pâte ainsi obtenue de film alimentaire et mettre 3 heures au réfrigérateur.

Préchauffer le four à 180 °C (th. 6) et chemiser une plaque de four de papier sulfurisé.

Battre légèrement le blanc d'œuf dans un bol et étaler les fruits à coque concassés sur une assiette. Façonner des boulettes avec la pâte, puis les plonger dans le blanc d'œuf, les passer dans les fruits à coque et les répartir sur la plaque. Cuire les biscuits 5 minutes au four préchauffé, les retirer du four et ménager un creux avec le pouce au centre de chacun. Cuire encore 5 minutes au four, puis laisser refroidir complètement sur la plaque.

Pour la crème au beurre, battre le beurre en crème dans une jatte et y incorporer le sucre glace tamisé. Garnir le creux de chaque biscuit avec la crème au beurre et déposer 2 cacahuètes enrobées de chocolat dessus.

200 *Cacahuètes dans leur nid chocolaté*

Remplacer la crème au beurre par 140 g de pâte à tartiner au chocolat.

175 g de beurre, ramolli, un peu plus
    pour graisser
200 g de sucre
1 gros œuf, légèrement battu
1 cuil. à café d'extrait de vanille
    ou d'amande
300 g de farine, un peu plus
    pour saupoudrer
1 pincée de sel

DÉCORATION
150 g de sucre glace
1 cuil. à soupe d'eau froide
colorant alimentaire jaune, rose et bleu
billes de sucre argentées
glaçages colorés prêts à l'emploi
    en tubes

Mettre le beurre et le sucre dans une grande jatte et battre jusqu'à ce que le mélange blanchisse. Fouetter l'œuf avec l'extrait de vanille et l'incorporer dans la jatte. Tamiser la farine et le sel dans la préparation et mélanger jusqu'à obtention d'une pâte homogène. Envelopper de film alimentaire et mettre au réfrigérateur 30 minutes.

Préchauffer le four à 180 °C (th. 6) et graisser une plaque de four. Abaisser la pâte sur un plan fariné de sorte qu'elle ait 5 mm d'épaisseur. Découper des biscuits à l'aide d'un emporte-pièce en forme de papillon

fariné et les disposer sur la plaque. Les cuire 12 à 15 minutes au four préchauffé, jusqu'à ce qu'ils soient dorés. Laisser refroidir sur une grille.

Pour décorer, délayer le sucre glace dans l'eau de façon à obtenir un glaçage fluide. Diviser le glaçage en plusieurs portions et colorer chacune. Napper les biscuits de glaçage et les garnir de billes de sucre. Laisser prendre et décorer de glaçages prêts à l'emploi.

175 g de beurre, ramolli
100 g de sucre blond
1 gros œuf, légèrement battu
1 cuil. à soupe de miel
280 g de farine, un peu plus pour
　saupoudrer
½ cuil. à café de cannelle en poudre

DÉCORATION
200 g de sucre glace
½ cuil. à café d'eau froide
3 cuil. à soupe de confettis en chocolat
20 bonbons gélifiés
glaçages colorés prêts à l'emploi
　en tubes

Mettre le beurre et le sucre dans une grande jatte et battre jusqu'à ce que le mélange blanchisse, puis incorporer l'œuf et le miel. Tamiser la farine et la cannelle dans la jatte et mélanger jusqu'à obtention d'une pâte homogène. Envelopper la pâte de film alimentaire et mettre au réfrigérateur 30 minutes.

Préchauffer le four à 190 °C (th. 6-7). Chemiser une plaque de four de papier sulfurisé. Diviser la pâte en deux et façonner chaque portion en boule sur un plan de travail fariné. Abaisser chaque boule entre 2 morceaux de film alimentaire. À l'aide d'un emporte-pièce de 7 cm de diamètre, découper 10 ronds dans chaque abaisse de pâte et les disposer sur la plaque. Cuire 10 à 12 minutes au four préchauffé, jusqu'à ce qu'ils soient dorés. Laisser reposer 5 minutes, puis transférer les biscuits sur une grille et laisser refroidir complètement.

Délayer le sucre glace dans l'eau de façon à obtenir un glaçage fluide et en couvrir les biscuits. Dessiner des visages avec les confettis de chocolat et les bonbons. Laisser prendre et finaliser avec les glaçages colorés.

203 *Biscuits de princesse*

Réaliser la décoration selon les instructions ci-contre en utilisant des confettis roses et un glaçage prêt à l'emploi rose également.

204 *Biscuits au beurre et à la cannelle* POUR 25 BISCUITS

125 g de beurre, ramolli
125 g de sucre
1 gros jaune d'œuf

100 g de farine
1 cuil. à café de cannelle
　en poudre

Préchauffer le four à 200 °C (th. 6-7). Chemiser une plaque de four de papier sulfurisé.

Mettre le beurre et 2 cuillerées à soupe de sucre dans une grande jatte et battre jusqu'à ce que le mélange blanchisse. Incorporer le jaune d'œuf, puis tamiser la farine dans la jatte et mélanger jusqu'à obtention d'une pâte.

Mélanger le sucre restant et la cannelle. Rouler 1 cuillerée à café de pâte dans le sucre à la cannelle, la déposer sur la plaque et la presser à l'aide d'une fourchette jusqu'à ce qu'elle ait 1 cm d'épaisseur. Répéter l'opération avec la pâte restante. Cuire 10 minutes au four préchauffé, jusqu'à ce que les biscuits soient dorés. Laisser refroidir sur une grille.

205 *Biscuits au beurre et à la noix de coco*

Ajouter 100 g de noix de coco râpée à la pâte et omettre la cannelle de la recette.

Marguerites en chamallows

225 g de beurre, ramolli
140 g de sucre
1 jaune d'œuf, légèrement battu
2 cuil. à café d'extrait de vanille
225 g de farine
55 g de cacao en poudre amer

1 pincée de sel
90 minichamallows blancs, coupés
    en deux dans l'épaisseur
4 cuil. à soupe de confiture de pêches
4 cuil. à soupe de confettis de sucre
    jaunes

Mettre le beurre et le sucre dans une grande jatte et battre jusqu'à ce que le mélange blanchisse, puis incorporer le jaune d'œuf et l'extrait de vanille.

Tamiser la farine, le cacao et le sel dans la jatte et bien mélanger. Diviser en deux la pâte ainsi obtenue, façonner chaque portion en boule et envelopper de film alimentaire. Mettre au réfrigérateur 30 minutes à 1 heure.

Préchauffer le four à 190 °C (th. 6-7) et chemiser deux plaques de four avec du papier sulfurisé.

Abaisser les boules de pâte entre 2 feuilles de papier sulfurisé de sorte qu'elles aient 1 cm d'épaisseur. Découper 30 biscuits à l'aide d'un emporte-pièce de 5 cm en forme de fleur. Déposer les biscuits sur les plaques en les espaçant bien.

Cuire 10 à 12 minutes au four préchauffé, jusqu'à ce que les biscuits soient fermes, puis les retirer du four sans éteindre ce dernier. Garnir les pétales des fleurs de minichamallows. Cuire au four encore 30 secondes à 1 minute, jusqu'à ce que les chamallows aient ramolli.

Laisser reposer sur les plaques 5 à 10 minutes, puis laisser refroidir complètement sur une grille. Pendant ce temps, chauffer la confiture dans une petite casserole, la filtrer et la laisser refroidir. Dessiner un rond de confiture au centre des fleurs et parsemer de confettis jaunes.

207 *Marguerites au chocolat*

Omettre le cacao dans la pâte et remplacer les chamallows par des pastilles de chocolat.

Florentins au chocolat

50 g de beurre
4 cuil. à soupe de sucre
1 cuil. à soupe de golden syrup
50 g de farine

25 g de cerises confites, hachées
50 g d'amandes effilées
50 g de zestes d'agrumes confits, hachés
175 g de chocolat noir, haché

Préchauffer le four à 180 °C (th. 6). Chemiser deux plaques de four de papier sulfurisé. Chauffer le beurre, le sucre et le golden syrup dans une casserole à feu doux jusqu'à ce que le beurre ait fondu et que le sucre soit dissous. Ajouter la farine, les cerises, les amandes et les zestes d'agrumes.

Procéder en plusieurs fournées. Mettre des cuillerées à café de la préparation sur les plaques en les espaçant bien et en les aplatissant légèrement avec le dos d'une cuillère. Cuire 8 à 10 minutes au four préchauffé, jusqu'à ce qu'ils soient dorés. Laisser reposer sur les plaques 2 à 3 minutes, puis transférer sur une grille et laisser refroidir. Répéter l'opération de façon à obtenir 20 florentins au total.

Mettre le chocolat dans une jatte résistant à la chaleur et le faire fondre au-dessus d'une casserole d'eau frémissante. À l'aide d'un pinceau à pâtisserie, napper de chocolat le dos de chaque florentin et laisser prendre sur une grille, dos vers le haut.

209 *Florentins au gingembre*

Remplacer les cerises confites et les zestes d'agrumes confits par 85 g de gingembre confit haché.

210 *Biscuits en spirales*

100 g de beurre, ramolli
50 g de sucre
50 g de Maïzena
100 g de farine, plus 1 cuil. à soupe
    pour saupoudrer

1 gros jaune d'œuf
1 cuil. à soupe de lait
2 cuil. à soupe de cacao en poudre amer

Mettre le beurre et le sucre dans une grande jatte et battre jusqu'à ce que le mélange blanchisse. Tamiser la Maïzena et la farine dans la jatte et mélanger, puis incorporer le jaune d'œuf et un peu de lait de façon à obtenir une pâte épaisse.

Diviser la pâte en deux et incorporer le cacao à l'une des portions. Envelopper les portions de pâte de film alimentaire et mettre au réfrigérateur 30 minutes.

Abaisser chaque portion de pâte en un rectangle de 3 mm d'épaisseur. Déposer le rectangle au chocolat sur le rectangle nature, puis presser les bords de façon à le souder. Rouler le tout en partant d'une des largeurs du double rectangle, puis envelopper le rouleau de film alimentaire. Mettre au réfrigérateur for 30 minutes.

Préchauffer le four à 180 °C (th. 6). Couper le rouleau en 20 tranches, puis répartir les tranches à plat sur une plaque de four antiadhésive. Cuire 15 à 20 minutes au four préchauffé et laisser refroidir sur une grille.

211 *Biscuits en spirales aux noisettes*

Ajouter 3 cuil. à soupe de noisettes finement hachées à la pâte au chocolat avant de la mettre au réfrigérateur.

212 *Biscuits complets*

300 g de farine complète, un peu plus
    pour saupoudrer
2 cuil. à soupe de son
¼ de cuil. à café de bicarbonate
½ cuil. à café de sel

50 g de sucre
125 g de beurre, coupé en dés
1 gros œuf, légèrement battu
1 cuil. à café d'extrait de vanille

Préchauffer le four à 170 °C (th. 5-6). Mettre la farine, le son, le bicarbonate, le sel et le sucre dans une grande jatte et bien mélanger le tout. Incorporer le beurre avec les doigts de façon à obtenir une consistance de chapelure.

Battre l'œuf avec l'extrait de vanille et l'ajouter dans la jatte. Mélanger jusqu'à obtention d'une pâte homogène en ajoutant un peu d'eau si nécessaire. Abaisser la pâte sur un plan de travail fariné. Découper des biscuits à l'aide d'un emporte-pièce de 7 cm de diamètre et les déposer sur une plaque de four antiadhésive. Abaisser les chutes de pâte et répéter l'opération.

Cuire en plusieurs fournées au four préchauffé 20 à 25 minutes, jusqu'à ce que les biscuits soient secs et non dorés. Laisser refroidir sur une grille.

213 *Biscuits complets aux fruits*

Incorporer 2 cuil. à soupe de raisins secs hachés ou de zestes d'agrumes confits hachés, et ½ cuil. à café de quatre-épices à la pâte avant de l'abaisser.

3 œufs
200 g de sucre
55 g de farine
2 cuil. à café de cacao en poudre amer
1 cuil. à café de cannelle en poudre
½ cuil. à café de cardamome en poudre
¼ de cuil. à café de clous de girofle
   en poudre

¼ de cuil. à café de noix muscade
175 g de poudre d'amandes
55 g de zestes d'agrumes confits, hachés

DÉCORATION
115 g de chocolat noir
115 g de chocolat blanc
cristaux de sucre

Préchauffer le four à 180 °C (th. 6). Chemiser plusieurs plaques de four de papier sulfurisé. Mettre les œufs et le sucre dans une jatte résistant à la chaleur et battre au-dessus d'une casserole d'eau frémissante jusqu'à ce que le mélange blanchisse et soit mousseux. Retirer la jatte de la casserole et battre encore 2 minutes.

Tamiser la farine, le cacao, la cannelle, la cardamome, le clou de girofle et la noix muscade dans la jatte, mélanger et incorporer la poudre d'amandes et les zestes d'agrumes. Déposer des cuillerées à café de la préparation sur les plaques en les étalant délicatement.

Cuire 15 à 20 minutes au four préchauffé, jusqu'à ce qu'ils soient légèrement dorés et souples au toucher. Laisser reposer 10 minutes, puis transférer sur une grille et laisser refroidir complètement.

Mettre les chocolats dans deux jattes et les faire fondre séparément au-dessus d'une casserole d'eau frémissante. Plonger la moitié des biscuits dans le chocolat blanc, et l'autre moitié dans le chocolat noir. Parsemer de cristaux de sucre et laisser prendre.

215 *Lebkuchen aux violettes et au gingembre*

Omettre les cristaux de sucre et garnir les lebkuchen de violettes cristallisées ou de gingembre confit haché.

216 *Tuiles aux pistaches et aux amandes*

POUR 12 TUILES

1 blanc d'œuf
55 g de sucre
2 cuil. à soupe de farine
1 cuil. à soupe de pistaches, hachées

25 g de poudre d'amandes
½ cuil. à café d'extrait d'amande
3 cuil. à soupe de beurre, fondu
   et refroidi

Préchauffer le four à 160 °C (th. 5-6). Chemiser deux plaques de four de papier sulfurisé. Battre le blanc d'œuf avec le sucre dans une grande jatte, puis incorporer la farine, les pistaches, la poudre d'amandes, l'extrait d'amande et le beurre de façon à obtenir une pâte souple.

Déposer des cuillerées de pâte sur les plaques et les étaler le plus finement possible avec le dos d'une cuillère. Cuire 10 à 15 minutes au four préchauffé, jusqu'à ce que les tuiles soient légèrement dorées.

Détacher immédiatement les tuiles des plaques à l'aide d'une spatule et les déposer sur un rouleau à pâtisserie de sorte qu'elles aient une forme incurvée. Laisser prendre, puis transférer sur une grille et laisser refroidir complètement.

217 *Tuiles aux noisettes et aux amandes*

Remplacer les pistaches par 1 cuil. à soupe de noisettes hachées grillées.

75 g de beurre, ramolli,
    un peu plus pour graisser
55 g d'amandes, mondées
75 g de sucre

¼ de cuil. à café d'extrait d'amande
55 g de farine
2 gros blancs d'œufs

Préchauffer le four à 180 °C (th. 6). Graisser plusieurs plaques de four avec le beurre.

Hacher finement les amandes. Mettre le beurre et le sucre dans une grande jatte et battre jusqu'à ce que le mélange blanchisse. Ajouter l'extrait d'amande, la farine et les amandes hachées, et bien mélanger le tout.

Mettre les blancs d'œufs dans une grande jatte et les monter en neige souple. Incorporer les blancs d'œufs à la préparation, puis déposer 15 cuillerées à café de préparation sur les plaques en les espaçant bien.

Cuire 15 à 20 minutes au four préchauffé, jusqu'à ce que les biscuits soient légèrement dorés sur les bords. Laisser tiédir sur les plaques 2 à 3 minutes, puis transférer sur une grille et laisser refroidir complètement.

2 gros blancs d'œufs
1 pincée de sel
200 g de sucre
175 g de poudre d'amandes
225 g de chocolat noir,
    haché

Préchauffer le four à 180 °C (th. 6). Recouvrir deux plaques de four avec du papier de riz. Monter les blancs d'œufs en neige souple dans une grande jatte.

Ajouter le sel et la moitié du sucre et fouetter jusqu'à obtention d'une neige ferme et brillante.

Incorporer le sucre restant et la poudre d'amandes.

Transférer la préparation dans une poche à douille munie d'un embout de 1 cm de diamètre et former des boudins de 7,5 cm sur les plaques. Cuire 15 à 20 minutes au four préchauffé, jusqu'à ce que les macarons soient dorés. Laisser refroidir sur une grille, puis ôter l'excédent de papier de riz autour des macarons.

Mettre le chocolat dans une jatte résistant à la chaleur et le faire fondre au-dessus d'une casserole d'eau frémissante. Plonger la base des macarons dans le chocolat et laisser prendre sur du papier sulfurisé.

220 *Macarons au chocolat blanc*

Remplacer le chocolat noir par 225 g de chocolat blanc.

Jumbles au citron

1 cuil. à café d'huile d'arachide,
    pour graisser
100 g de beurre, ramolli
125 g de sucre
jus et zeste finement râpé d'un citron
1 gros œuf, légèrement battu

350 g de farine, un peu plus
    pour saupoudrer
1 cuil. à café de levure chimique
1 cuil. à soupe de lait
25 g de sucre glace,
    pour saupoudrer

Préchauffer le four à 170 °C (th. 5-6). Huiler deux plaques de four. Mettre le beurre, le sucre et le zeste de citron dans une grande jatte et battre jusqu'à ce que le mélange blanchisse. Ajouter progressivement l'œuf en alternant avec 4 cuillerées à soupe de jus de citron et en battant bien entre chaque ajout. Tamiser la farine et la levure dans la jatte et bien mélanger, puis incorporer le lait de façon à obtenir une pâte homogène.

Transférer la pâte sur un plan fariné et la diviser en 40 morceaux. Façonner chaque morceau en boudin et lui donner la forme d'un S. Déposer les S sur les plaques et cuire 15 à 20 minutes au four préchauffé. Laisser refroidir sur une grille, puis saupoudrer de sucre glace tamisé avant de servir.

222 *Jumbles à l'orange*

Remplacer le jus et le zeste de citron par du jus et du zeste d'orange.

Oreilles d'Aman

115 g de beurre, ramolli
100 g de sucre
½ cuil. à café d'extrait de vanille
3 gros jaunes d'œufs
300 g de farine, un peu plus pour
    saupoudrer
1 gros œuf, légèrement battu,
    pour enduire

GARNITURE
1½ cuil. à café de graines de pavot
1 cuil. à soupe de miel
2 cuil. à soupe de sucre
zeste finement râpé d'un citron
1 cuil. à soupe de jus de citron
4 cuil. à soupe d'eau
40 g de poudre d'amandes
1 gros œuf, légèrement battu
40 g de raisins secs

Mettre le beurre et le sucre dans une grande jatte et battre jusqu'à ce que le mélange blanchisse. Fouetter l'œuf avec l'extrait de vanille, puis l'incorporer dans la jatte.

Tamiser la farine dans la jatte et mélanger jusqu'à obtention d'une pâte homogène. Envelopper de film alimentaire et mettre au réfrigérateur 30 minutes.

Pour la garniture, mettre les graines de pavot, le miel, le sucre, le zeste et le jus de citron dans une casserole avec l'eau et porter à frémissement à feu doux. Retirer du feu et incorporer la poudre d'amandes, l'œuf et les raisins secs. Laisser refroidir.

Préchauffer le four à 180 °C (th. 6). Chemiser deux plaques de four de papier sulfurisé. Abaisser la pâte sur un plan de travail fariné de sorte qu'elle ait 5 mm d'épaisseur. Découper 20 ronds de pâte à l'aide d'un emporte-pièce de 8 cm de diamètre. Abaisser les chutes de pâte si nécessaire. Répartir la garniture au centre des ronds de pâte et enduire les bords d'œuf battu. Rassembler les bords vers le centre de façon à obtenir un triangle et presser fermement. Répartir les biscuits sur les plaques en les espaçant bien et les enduire d'œuf. Cuire 25 à 30 minutes au four préchauffé, jusqu'à ce que les biscuits soient dorés. Laisser refroidir sur une grille.

224 *Oreilles d'Aman aux fruits*

Remplacer la garniture aux graines de pavot par 200 g de confiture aux fruits ou de compote de pommes.

225 Cœurs et carreaux

225 g de beurre, ramolli
140 g de sucre
1 jaune d'œuf, légèrement battu
2 cuil. à café d'extrait de vanille
280 g de farine
1 pincée de sel
100 g de pépites de chocolat
    blanc

GARNITURE
5 à 6 cuil. à soupe de confiture
    de canneberges
½ cuil. à café de jus de citron
85 g de fromage frais
2 cuil. à soupe de crème fraîche épaisse
2 cuil. à café de sucre glace
quelques gouttes d'extrait de vanille

Mettre le beurre et le sucre dans une jatte et battre jusqu'à ce que le mélange blanchisse, puis incorporer le jaune d'œuf et l'extrait de vanille.

Tamiser la farine et le sel dans la préparation, ajouter les pépites de chocolat, et mélanger. Diviser la préparation en deux, façonner les portions en boules et les envelopper de film alimentaire. Mettre au réfrigérateur 30 à 60 minutes.

Préchauffer le four à 190 °C (th. 6-7). Chemiser deux plaques de four de papier sulfurisé. Abaisser les portions de pâte entre 2 feuilles de papier sulfurisé. Découper des carrés de pâte à l'aide d'un emporte-pièce cannelé de 6 cm de côté. Déposer la moitié des carrés sur une plaque en les espaçant bien.

Prélever un cœur ou un carreau au centre des carrés restants à l'aide de petits emporte-pièces. Déposer les carrés décorés sur l'autre plaque en les espaçant bien. Cuire 10 à 15 minutes au four préchauffé. Laisser reposer 5 à 10 minutes, puis les transférer sur une grille et les laisser refroidir complètement.

Pour la garniture, mettre la confiture et le jus de citron dans une petite casserole et chauffer à feu doux jusqu'à ce que la préparation soit fluide. Porter à ébullition et laisser bouillir 3 minutes, puis laisser refroidir.

Battre le fromage frais avec la crème fraîche, le sucre glace tamisé et quelques gouttes d'extrait de vanille dans une jatte. Napper les biscuits non décorés du mélange obtenu, ajouter un peu de confiture et couvrir avec les biscuits décorés.

226 Cœurs et carreaux au citron

Remplacer la confiture par 1 cuil. à café de zeste de citron finement râpé et ½ cuil. à café d'huile citronnée.

227 Piques et trèfles

225 g de beurre, ramolli
140 g de sucre
1 jaune d'œuf, légèrement battu
2 cuil. à café d'extrait de vanille
280 g de farine
1 pincée de sel
100 g de pépites de chocolat noir

GARNITURE
55 g de beurre, ramolli
1 cuil. à café de golden syrup
85 g de sucre glace
1 cuil. à soupe de cacao
en poudre amer

Préchauffer le four à 190 °C (th. 6-7). Chemiser deux plaques de four de papier sulfurisé. Abaisser les portions de pâte entre 2 feuilles de papier sulfurisé. Découper des carrés de pâte à l'aide d'un emporte-pièce cannelé de 6 cm de côté. Déposer la moitié des carrés sur une plaque en les espaçant bien.

Prélever un pique ou un trèfle au centre des carrés restants à l'aide de petits emporte-pièces. Déposer les carrés décorés sur l'autre plaque en les espaçant bien. Cuire 10 à 15 minutes au four préchauffé. Laisser les biscuits reposer 5 à 10 minutes, puis les transférer sur une grille et les laisser refroidir complètement.

Pour la garniture, mettre le beurre et le golden syrup dans une jatte, puis tamiser le sucre glace et le cacao dans la jatte et battre jusqu'à obtention d'une consistance homogène. Napper les biscuits non décorés du mélange obtenu, et couvrir avec les biscuits décorés.

Mettre le beurre et le sucre dans une grande jatte et battre jusqu'à ce que le mélange blanchisse, puis incorporer le jaune d'œuf et l'extrait de vanille. Tamiser la farine et le sel dans la préparation, ajouter les pépites de chocolat, et bien mélanger le tout. Diviser la préparation en deux, façonner les portions en boules et les envelopper de film alimentaire. Mettre au réfrigérateur 30 à 60 minutes.

228 Piques et trèfles à la confiture

Remplacer la garniture par 150 g de confiture de framboises.

Spéculos à la mode germanique

125 g de beurre, ramolli
125 g de sucre blond
1 gros œuf, légèrement battu
1 pincée de sel
250 g de farine, un peu plus pour
   saupoudrer
1 cuil. à café de cannelle en poudre

½ cuil. à café de noix muscade
¼ de cuil. à café de clou de girofle
   en poudre
¼ de cuil. à café de cardamome en poudre
¼ de cuil. à café de gingembre en poudre
1 cuil. à café de levure chimique
85 g d'amandes effilées

Mettre le beurre et le sucre dans une grande jatte et battre jusqu'à ce que le mélange blanchisse, puis incorporer l'œuf et le sel. Tamiser la farine, les épices et la levure dans la jatte et mélanger jusqu'à obtention d'une pâte. Envelopper la pâte de film alimentaire et mettre au réfrigérateur 6 heures à une nuit.

Préchauffer le four à 160 °C (th. 5-6). Laisser revenir la pâte à température ambiante, puis l'abaisser sur un plan fariné. Découper des spéculos à l'aide d'un emporte-pièce fariné, les parsemer d'amandes effilées et presser légèrement. Répartir les spéculos sur deux plaques de four antiadhésives.

Cuire 18 à 20 minutes au four préchauffé, jusqu'à ce qu'ils soient dorés. Laisser refroidir sur les plaques.

230 *Spéculos et leur glaçage épicé*

Omettre les amandes effilées et cuire les spéculos comme indiqué ci-dessus. Laisser refroidir et garnir d'un glaçage à base de 150 g de sucre glace, 1 cuil. à café de quatre-épices et 1 cuil. à soupe d'eau chaude. Laisser prendre avant de servir.

Biscuits fondants à la vanille

350 g de beurre, ramolli
85 g de sucre glace
½ cuil. à café d'extrait de vanille

300 g de farine
50 g de Maïzena

Préchauffer le four à 180 °C (th. 6). Chemiser deux plaques de four de papier sulfurisé. Mettre le beurre et le sucre dans une grande jatte et battre jusqu'à ce que le mélange blanchisse, puis incorporer l'extrait de vanille. Tamiser la farine et la Maïzena dans la jatte et mélanger.

Transférer la préparation dans une poche à douille munie d'un embout en forme d'étoile et former 32 biscuits sur les plaques de four en les espaçant bien.

Cuire 15 à 20 minutes au four préchauffé, jusqu'à ce qu'ils soient dorés. Laisser refroidir sur la plaque.

232 *Biscuits fondants au mascarpone*

Préparer le double de la quantité de biscuits indiquée ci-dessus et les assembler avec 200 g de mascarpone additionnés de 2 cuil. à soupe de sucre glace.

225 g de sablés à la vanille
150 g de noix de pécan, hachées
25 g de cacao en poudre amer
150 g de sucre glace

50 ml de golden syrup
50 ml de bourbon

Mettre les sablés dans un robot de cuisine et mixer par intermittence de façon à obtenir de la chapelure épaisse, puis ajouter les noix de pécan et mixer de nouveau jusqu'à obtention d'une chapelure fine. Transférer dans une jatte, tamiser la moitié du cacao et 100 g de sucre glace dans la jatte et bien mélanger. Incorporer le golden syrup et le bourbon.

Tamiser le sucre et le cacao restants sur une assiette. Façonner des boulettes de 2 cm avec la préparation et les passer dans le sucre au cacao. Mettre les truffes au réfrigérateur dans un récipient hermétique en les superposant avec du papier sulfurisé et laisser prendre 3 jours.

234 *Truffes à la liqueur de chocolat*

Remplacer le bourbon par de la liqueur de chocolat.

235 *Biscuits aux empreintes de confiture*   POUR 36 BISCUITS

115 g de beurre, ramolli
125 g de sucre
1 gros œuf, blanc et jaune séparés
1 cuil. à café d'extrait de vanille
175 g de farine

1 pincée de sel
25 g de poudre d'amandes
100 g de confiture de framboises

Préchauffer le four à 180 °C (th. 6). Chemiser deux plaques de four de papier sulfurisé. Mettre le beurre et 100 g de sucre dans une grande jatte et battre jusqu'à ce que le mélange blanchisse, puis incorporer le jaune d'œuf et l'extrait de vanille. Tamiser la farine et le sel dans la jatte et bien mélanger le tout.

Mélanger le sucre restant et la poudre d'amandes, et étaler le mélange sur une assiette. Battre légèrement le blanc d'œuf dans une autre jatte. Façonner des billes avec la préparation, puis les plonger dans le blanc d'œuf et les rouler dans le sucre à l'amande. Répartir les billes sur les plaques et creuser le centre de chaque bille avec le pouce de façon à laisser une empreinte.

Cuire 10 minutes au four préchauffé. Retirer les biscuits du four, presser de nouveau le pouce dans chaque empreinte et garnir de confiture. Cuire encore 10 à 12 minutes, en intervertissant les plaques une fois jusqu'à ce que les biscuits soient dorés. Laisser refroidir sur une grille.

236 *Biscuits aux empreintes de citron*

Remplacer la confiture de framboises par de la crème au citron.

237 Boutons au chocolat

2 sachets de préparation
    pour boisson chocolatée
    instantanée
1 cuil. à soupe d'eau chaude
225 g de beurre, ramolli

140 g de sucre, un peu plus
    pour saupoudrer
1 jaune d'œuf, légèrement battu
280 g de farine
1 pincée de sel

Vider les sachets dans une jatte et incorporer l'eau chaude de façon à obtenir une pâte. Mettre le beurre et le sucre dans une autre jatte et battre jusqu'à ce que le mélange blanchisse, puis incorporer le jaune d'œuf et la pâte de chocolat. Tamiser la farine et le sel dans la jatte et mélanger. Diviser la pâte en deux, façonner les portions en boules et les envelopper de film alimentaire. Mettre au réfrigérateur 30 à 60 minutes.

Préchauffer le four à 190 °C (th. 6-7). Chemiser deux plaques de four de papier sulfurisé. Abaisser la pâte entre 2 feuilles de papier sulfurisé de sorte qu'elle ait 3 mm d'épaisseur. Découper des ronds à l'aide d'un emporte-pièce de 5 cm de diamètre. Avec un bouchon en plastique de 3 cm de diamètre, former un creux au centre de chaque rond de pâte. Creuser 4 trous dans chaque bouton à l'aide d'une brochette, puis répartir les boutons sur les plaques en les espaçant bien. Saupoudrer

de sucre et Cuire 10 à 15 minutes au four préchauffé, jusqu'à ce que les biscuits soient fermes. Laisser reposer sur les plaques 5 à 10 minutes, puis transférer sur une grille et laisser refroidir complètement.

238 Panellets

1 petite pomme de terre,
    pelée
500 g de sucre cristallisé
250 ml d'eau
¼ de cuil. à café de jus
    de citron
zeste finement râpé
    d'un citron
450 g de poudre d'amandes
1 cuil. à café d'huile
    d'arachide, pour graisser
150 g de pignons
50 g de fruits confits, hachés

Couper la pomme de terre en deux et la cuire à l'eau bouillante. L'égoutter et la réduire en purée à l'aide d'une fourchette, puis la laisser refroidir.

Mettre le sucre et l'eau dans une casserole et chauffer à feu doux sans cesser de remuer jusqu'à ce que le sucre soit dissous. Augmenter le feu et porter à ébullition, puis ajouter le jus de citron et laisser mijoter jusqu'à obtention d'un sirop épais. Retirer la casserole du feu et incorporer la pomme de terre, le zeste de citron et la poudre d'amandes. Laisser refroidir, couvrir de film alimentaire et mettre au réfrigérateur une nuit.

Préchauffer le four à 190 °C (th. 6-7). Huiler deux plaques de four. Façonner des boulettes avec la préparation, puis passer deux tiers dans les pignons et le tiers restant dans les fruits confits. Cuire 4 minutes au four préchauffé, jusqu'à ce que les panellets soient bien dorés. Laisser refroidir sur une grille.

239 Panellets au cacao, café et coco

Omettre les pignons et les fruits confits. Diviser la préparation en 3 portions. Incorporer 1 cuil. à café de cacao dans la première portion et 1 cuil. à café de café soluble dans la deuxième. Façonner des boulettes avec les 3 portions, puis passer les boulettes natures dans de la noix de coco avant la cuisson.

125 g d'amandes mondées
2 cuil. à soupe de zestes d'orange confits
1½ cuil. à soupe de farine
60 g de sucre
4½ cuil. à café d'eau

200 g de sucre glace,
    un peu plus pour saupoudrer
50 g de Maïzena
1 gros blanc d'œuf
¼ de cuil. à café de levure chimique

Mettre les amandes, le zeste d'orange confit et la farine dans un robot de cuisine et mixer par intermittence de façon à obtenir une pâte.

Mettre le sucre et l'eau dans une casserole et porter à ébullition, puis réduire le feu et laisser mijoter 2 à 3 minutes, jusqu'à obtention d'un sirop épais. Retirer du feu, ajouter la pâte et mélanger. Transférer dans une jatte et laisser refroidir 1 heure.

Préchauffer le four à 140 °C (th. 4-5). Chemiser une plaque de four avec du papier de riz. Réserver 1 cuillerée à café de sucre glace et tamiser le sucre glace restant et la Maïzena sur un plan de travail.

Monter le blanc d'œuf en neige ferme avec le sucre glace réservé. Ajouter la levure à la pâte, puis incorporer le blanc en neige. Mettre la préparation sur le plan de travail et la façonner en un boudin de 6 cm de largeur, puis aplatir le boudin de sorte qu'il ait 4 mm d'épaisseur. Découper le boudin en tranches de 1 cm d'épaisseur et disposer les tranches sur la plaque, puis les façonner en losanges.

Cuire 30 minutes au four préchauffé, jusqu'à ce que les biscuits aient levé mais soient toujours souples au centre. Laisser refroidir sur la plaque 2 à 3 minutes, puis transférer sur une grille et laisser refroidir complètement. Servir saupoudré de sucre glace tamisé.

---

55 g de beurre, un peu plus pour graisser
55 g de sucre
1 œuf, légèrement battu
55 g de farine levante

Préchauffer le four à 220 °C (th. 7-8). Graisser légèrement deux plaques de four.

Mettre le beurre et le sucre dans une jatte et battre jusqu'à ce que le mélange blanchisse. Incorporer progressivement l'œuf et la farine.

Transférer la préparation dans une poche à douille munie d'un embout de 1 cm de diamètre. Façonner des biscuits de 5 cm de longueur sur la plaque en les espaçant bien. Cuire 5 minutes, jusqu'à ce que les biscuits soient dorés sur les bords.

Laisser reposer 1 minute de sorte que les langues de chats se raffermissent légèrement, puis transférer sur une grille et laisser refroidir complètement.

242 *Langues de chats au moka*

Préparer une double quantité de langues de chats. Battre 55 g de beurre en crème avec 55 g de sucre glace, puis incorporer 1 cuil. à soupe de café corsé. Assembler les langues de chats deux par deux avec la crème au moka. Faire fondre 85 g de chocolat au bain-marie et laisser refroidir. Plonger à demi chaque double biscuit dans le chocolat fondu. Laisser prendre sur une plaque chemisée de papier sulfurisé.

243 *Langues de chats chocolat-orange*

Ajouter le zeste râpé d'une orange à la préparation. Chemiser deux plaques de four de papier sulfurisé. Faire fondre 115 g de chocolat noir dans une jatte au bain-marie et laisser refroidir. Plonger à demi chaque biscuit dans le chocolat fondu et laisser retomber l'excédent dans la jatte. Laisser prendre sur une plaque chemisée de papier sulfurisé.

250 g de sucre glace
125 g de farine
1 pincée de sel
6 gros blancs d'œufs
1 cuil. à café d'extrait de vanille

1 cuil. à soupe de crème fraîche
épaisse
125 g de beurre, fondu
et refroidi
125 g de chocolat noir, haché

Tamiser le sucre glace, la farine et le sel dans une jatte, puis mélanger et ménager un puits au centre. Battre légèrement les blancs d'œufs avec la crème fraîche, l'extrait de vanille et le beurre, et verser le tout dans le puits. Couvrir et mettre au réfrigérateur une nuit.

Préchauffer le four à 200 °C (th. 6-7). Préparer une cuillère en bois et une grille. Déposer 4 cuillerées à soupe de pâte sur une plaque antiadhésive en les espaçant bien. Avec le dos de la cuillère, étaler finement les cuillerées en ovales de 13 cm de longueur. Cuire 5 à 6 minutes au four préchauffé, jusqu'à ce que les bords soient juste dorés. Préparer la plaque suivante pendant la cuisson de la première.

À l'aide d'une spatule, prendre un biscuit et l'enrouler autour du manche de la cuillère en bois, puis le transférer sur la grille et le laisser refroidir. Répéter l'opération avec la pâte restante.

Une fois les cigarettes russes refroidies, mettre le chocolat dans une jatte résistant à la chaleur et le faire fondre au-dessus d'une casserole d'eau frémissante. Plonger une extrémité de chaque cigarette russe dans le chocolat, puis laisser prendre sur la grille en laissant dépasser les extrémités chocolatées.

245 *Cigarettes russes aux deux chocolats*

Une fois que le chocolat noir a pris, faire fondre 125 g de chocolat blanc au bain-marie. Plonger l'autre extrémité des cigarettes russes dans le chocolat blanc et laisser prendre.

246 *Fortune cookies*   POUR 12 FORTUNE COOKIES

1 à 2 cuil. à soupe d'huile
d'arachide, pour graisser
2 gros blancs d'œufs
½ cuil. à café d'extrait de vanille
3 cuil. à soupe d'huile végétale
100 g de farine
1½ cuil. à café de Maïzena
1 pincée de sel
150 g de sucre
3 cuil. à café d'eau

Écrire des présages ou des messages sur de fines bandes de papier. Préchauffer le four à 180 °C (th. 6) et graisser deux plaques de four avec de l'huile d'arachide (ne pas les préchauffer). Mettre les blancs d'œufs, l'extrait de vanille et l'huile végétale dans une grande jatte, puis battre 1 minute à l'aide d'un batteur électrique jusqu'à ce que le mélange soit mousseux, sans monter en neige.

Tamiser la farine, la Maïzena, le sel et le sucre dans une autre jatte et incorporer l'eau. Ajouter le mélanger précédent et fouetter jusqu'à obtention d'une consistance homogène. Déposer 1 cuillerée à soupe de pâte à chaque extrémité des plaques et incliner les plaques de sorte que les ronds de pâte mesurent 8 cm de diamètre. Cuire 7 à 8 minutes au four préchauffé, jusqu'à ce que les bords commencent à dorer.

Façonner les biscuits rapidement, tant qu'ils sont encore chauds. Retirer un des biscuits des plaques à l'aide d'une spatule et le plier en deux pour former une demi-lune. Souder le sommet de la demi-lune en pinçant fermement. Insérer un index dans une extrémité ouverte de la demi-lune et un pouce dans l'autre, puis assembler les deux extrémités en pressant délicatement de façon à obtenir la forme caractéristique du fortune cookie. Glisser une bande de papier dans le biscuit et laisser prendre sur du papier absorbant. Répéter l'opération avec la pâte restante.

247 Biscuits napolitains

225 g de beurre, ramolli
140 g de sucre
1 jaune d'œuf, légèrement battu
1 cuil. à café d'extrait de vanille
300 g de farine
1 cuil. à soupe de cacao en poudre amer

½ cuil. à café d'extrait d'amande
quelques gouttes de colorant
    alimentaire vert
1 blanc d'œuf, légèrement battu
sel

Battre le beurre en crème avec le sucre jusqu'à ce que le mélange blanchisse, puis incorporer le jaune d'œuf. Répartir la préparation dans trois jattes.

Incorporer l'extrait de vanille dans la première jatte. Tamiser 100 g de farine et 1 pincée de sel dans la jatte et mélanger. Façonner une boule, l'envelopper de film alimentaire et mettre au réfrigérateur 30 à 60 minutes. Tamiser 100 g de farine, le cacao et une pincée de sel dans la deuxième jatte et mélanger. Façonner une boule, l'envelopper de film alimentaire et mettre au réfrigérateur.

Incorporer l'extrait d'amande dans la troisième jatte. Tamiser la farine restante et une pincée de sel dans la jatte et mélanger. Ajouter quelques gouttes de colorant vert, puis façonner une boule, l'envelopper de film alimentaire et mettre au réfrigérateur.

Préchauffer le four à 190 °C (th. 6-7). Chemiser deux plaques de four de papier sulfurisé. Abaisser en rectangle chaque portion de pâte entre 2 feuilles de papier sulfurisé. Enduire le rectangle à la vanille d'un peu de blanc d'œuf et placer le rectangle au chocolat dessus. Enduire aussi ce rectangle d'un peu de blanc d'œuf et poser le rectangle à l'amande sur le tout. À l'aide d'un couteau tranchant, découper des tranches de 5 mm d'épaisseur, puis recouper chaque tranche en deux. Déposer les tranches sur les plaques et cuire 10 à 12 minutes au four préchauffé. Laisser reposer 5 à 10 minutes, puis transférer les biscuits sur une grille et laisser refroidir.

248 Biscuits napolitains au chocolat

Faire fondre 150 g de chocolat noir au bain-marie. Plonger chaque extrémité des biscuits dans le chocolat fondu et laisser prendre sur du papier sulfurisé.

249 Cookies au chocolat blanc

115 g de beurre, ramolli,
    un peu plus pour graisser
115 g de sucre blond
1 œuf, légèrement battu
250 g de farine levante

1 pincée de sel
125 g de chocolat blanc, haché
50 g de noix du Brésil,
    concassées

Préchauffer le four à 190 °C (th. 6-7). Graisser légèrement plusieurs plaques de four. Mettre le beurre et le sucre dans une grande jatte et battre jusqu'à ce que le mélange blanchisse. Ajouter l'œuf progressivement, en battant bien après chaque ajout. Tamiser la farine et le sel dans la jatte et mélanger. Incorporer le chocolat blanc et les noix du Brésil.

Déposer 6 cuillerées à café de pâte sur chaque plaque – les cookies s'étendent à la cuisson. Cuire 10 à 12 minutes au four préchauffé, jusqu'à ce que les cookies soient juste dorés. Transférer sur une grille et laisser refroidir complètement.

250 Cookies chocolat blanc-cardamome

Omettre les noix du Brésil et ajouter 1 cuil. à café de cardamome en poudre.

125 g de beurre, ramolli
200 g de sucre
1 œuf, légèrement battu
½ cuil. à café d'extrait de vanille
125 g de farine
35 g de cacao en poudre amer
½ cuil. à café de bicarbonate

Préchauffer le four à 180 °C
(th. 6). Chemiser plusieurs plaques
de four de papier sulfurisé.

Mettre le beurre et le sucre dans
une grande jatte et battre jusqu'à
ce que le mélange blanchisse.
Incorporer l'extrait de vanille
et l'œuf, puis tamiser la farine,
le cacao et le bicarbonate dans
la jatte et bien battre le tout.

Les mains humides, façonner
des noix de pâte en billes régulières,
puis déposer les billes sur
les plaques en les espaçant bien.

Cuire 10 à 12 minutes au four
préchauffé, jusqu'à ce que
les biscuits aient pris. Laisser
tiédir sur les plaques 5 minutes,
puis transférer sur une grille
et laisser refroidir complètement.

252 *Cookies de minuit nappés de chocolat*

Pendant que les cookies refroidissent, faire fondre 75 g de chocolat noir au bain-marie. Mettre le chocolat dans une poche à douille munie d'un embout fin, arroser les biscuits pour former un motif décoratif et laisser prendre.

253 *Cookies de minuit au sucre*

Répartir 50 g de sucre cristallisé sur une grande assiette. Passer les billes de pâte dans le sucre avant de les mettre sur les plaques.

450 g de farine, un peu plus pour
  saupoudrer
2 cuil. à café de levure chimique
225 g de beurre, coupé en dés, un peu
  plus pour graisser

350 g de sucre
2 gros œufs, légèrement
  battus
2 cuil. à café d'extrait
  de vanille

Tamiser la farine et la levure dans une grande jatte. Ajouter le beurre et l'incorporer avec les doigts de façon à obtenir une consistance de fine chapelure. Incorporer le sucre dans la préparation, ajouter les œufs et l'extrait de vanille, et mélanger jusqu'à obtention d'une pâte souple.

Mettre la pâte sur un plan de travail fariné et la diviser en deux. Façonner chaque portion de pâte en un long boudin de 6 cm d'épaisseur. Envelopper chaque boudin de papier sulfurisé, puis de papier d'aluminium et mettre au réfrigérateur au moins 8 heures.

Préchauffer le four à 190 °C (th. 6-7). Graisser plusieurs plaques de four. Couper les boudins en tranches de 8 mm d'épaisseur et les déposer sur les plaques en les espaçant bien. L'excédent de pâte peut se conserver au réfrigérateur une semaine ou au congélateur plusieurs mois. Cuire 10 à 15 minutes au four préchauffé, jusqu'à ce que les sablés soient dorés. Laisser tiédir sur la plaque 2 à 3 minutes, puis transférer sur une grille et laisser refroidir complètement.

255 *Petits sablés aux cerises*

Hacher 100 g de cerises confites et les ajouter à la préparation avec le sucre.

256 *Petits sablés au chocolat*

Râper finement 100 g de chocolat noir et les ajouter à la préparation avec le sucre.

257 *Petits sablés à la noix de coco*

Ajouter 100 g de noix de coco râpée à la préparation avec le sucre.

258 *Petits sablés aux fruits secs*

Hacher finement 100 g de raisins secs ou de canneberges séchées, et les ajouter à la préparation avec le sucre.

259 *Petits sablés au gingembre*

Omettre l'extrait de vanille et tamiser 3 cuil. à café de gingembre en poudre dans la préparation avec la farine.

260 *Petits sablés au citron*

Omettre l'extrait de vanille et râper finement le zeste de 2 citrons dans la préparation avec le sucre.

261 *Petits sablés à l'orange*

Omettre l'extrait de vanille et râper finement le zeste de 2 oranges dans la préparation avec le sucre.

262 *Petits sablés aux épices*

Omettre l'extrait de vanille et tamiser 4 cuil. à café de quatre-épices dans la préparation avec la farine.

263 *Petits sablés aux noix*

Hacher 100 g de cerneaux de noix et les ajouter à la préparation avec le sucre.

Cookies aux deux chocolats

225 g de beurre, ramolli
140 g de sucre
1 jaune d'œuf, légèrement battu
2 cuil. à café d'extrait
   de vanille

250 g de farine
25 g de cacao en poudre amer
1 pincée de sel
350 g de chocolat noir, haché
55 g de cerises séchées, hachées

Préchauffer le four à 190 °C (th. 6-7). Chemiser deux plaques de four de papier sulfurisé. Mettre le beurre et le sucre dans une grande jatte et battre jusqu'à ce que le mélange blanchisse, puis incorporer le jaune d'œuf et l'extrait de vanille. Tamiser la farine, le cacao et le sel dans la préparation, ajouter le chocolat et les cerises séchées, et bien mélanger le tout.

Prélever des cuillerées à soupe de pâte et les façonner en billes. Répartir les billes sur les plaques en les espaçant bien, et les aplatir légèrement.

Cuire 12 à 15 minutes au four préchauffé. Laisser refroidir sur les plaques 5 à 10 minutes, puis transférer sur une grille et laisser refroidir complètement.

265 # Cookies aux trois chocolats

Remplacer les cerises par 70 g de chocolat blanc haché.

266 # Petits biscuits natures

175 g de farine, un peu plus
   pour saupoudrer
¼ de cuil. à café de noix
   muscade râpée
225 g de beurre, ramolli
50 g de sucre

Préchauffer le four à 180 °C (th. 6). Tamiser la farine et la noix muscade dans une grande jatte. Incorporer le beurre avec les doigts de façon à obtenir une consistance de chapelure. Ajouter le sucre et pétrir jusqu'à obtention d'une pâte épaisse. Abaisser la pâte sur un plan de travail fariné de sorte qu'elle ait 5 mm d'épaisseur. Découper 25 biscuits à l'aide d'un emporte-pièce de 7 cm de diamètre fariné. Déposer les biscuits sur 2 plaques de four antiadhésives.

Cuire 8 à 10 minutes au four préchauffé, jusqu'à ce que les biscuits soient légèrement dorés. Les transférer sur une grille et les laisser refroidir complètement.

267 # Petits biscuits épicés

Ajouter ¼ de cuil. à café de cannelle en poudre, ¼ de cuil. à café de quatre-épices et ¼ de cuil. à café de cardamome en poudre à la farine et à la noix muscade.

225 g de beurre, ramolli
140 g de sucre
1 jaune d'œuf, légèrement battu
2 cuil. à café d'extrait de vanille
225 g de farine
55 g de cacao en poudre amer
1 pincée de sel

GARNITURE
8 bâtonnets de caramel enrobés
   de chocolat, coupés en morceaux
4 cuil. à soupe de crème fraîche
   épaisse

Mettre le beurre et le sucre dans une grande jatte et battre jusqu'à ce que le mélange blanchisse, puis incorporer le jaune d'œuf et l'extrait de vanille.

Tamiser la farine, le cacao et le sel dans la préparation et mélanger le tout. Couper la pâte en deux, façonner les portions en boules et les envelopper de film alimentaire. Mettre au réfrigérateur 30 à 60 minutes.

Préchauffer le four à 190 °C (th. 6-7). Chemiser deux plaques de four de papier sulfurisé.

Abaisser les portions de pâte entre 2 feuilles de papier sulfurisé de sorte qu'elles aient 3 mm d'épaisseur. Découper des carrés à l'aide d'un emporte-pièce de 6 cm et les déposer sur les plaques en les espaçant bien. Cuire 10 à 15 minutes au four préchauffé, jusqu'à ce que les biscuits soient dorés. Laisser refroidir sur les plaques 5 à 10 minutes, puis

transférer sur une grille et laisser refroidir complètement.

Pour la garniture au caramel, mettre les bâtonnets dans une jatte résistant à la chaleur et les faire fondre au-dessus d'une casserole d'eau frémissante. Retirer la jatte du feu et incorporer la crème fraîche progressivement sans cesser de battre. Laisser refroidir, puis mettre au réfrigérateur jusqu'à obtention d'une consistance de pâte à tartiner. Napper les biscuits de garniture avant de servir.

269 *Bâtonnets chocolatés au caramel*

Couper la pâte en bâtonnets plutôt qu'en carrés et les napper de garniture au caramel.

---

225 g de beurre, ramolli
140 g de sucre
1 jaune d'œuf, légèrement battu
2 cuil. à café de jus de pomme
280 g de farine
½ cuil. à café de cannelle en poudre
½ cuil. à café de quatre-épices
1 pincée de sel
100 g de pommes séchées moelleuses,
   finement hachées

GARNITURE
1 cuil. à soupe de sucre
1 cuil. à soupe de poudre pour crème
   à la vanille instantanée
125 ml de lait
5 cuil. à soupe de compote
   de pommes

Mettre le beurre et le sucre dans une grande jatte et battre jusqu'à ce que le mélange blanchisse, puis incorporer le jaune d'œuf et le jus de pomme. Tamiser la farine, la cannelle, le quatre-épices et le sel dans la jatte, ajouter les pommes et mélanger. Diviser la pâte en deux, façonner en boules et envelopper de film alimentaire. Mettre au réfrigérateur 30 à 60 minutes.

Préchauffer le four à 190 °C (th. 6-7). Chemiser deux plaques de four de papier sulfurisé. Abaisser la pâte entre 2 feuilles de papier sulfurisé. Découper des carrés à l'aide d'un emporte-pièce de 5 cm de côté et les répartir sur les plaques en les espaçant bien. Cuire 10 à 15 minutes au four préchauffé, jusqu'à ce que les biscuits soient légèrement dorés. Laisser reposer 5 à 10 minutes, puis laisser refroidir complètement sur une grille.

Pour la garniture, mettre le sucre, la poudre pour crème à la vanille et le lait dans une casserole. Porter à ébullition sans cesser de remuer et cuire jusqu'à épaississement. Retirer la casserole du feu et incorporer la compote de pommes. Couvrir la surface de film alimentaire et laisser refroidir complètement.

Assembler les biscuits deux par deux avec la garniture.

271 *Biscuits pomme-chocolat blanc*

Omettre la garniture à la pomme et faire fondre 150 g de chocolat blanc au bain-marie. Plonger à demi les biscuits dans le chocolat blanc et laisser prendre sur du papier sulfurisé. Pour 30 biscuits.

272 Cookies cannelle, myrtilles et canneberges

225 g de beurre, ramolli
140 g de sucre
1 jaune d'œuf, légèrement battu
2 cuil. à café d'extrait de vanille
280 g de farine

1 cuil. à café de cannelle en poudre
1 pincée de sel
55 g de myrtilles séchées
55 g de canneberges séchées
55 g de pignons, hachés

Préchauffer le four à 190 °C (th. 6-7). Chemiser deux plaques de four de papier sulfurisé. Mettre le beurre et le sucre dans une grande jatte et battre jusqu'à ce que le mélange blanchisse, puis incorporer le jaune d'œuf et l'extrait de vanille. Tamiser la farine, la cannelle et le sel dans la préparation, ajouter les myrtilles et les canneberges, et bien mélanger le tout.

Répartir les pignons sur une assiette. Façonner des billes avec des cuillerées à soupe de préparation et les passer dans les pignons de façon à bien les enrober. Déposer les billes de pâte sur les plaques en les espaçant bien et aplatir légèrement. Cuire 10 à 15 minutes au four préchauffé.

Laisser refroidir sur les plaques 5 à 10 minutes, puis transférer sur une grille et laisser refroidir complètement.

273 Cookies cannelle-macadamia

Remplacer les pignons par 85 g de noix de macadamia hachées.

274 Biscuits aux myrtilles et leur crème à l'orange

225 g de beurre, ramolli
140 g de sucre
1 jaune d'œuf, légèrement battu
1 cuil. à café d'extrait d'orange
280 g de farine
1 pincée de sel
100 g de myrtilles séchées

CRÈME À L'ORANGE
100 g de fromage frais
zeste râpé d'une orange
40 g de noix de macadamia,
    finement hachées

Mettre le beurre et le sucre dans une grande jatte et battre jusqu'à ce que le mélange blanchisse, puis incorporer le jaune d'œuf et l'extrait d'orange. Tamiser la farine et le sel dans la jatte, ajouter les myrtilles et mélanger le tout. Façonner la pâte en un long boudin, l'envelopper de film alimentaire et la mettre au réfrigérateur 30 à 60 minutes.

Préchauffer le four à 190 °C (th. 6-7). Chemiser deux plaques de four de papier sulfurisé. Couper le boudin de pâte en tranches de 5 mm d'épaisseur à l'aide d'un couteau cranté et déposer les tranches sur les plaques en les espaçant bien. Cuire 10 à 15 minutes au four préchauffé, jusqu'à ce que les biscuits soient dorés. Laisser reposer sur les plaques 5 à 10 minutes, puis transférer sur une grille et laisser refroidir complètement.

Juste avant de servir, battre le fromage frais avec le zeste d'orange. Napper les biscuits de crème et les parsemer de noix de macadamia.

225 g de beurre, ramolli
140 g de sucre
1 jaune d'œuf, légèrement battu
2 cuil. à café de rhum
280 g de farine

1 pincée de sel
100 g de noix de coco déshydratée
   non sucrée
4 cuil. à soupe de confiture
   de citrons verts

Préchauffer le four à 190 °C (th. 6-7). Chemiser deux plaques de four de papier sulfurisé. Mettre le beurre et le sucre dans une grande jatte et battre jusqu'à ce que le mélange blanchisse, puis incorporer le jaune d'œuf et le rhum. Tamiser la farine et le sel dans la jatte, ajouter la noix de coco et bien mélanger le tout.

Répartir des cuillerées à soupe pâte sur les plaques en les espaçant bien. Ménager un creux au centre de chaque biscuit avec le manche d'une cuillère en bois humide et garnir les creux de confiture.

Cuire 10 à 15 minutes au four préchauffé, jusqu'à ce que les biscuits soient légèrement dorés. Laisser tiédir sur les plaques 5 à 10 minutes, puis transférer sur une grille et laisser refroidir complètement.

276 *Biscuits arc-en-ciel*

Utiliser des farces de plusieurs couleurs: crème au citron vert, au citron ou au fruit de la passion, et confiture de fraises, par exemple.

277 *Biscuits moelleux aux fruits confits*

POUR 30 BISCUITS

225 g de beurre, ramolli
140 g de sucre
1 jaune d'œuf, légèrement battu
2 cuil. à café d'extrait de vanille
280 g de farine
1 pincée de sel

GARNITURE
4 cuil. à soupe de sirop d'érable
4 cuil. à soupe de beurre
55 g de sucre
115 g de pêches séchées moelleuses,
   hachées
55 g de cerises confites, hachées
55 g de zestes d'agrumes confits
85 g de noix de macadamia, hachées
2 cuil. à soupe de farine

Mettre le beurre et le sucre dans une grande jatte et battre jusqu'à ce que le mélange blanchisse, puis incorporer le jaune d'œuf et l'extrait de vanille. Tamiser la farine et le sel dans la jatte et bien mélanger le tout. Diviser la pâte en deux, façonner les portions en boules et les envelopper de film alimentaire, puis mettre au réfrigérateur 30 à 60 minutes.

Préchauffer le four à 190 °C (th. 6-7). Chemiser deux plaques de four de papier sulfurisé. Abaisser la pâte entre 2 feuilles de papier sulfurisé et y découper des ronds à l'aide d'un emporte-pièce de 6 cm, puis déposer les ronds sur les plaques en les espaçant bien.

Pour la garniture, mettre le sirop d'érable, le beurre et le sucre dans une casserole et faire fondre à feu doux en remuant de temps en temps. Pendant ce temps, mélanger les pêches, les cerises, les zestes confits, les noix de macadamia et la farine, puis ajouter le mélange à base de sirop d'érable. Répartir la garniture sur les ronds de pâte.

Cuire 10 à 15 minutes au four préchauffé, jusqu'à ce que les biscuits soient fermes. Laisser reposer 5 à 10 minutes sur les plaques, puis laisser refroidir complètement sur une grille.

278 *Biscuits moelleux aux noisettes*

Remplacer les noix de macadamia par des noisettes finement hachées

Rochers aux canneberges et à la noix de coco

POUR 30 ROCHERS

225 g de beurre, ramolli
140 g de sucre
1 jaune d'œuf, légèrement battu
2 cuil. à café d'extrait de vanille

280 g de farine
1 pincée de sel
40 g de noix de coco déshydratée
60 g de canneberges séchées

Préchauffer le four à 190 °C (th. 6-7). Chemiser deux plaques de four de papier sulfurisé. Mettre le beurre et le sucre dans une grande jatte et battre jusqu'à ce que le mélange blanchisse, puis incorporer le jaune d'œuf et l'extrait de vanille. Tamiser la farine et le sel dans la jatte, ajouter la noix de coco et les canneberges, et bien mélanger le tout. Déposer des cuillerées à soupe de pâte sur les plaques en les espaçant bien.

Cuire 12 à 15 minutes au four préchauffé, jusqu'à ce que les rochers soient dorés. Laisser reposer sur les plaques 5 à 10 minutes, transférer sur une grille et laisser refroidir complètement.

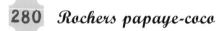

280 Rochers papaye-coco

Remplacer les canneberges par de la papaye séchée hachée.

281 Spirales chocolatées aux dattes

POUR 30 SPIRALES

225 g de beurre, ramolli
200 g de sucre
1 jaune d'œuf, légèrement battu
225 g de farine
55 g de cacao en poudre amer
1 pincée de sel

100 g de noix de pécan, moulues
280 g de dattes séchées, grossièrement hachées
zeste finement râpé d'une orange
175 ml d'eau de fleur d'oranger

Mettre le beurre et 140 g de sucre dans une jatte et battre jusqu'à ce que le mélange blanchisse, puis incorporer le jaune d'œuf. Tamiser la farine, le cacao et le sel dans la jatte, ajouter les noix de pécan et mélanger. Diviser la pâte en deux, façonner les portions en boules et les envelopper de film alimentaire, puis mettre au réfrigérateur 30 à 60 minutes.

Pendant ce temps, mettre les dattes, le zeste d'orange, l'eau de fleur d'oranger et le sucre restant dans une casserole et cuire à feu doux sans cesser de remuer jusqu'à ce que le sucre soit dissous. Porter à ébullition, puis réduire le feu et laisser mijoter 5 minutes. Transférer dans une jatte, laisser refroidir et mettre au réfrigérateur.

Abaisser les portions de pâte en rectangles de 5 mm d'épaisseur entre 2 feuilles de papier sulfurisé. Répartir la préparation précédente sur les rectangles et les enrouler.

Envelopper les rouleaux de papier sulfurisé et mettre au réfrigérateur 30 minutes. Préchauffer le four à 190 °C (th. 6-7). Chemiser deux plaques de four de papier sulfurisé. Couper les rouleaux en tranches de 1 cm d'épaisseur et les mettre sur les plaques.

Cuire au four 15 à 20 minutes, jusqu'à ce que les spirales soient dorées. Laisser reposer 5 à 10 minutes, puis laisser refroidir complètement sur une grille.

282 Spirales chocolatées aux figues

Remplacer les dattes et les noix de pécan par 280 g de figues séchées et 100 g de cerneaux de noix hachés. Remplacer l'eau de fleur d'oranger et le zeste d'orange par 2 cuil. à soupe de cognac et 1 cuil. à café d'extrait de vanille.

225 g de beurre, ramolli
200 g de sucre
1 jaune d'œuf, légèrement battu
1 cuil. à café d'extrait de citron
280 g de farine
1 pincée de sel
125 ml d'eau

280 g de dattes séchées, dénoyautées
    et finement hachées
2 cuil. à soupe de miel de citron
5 cuil. à soupe de jus de citron
1 cuil. à soupe de zeste de citron
    finement râpé
1 cuil. à café de cannelle en poudre

Mettre le beurre et 140 g de sucre dans une jatte et battre jusqu'à ce que le mélange blanchisse, puis incorporer le jaune d'œuf et l'extrait de citron. Tamiser la farine et le sel dans la jatte et mélanger. Façonner la pâte en boule, l'envelopper de film alimentaire et la mettre au réfrigérateur 30 à 60 minutes.

Pendant ce temps, mettre les dattes, le miel, le jus et le zeste de citron dans une casserole et ajouter l'eau. Porter à ébullition sans cesser de remuer, puis réduire le feu et laisser mijoter 5 minutes. Laisser refroidir, puis mettre au réfrigérateur 15 minutes. Mélanger la cannelle et le sucre restant.

Abaisser la pâte en un carré de 30 cm de côté entre 2 feuilles de papier sulfurisé. Parsemer de sucre à la cannelle et presser délicatement à l'aide d'un rouleau à pâtisserie.

Couvrir le carré de pâte avec la préparation précédente, puis l'enrouler. Envelopper de film alimentaire et mettre au réfrigérateur 30 minutes.

Préchauffer le four à 190 °C (th. 6-7). Chemiser deux plaques de four de papier sulfurisé. Couper le rouleau de pâte en tranches à l'aide d'un couteau cranté. Déposer les tranches sur les plaques en les espaçant bien. Cuire 12 à 15 minutes au four préchauffé, jusqu'à ce que les spirales soient dorées. Laisser reposer 5 à 10 minutes, transférer délicatement sur une grille et laisser refroidir complètement.

284 *Spirales aux figues et à la rose*

Remplacer les dattes, et l'extrait, le zeste et le jus de citron par 280 g de figues sèches hachées et 1 cuil. à café d'eau de rose.

225 g de beurre, ramolli
140 g de sucre
1 jaune d'œuf, légèrement battu
2 cuil. à café d'extrait de vanille
225 g de farine
55 g de cacao en poudre amer

1 pincée de sel
55 g de poudre de noisettes
55 g de pépites de chocolat noir
4 cuil. à soupe de pâte à tartiner
    au chocolat et à la noisette

Préchauffer le four à 190 °C (th. 6-7). Chemiser deux plaques de four de papier sulfurisé. Mettre le beurre et le sucre dans une grande jatte et battre jusqu'à ce que le mélange blanchisse, puis incorporer le jaune d'œuf et l'extrait de vanille. Tamiser la farine, le cacao et le sel dans la jatte, ajouter la poudre de noisettes et les pépites de chocolat, et bien mélanger le tout.

Façonner des billes avec des cuillerées à soupe de pâte, puis les déposer sur les plaques en les espaçant bien. Creuser un trou au centre de chaque biscuit avec le manche humide d'une cuillère en bois. Cuire 12 à 15 minutes au four préchauffé.

Laisser reposer sur les plaques 5 à 10 minutes, puis transférer sur une grille et laisser refroidir complètement. Garnir les biscuits refroidis de pâte à tartiner.

225 g de beurre, ramolli
140 g de sucre, un peu plus
    pour saupoudrer
1 jaune d'œuf, légèrement battu
2 cuil. à café de jus de pamplemousse

280 g de farine
1 pincée de sel
zeste râpé d'un pamplemousse
2 cuil. à café de menthe fraîche
    finement hachée

Mettre le beurre et le sucre dans une grande jatte et battre jusqu'à ce que le mélange blanchisse, puis incorporer le jaune d'œuf et le jus de pamplemousse. Tamiser la farine et le sel dans la jatte, ajouter le zeste de pamplemousse et la menthe, et mélanger. Diviser la pâte en deux, façonner les portions en boules et les envelopper de film alimentaire, puis mettre au réfrigérateur 30 à 60 minutes.

Préchauffer le four à 190 °C (th. 6-7). Chemiser deux plaques de four de papier sulfurisé. Abaisser la pâte entre 2 feuilles de papier sulfurisé de sorte qu'elle ait 3 mm d'épaisseur. Découper des biscuits à l'aide d'un emporte-pièce en forme de fleur de 5 cm de diamètre et les déposer sur les plaques en les espaçant bien, puis les saupoudrer de sucre.

Cuire 10 à 15 minutes au four préchauffé, jusqu'à ce que les biscuits soient dorés. Laisser reposer 5 à 10 minutes, puis transférer sur une grille et laisser refroidir complètement.

287 *Biscuits au citron et au thym*

Remplacer le jus de pamplemousse par du jus de citron, et la menthe par 1 cuil. à café de feuilles de thym frais hachées.

225 g de beurre, ramolli
140 g de sucre
1 jaune d'œuf, légèrement battu
2 cuil. à café d'extrait de vanille
250 g de farine
25 g de cacao en poudre amer
1 pincée de sel

55 g de cerises confites,
    finement hachées
15 chocolats à la menthe After Eight
115 g de chocolat noir,
    brisé en morceaux
55 g de chocolat blanc,
    brisé en morceaux

Mettre le beurre et le sucre dans une grande jatte et battre jusqu'à ce que le mélange blanchisse, puis incorporer le jaune d'œuf et l'extrait de vanille. Tamiser la farine, le cacao et le sel dans la jatte, ajouter les cerises et mélanger. Diviser la pâte en deux, façonner les portions en boules et les envelopper de film alimentaire. Mettre au réfrigérateur 30 à 60 minutes.

Préchauffer le four à 190 °C (th. 6-7). Chemiser deux plaques de four de papier sulfurisé. Abaisser la pâte entre 2 feuilles de papier sulfurisé et y découper des carrés à l'aide d'un emporte-pièce de 6 cm plain. Déposer les carrés sur les plaques en les espaçant bien.

Cuire 10 à 15 minutes au four préchauffé, jusqu'à ce que les biscuits soient fermes. Retirer les biscuits du four et placer un chocolat à la menthe sur la moitié d'entre eux, puis couvrir avec les biscuits restants. Presser délicatement et laisser refroidir sur les plaques.

Mettre le chocolat noir dans une jatte résistant à la chaleur et le faire fondre au-dessus d'une casserole d'eau frémissante. Laisser refroidir. Mettre les biscuits sur une grille posée sur du papier sulfurisé. Arroser les biscuits de chocolat fondu, puis taper délicatement sur la grille pour niveler le chocolat et laisser prendre.

Mettre le chocolat blanc dans une jatte résistant à la chaleur et le faire fondre au-dessus d'une casserole d'eau frémissante. Laisser refroidir, puis arroser les biscuits et laisser prendre.

289 Anneaux à la confiture

225 g de beurre, ramolli
140 g de sucre, un peu plus
pour saupoudrer
1 jaune d'œuf, légèrement battu
2 cuil. à café d'extrait de vanille
280 g de farine
1 pincée de sel
1 blanc d'œuf, légèrement battu

GARNITURE
4 cuil. à soupe de beurre, ramolli
200 g de sucre glace
5 cuil. à soupe de confiture
de fraises ou de framboises,
réchauffée

Mettre le beurre et le sucre dans une grande jatte et battre jusqu'à ce que le mélange blanchisse, puis incorporer le jaune d'œuf et l'extrait de vanille. Tamiser la farine et le sel dans la jatte et mélanger. Diviser la pâte en deux, façonner les portions en boules et les envelopper de film alimentaire, puis mettre au réfrigérateur 30 à 60 minutes.

Préchauffer le four à 190 °C (th. 6-7). Chemiser deux plaques de four de papier sulfurisé. Abaisser la pâte entre 2 feuilles de papier sulfurisé et y découper des ronds à l'aide d'un emporte-pièce cannelé de 7 cm de diamètre. Répartir les ronds sur les plaques de four en les espaçant bien. À l'aide d'un emporte-pièce de 4 cm, ôter le centre de la moitié des ronds.

Cuire 7 minutes au four préchauffé, puis enduire les anneaux de blanc d'œuf et les saupoudrer de sucre. Cuire encore 5 à 8 minutes, jusqu'à ce que les biscuits soient légèrement dorés. Laisser reposer sur les plaques 5 à 10 minutes, puis transférer sur une grille et laisser refroidir complètement.

Pour la garniture, mettre le beurre et le sucre glace dans une grande jatte et battre jusqu'à ce que le mélange blanchisse. Étaler la garniture sur les biscuits pleins et garnir d'un peu de confiture. Déposer les anneaux sur les biscuits pleins et presser légèrement.

290 Anneaux au citron

Ajouter le zeste râpé d'un citron à la garniture et remplacer la confiture par de la crème au citron.

291 Biscuits fourrés à la confiture

225 g de beurre, ramolli
100 g de sucre
200 g de farine, un peu plus
pour saupoudrer
1 pincée de sel

100 g de poudre d'amandes
2 cuil. à soupe de confiture
de framboises
2 cuil. à soupe de confiture d'abricots
2 cuil. à soupe de sucre glace

Mettre le beurre et le sucre dans une grande jatte et battre jusqu'à ce que le mélange blanchisse. Ajouter la farine, le sel et la poudre d'amandes, et mélanger jusqu'à obtention d'une pâte souple. Envelopper la pâte de film alimentaire et mettre au réfrigérateur 2 heures.

Préchauffer le four à 150 °C (th. 5). Abaisser la pâte sur un plan de travail fariné de sorte qu'elle ait 5 mm d'épaisseur. Découper 48 ronds à l'aide d'un emporte-pièce de 7 cm de diamètre fariné en abaissant les chutes si nécessaire. À l'aide d'un petit emporte-pièce, ôter le centre de 24 ronds et répartir le tout sur deux plaques de four antiadhésives. Cuire 25 à 30 minutes au four préchauffé, jusqu'à ce que les biscuits soient dorés. Laisser refroidir complètement sur une grille.

Napper la moitié des biscuits pleins de confiture de framboises et l'autre moitié de confiture d'abricots. Tamiser le sucre glace sur les biscuits troués et en couvrir les biscuits pleins en pressant légèrement.

292 Biscuits fourrés au chocolat

Diviser la pâte en deux et ajouter 2 cuil. à café de cacao à l'une des portions. Après avoir découpé les 48 ronds, ôter le centre des ronds au chocolat et laisser entiers les ronds natures. Assembler les biscuits pleins et troués avec 125 g de pâte à tartiner au chocolat.

85 g de beurre, ramolli
100 g de sucre
2 gros œufs
½ cuil. à café d'extrait de vanille
200 g de farine, un peu plus
    pour saupoudrer

1 cuil. à café de levure chimique
1 pincée de sel

GLAÇAGE
150 g de sucre glace
1 cuil. à soupe d'eau froide
quelques gouttes de colorants
    alimentaires

Mettre le beurre et le sucre dans une grande jatte et battre jusqu'à ce que le mélange blanchisse. Battre les œufs avec l'extrait de vanille et les ajouter dans la jatte. Tamiser la farine, la levure et le sel dans la préparation et battre jusqu'à obtention d'une pâte. Envelopper de film alimentaire et mettre au réfrigérateur 1 heure.

Préchauffer le four à 180 °C (th. 6). Chemiser deux plaques de four de papier sulfurisé. Abaisser la pâte sur un plan de travail fariné de sorte qu'elle ait 5 mm d'épaisseur. Découper des biscuits à l'aide d'emporte-pièces de formes variées et les déposer sur les plaques. Cuire 10 à 12 minutes au four préchauffé, jusqu'à ce qu'ils soient dorés. Laisser refroidir sur des grilles.

Incorporer l'eau au sucre glace de façon à obtenir un glaçage fluide. Portionner le glaçage et teinter les portions avec les colorants de son choix. Couvrir les biscuits froids de glaçage et laisser prendre.

294 *Alphabet de Noël*

Utiliser des emporte-pièces en forme de lettre, couvrir les biscuits de glaçage rouge et les décorer de billes de sucre argentées.

90 g de beurre, ramolli
60 g de sucre
1 œuf
1 cuil. à soupe de lait
280 g de farine, un peu plus pour
    saupoudrer
2 cuil. à soupe de cacao en poudre amer

GLAÇAGE
175 g de sucre glace
3 cuil. à soupe de jus d'orange
un peu de chocolat noir, brisé
    en morceaux

Préchauffer le four à 180 °C (th. 6). Chemiser deux plaques de four de papier sulfurisé. Mettre le beurre et le sucre dans une grande jatte et battre jusqu'à ce que le mélange blanchisse. Incorporer l'œuf et le lait, puis tamiser la farine et le cacao dans la jatte et mélanger jusqu'à obtention d'une pâte souple.

Abaisser la pâte sur un plan de travail fariné de sorte qu'elle ait 5 mm d'épaisseur. Découper des ronds à l'aide d'un emporte-pièce de 5 cm de diamètre et les déposer sur les plaques. Cuire 10 à 12 minutes au four préchauffé, jusqu'à ce qu'ils soient dorés. Laisser reposer sur la plaque quelques minutes, puis transférer sur une grille et laisser refroidir complètement.

Pour le glaçage, tamiser le sucre glace dans une jatte et incorporer assez de jus d'orange pour obtenir un glaçage fluide qui nappe le dos de la cuillère. Verser une cuillerée de glaçage au centre de chaque biscuit et laisser prendre.

Mettre le chocolat dans une jatte résistant à la chaleur, et le faire fondre au-dessus d'une casserole d'eau frémissante. Arroser les biscuits de chocolat fond et laisser prendre avant de servir.

296 *Biscuits chocolatés et glaçage au café*

Remplacer le jus d'orange par 2 à 3 cuil. à soupe de café corsé refroidi.

140 g de chocolat noir, brisé
en morceaux, pour décorer
30 fines bandes de zeste de citron vert
pour décorer
225 g de beurre, ramolli
140 g de sucre
1 jaune d'œuf, légèrement battu
2 cuil. à café de jus de citron vert
280 g de farine

1 pincée de sel
zeste finement râpé d'un citron

NAPPAGE
1 cuil. à soupe de blanc d'œuf
légèrement battu
1 cuil. à soupe de jus de citron vert
200 g de sucre glace

Pour décorer, mettre le chocolat dans une jatte résistant à la chaleur et le faire fondre au-dessus d'une casserole d'eau frémissante. Laisser refroidir légèrement. Chemiser une plaque de papier sulfurisé. Plonger le zeste de citron vert dans le chocolat et le laisser prendre sur la plaque.

Mettre le beurre et le sucre dans une grande jatte et battre jusqu'à ce que le mélange blanchisse, puis incorporer le jaune d'œuf et le jus de citron vert. Tamiser la farine et le sel dans la jatte, ajouter le zeste de citron et mélanger. Diviser la pâte en deux, façonner les portions en boules et les envelopper de film alimentaire, puis mettre au réfrigérateur 30 à 60 minutes.

Préchauffer le four à 190 °C (th. 6-7). Chemiser deux plaques de four de papier sulfurisé. Abaisser la pâte entre 2 feuilles de papier sulfurisé de sorte qu'elle ait 3 mm d'épaisseur. Découper des ronds à l'aide d'un emporte-pièce de 6 cm de diamètre et les déposer sur les plaques. Cuire 10 à 15 minutes au four préchauffé, jusqu'à ce que les biscuits soient dorés. Laisser tiédir sur les plaques 5 à 10 minutes, puis laisser refroidir sur une grille.

Pour le nappage, mettre le blanc d'œuf et le jus de citron dans une jatte, puis incorporer progressivement le sucre glace de façon à obtenir un glaçage homogène. Napper les biscuits et les garnir de zeste de citron vert au chocolat.

298 *Biscuits au citron nappés de chocolat*

Omettre le zeste de citron vert au chocolat et arroser simplement le nappage de chocolat noir fondu, puis laisser prendre.

2 cuil. à soupe de graines de sésame
225 g de beurre, ramolli
140 g de sucre
1 cuil. à soupe de zeste de citron
finement râpé
1 jaune d'œuf, légèrement battu
280 g de farine
1 pincée de sel

GLAÇAGE
200 g de sucre glace
quelques gouttes d'extrait de citron
1 cuil. à soupe d'eau chaude

Faire griller à sec le sésame dans une poêle 2 à 3 minutes à feu doux en remuant souvent, jusqu'à ce que les arômes se développent. Laisser refroidir.

Mettre le beurre, le sucre, le zeste de citron et les graines de sésame grillées dans une grande jatte et battre jusqu'à ce que le mélange blanchisse, puis incorporer le jaune d'œuf. Tamiser la farine et le sel dans la jatte et mélanger. Diviser la pâte en deux, façonner les portions en boules et les envelopper de film alimentaire, puis mettre au réfrigérateur 30 à 60 minutes.

Préchauffer le four à 190 °C (th. 6-7). Chemiser deux plaques de four de papier sulfurisé. Abaisser les portions de pâte entre 2 feuilles de papier sulfurisé. Découper des ronds à l'aide d'un emporte-pièce de 6 cm de diamètre et les répartir sur les plaques en les espaçant bien. Cuire 10 à 12 minutes au four préchauffé, jusqu'à ce que les biscuits soient légèrement dorés. Laisser reposer sur les plaques 5 à 10 minutes, puis transférer sur une grille et laisser refroidir complètement.

Pour le glaçage, tamiser le sucre glace dans une jatte, ajouter l'extrait de citron et incorporer l'eau chaude progressivement de façon à obtenir un glaçage fluide ayant la consistance d'une crème épaisse. Napper les biscuits de glaçage et laisser prendre.

300 *Biscuits au citron vert et au sésame*

Omettre le citron dans la recette et le remplacer par du citron vert, puis parsemer le glaçage de zeste de citron vert finement râpé.

Cookies coco-gingembre à la mangue

225 g de beurre, ramolli
140 g de sucre
1 jaune d'œuf, légèrement battu
55 g de gingembre confit, haché,
    plus 2 cuil. à café du sirop du bocal

280 g de farine
1 pincée de sel
55 g de mangues séchées moelleuses,
    hachées
100 g de noix de coco déshydratée râpée

Mettre le beurre et le sucre dans une grande jatte et battre jusqu'à ce que le mélange blanchisse, puis incorporer le jaune d'œuf et le sirop de gingembre. Tamiser la farine et le sel dans la jatte, ajouter la mangue et le gingembre confit, mélanger jusqu'à obtention d'une pâte.

Étaler la noix de coco sur une assiette. Façonner la pâte en boudin et le passer dans la noix de coco de façon à bien l'enrober. Envelopper de film alimentaire et mettre au réfrigérateur 30 à 60 minutes.

Préchauffer le four à 190 °C (th. 6-7). Chemiser deux plaques de four de papier sulfurisé. Couper le boudin de pâte en tranches de 5 mm d'épaisseur à l'aide d'un couteau cranté, et déposer les tranches sur les plaques en les espaçant bien.

Cuire 12 à 15 minutes au four préchauffé, jusqu'à ce que les biscuits soient légèrement dorés. Laisser reposer sur les plaques 5 à 10 minutes, puis laisser refroidir complètement sur une grille.

302 *Cookies coco-gingembre à l'ananas*

Remplacer la mangue par de l'ananas séché haché et préparer un glaçage avec 200 g de sucre glace et 1½ cuil. à soupe de jus d'ananas. Napper les cookies refroidis de glaçage et laisser prendre.

Biscuits à l'ananas fourrés au gingembre

225 g de beurre, ramolli
140 g de sucre
1 jaune d'œuf, légèrement battu
2 cuil. à café d'extrait de vanille
280 g de farine
1 pincée de sel
100 g d'ananas séché moelleux,
    finement haché

cacao en poudre amer,
    pour saupoudrer
sucre glace, pour saupoudrer

CRÈME AU GINGEMBRE
150 ml de yaourt à la grecque
1 cuil. à soupe de golden syrup
1 cuil. à soupe de gingembre en poudre

Mettre le beurre et le sucre dans une grande jatte et battre jusqu'à ce que le mélange blanchisse, puis incorporer le jaune d'œuf et l'extrait de vanille. Tamiser la farine et le sel dans la jatte, ajouter l'ananas et mélanger. Diviser la pâte en deux, façonner les portions en boules et les envelopper de film alimentaire, puis mettre au réfrigérateur 30 à 60 minutes.

Préchauffer le four à 190 °C (th. 6-7). Chemiser deux plaques de four de papier sulfurisé. Abaisser les portions de pâte entre 2 feuilles de papier sulfurisé. Découper des ronds à l'aide d'un emporte-pièce cannelé de 6 cm et les répartir sur les plaques en les espaçant bien. Cuire 10 à 15 minutes au four préchauffé, jusqu'à ce que les biscuits soient légèrement dorés. Laisser reposer sur les plaques 5 à 10 minutes, puis transférer sur une grille et laisser refroidir complètement.

Pour la crème au gingembre, mettre le yaourt, le golden syrup et le gingembre en poudre dans une jatte et bien battre le tout. Assembler les biscuits deux par deux avec la crème au gingembre. Couvrir la moitié des biscuits avec un morceau de papier sulfurisé, et saupoudrer la moitié exposée avec du cacao tamisé, puis couvrir le cacao avec le morceau de papier sulfurisé et saupoudrer l'autre moitié des biscuits de sucre glace.

304 *Avec un glaçage à l'ananas*

Plutôt que de saupoudrer les biscuits de cacao et de sucre glace, préparer un glaçage avec 100 g de sucre glace et 1 cuil. à soupe de jus d'ananas, en couvrir les biscuits et laisser prendre.

Losanges chocolat-cerise confite

225 g de beurre, ramolli
140 g de sucre
1 jaune d'œuf, légèrement battu
2 cuil. à café d'extrait de vanille
280 g de farine

1 pincée de sel
55 g de cerises confites,
    finement hachées
55 g de pépites de chocolat
    au lait

Mettre le beurre et le sucre dans une grande jatte et battre jusqu'à ce que le mélange blanchisse, puis incorporer le jaune d'œuf et l'extrait de vanille. Tamiser la farine et le sel dans la jatte, ajouter les cerises confites et les pépites de chocolat, et mélanger. Diviser la pâte en deux, façonner les portions en boules et les envelopper de film alimentaire, puis mettre au réfrigérateur 30 à 60 minutes.

Préchauffer le four à 190 °C (th. 6-7). Chemiser deux plaques de four de papier sulfurisé. Abaisser la pâte entre 2 feuilles de papier sulfurisé de sorte qu'elle ait 3 mm d'épaisseur. Découper des biscuits à l'aide d'un emporte-pièce en losange et les répartir sur les plaques.

Cuire 10 à 15 minutes au four préchauffé, jusqu'à ce que les biscuits soient légèrement dorés. Laisser reposer sur les plaques 5 à 10 minutes, puis transférer sur une grille et laisser refroidir complètement.

306 ## Losanges gingembre-chocolat blanc

Remplacer les cerises et les pépites de chocolat au lait par du gingembre confit cristallisé et des pépites de chocolat blanc.

307 ## Biscuits tropicaux fourrés au mascarpone

225 g de beurre, ramolli
140 g de sucre
1 jaune d'œuf, légèrement battu
2 cuil. à café de pulpe de fruit
    de la passion
280 g de farine
1 pincée de sel
40 g de mangue séchée moelleuse,
    hachée
40 g de papaye séchée moelleuse,
    hachée

2 cuil. à soupe de dattes séchées,
    dénoyautées et hachées
3 à 4 cuil. à soupe de noix de coco râpée
    légèrement grillée

CRÈME AU MASCARPONE
85 g de mascarpone
3 cuil. à soupe de yaourt à la grecque
7 cuil. à soupe de crème à la vanille
½ cuil. à café de gingembre en poudre

Mettre le beurre et le sucre dans une jatte et battre jusqu'à ce que le mélange blanchisse, puis incorporer le jaune d'œuf et le fruit de la passion. Tamiser la farine et le sel dans la jatte, ajouter les fruits séchés et mélanger. Façonner la pâte en boudin, envelopper de film alimentaire et mettre au réfrigérateur 30 à 60 minutes.

Pendant ce temps, pour préparer la crème au mascarpone, battre tous les ingrédients dans une jatte jusqu'à obtention d'une consistance homogène. Couvrir et mettre au réfrigérateur.

Préchauffer le four à 190 °C (th. 6-7). Chemiser deux plaques de four de papier sulfurisé. Couper le boudin de pâte en tranches à

l'aide d'un couteau tranchant , et répartir les tranches sur les plaques en les espaçant bien.

Cuire 10 à 15 minutes au four préchauffé, jusqu'à ce que les biscuits soient légèrement dorés. Laisser reposer sur les plaques 5 à 10 minutes, puis laisser refroidir complètement sur une grille.

Napper la moitié des biscuits refroidis de crème au mascarpone et parsemer de noix de coco grillée, puis couvrir avec les biscuits restants.

308 ## Fourrés à la noix de coco

Omettre la crème au mascarpone et fourrer les biscuits avec 6 cuil. à soupe de beurre battu en crème avec 3 cuil. à soupe de crème de coco, 200 g de sucre glace et 3 cuil. à soupe de noix de coco déshydratée râpée.

Biscuits aux abricots et aux noix de pécan

225 g de beurre, ramolli
140 g de sucre
1 jaune d'œuf, légèrement battu
2 cuil. à café d'extrait de vanille
280 g de farine

1 pincée de sel
zeste finement râpé d'une orange
55 g d'abricots secs moelleux, hachés
100 g de noix de pécan, finement
    hachées

Mettre le beurre et le sucre dans une grande jatte et battre jusqu'à ce que le mélange blanchisse, puis incorporer le jaune d'œuf et l'extrait de vanille. Tamiser la farine et le sel dans la jatte, ajouter le zeste d'orange et les abricots, et mélanger. Façonner la pâte en boudin. Étaler les noix de pécan sur une assiette. Passer le boudin de pâte dans les noix de façon à bien l'enrober, puis envelopper de film alimentaire et mettre au réfrigérateur 30 à 60 minutes.

Préchauffer le four à 190 °C (th. 6-7). Chemiser deux plaques de four de papier sulfurisé. Couper le boudin de pâte en tranches de 5 mm à l'aide d'un couteau cranté, et répartir les tranches sur les plaques en les espaçant bien.

Cuire 10 à 12 minutes au four préchauffé, jusqu'à ce que les biscuits soient dorés. Laisser reposer sur les plaques 5 à 10 minutes, puis transférer sur une grille et laisser refroidir complètement.

310 # Biscuits aux cerises et noix de pécan

Remplacer les abricots par 70 g de cerises séchées moelleuses.

311 # Biscuits au chocolat et aux abricots

225 g de beurre, ramolli
140 g de sucre
1 jaune d'œuf, légèrement battu
2 cuil. à café de liqueur amaretto
280 g de farine

1 pincée de sel
55 g de pépites de chocolat noir
55 g d'abricots secs moelleux,
    hachés
100 g d'amandes mondées, hachées

Mettre le beurre et le sucre dans une grande jatte et battre jusqu'à ce que le mélange blanchisse, puis incorporer le jaune d'œuf et la liqueur. Tamiser la farine et le sel dans la jatte, ajouter les pépites de chocolat et les abricots, et mélanger. Façonner la pâte ainsi obtenue en boudin. Étaler les amandes dans une assiette et passer le boudin de pâte dans les amandes de sorte qu'il soit bien enrobé. Envelopper de film alimentaire et mettre au réfrigérateur 30 à 60 minutes.

Préchauffer le four à 190 °C (th. 6-7). Chemiser deux plaques de four de papier sulfurisé. Couper le boudin de pâte en tranches de 5 mm à l'aide d'un couteau cranté, et répartir les tranches sur les plaques en les espaçant bien.

Cuire 12 à 15 minutes au four préchauffé, jusqu'à ce que les biscuits soient dorés. Laisser reposer 5 à 10 minutes, puis transférer sur une grille et laisser refroidir complètement.

Biscuits Margarita

225 g de beurre, ramolli
140 g de sucre
zeste finement râpé d'un citron vert
1 jaune d'œuf, légèrement battu
2 cuil. à café de liqueur d'orange
   ou 1 cuil. à café d'extrait d'orange

280 g de farine
1 pincée de sel

GLAÇAGE
140 g de sucre glace
2 cuil. à soupe de tequila blanche

Préchauffer le four à 190 °C (th. 6-7). Chemiser deux plaques de four de papier sulfurisé. Mettre le beurre, le sucre et le zeste de citron vert dans une grande jatte et battre jusqu'à ce que le mélange blanchisse, puis incorporer le jaune d'œuf et la liqueur d'orange. Tamiser la farine et le sel dans la jatte et mélanger. Prélever des cuillerées à soupe de pâte, les répartir sur les plaques et aplatir légèrement.

Cuire 10 à 15 minutes au four préchauffé, jusqu'à ce que les biscuits soient légèrement dorés. Laisser reposer sur les plaques 5 à 10 minutes, puis transférer délicatement les biscuits sur une grille et les laisser refroidir complètement.

Tamiser le sucre glace dans une jatte et incorporer assez de tequila pour obtenir une consistance fluide et crémeuse. Laisser les biscuits sur la grille et les arroser de glaçage à l'aide d'une petite cuillère, puis laisser prendre.

313 *Avec un glaçage au citron vert*

Remplacer la tequila dans le glaçage par 2 cuil. à soupe de jus de citron vert frais et parsemer les biscuits de zeste de citron vert finement râpé.

314 *Petits biscuits aux fruits secs*

225 g de beurre, ramolli
140 g de sucre
1 jaune d'œuf, légèrement battu
280 g de farine
½ cuil. à café de quatre-épices
1 pincée de sel

2 cuil. à soupe de pommes séchées moelleuses, hachées
2 cuil. à soupe de poires séchées moelleuses, hachées
2 cuil. à soupe de pruneaux, hachés
zeste finement râpé d'une orange

Mettre le beurre et le sucre dans une grande jatte et battre jusqu'à ce que le mélange blanchisse, puis incorporer le jaune d'œuf. Tamiser la farine, le quatre-épices et le sel dans la préparation, puis ajouter les pommes, les poires, les pruneaux et le zeste d'orange, et mélanger. Façonner la pâte en boudin, couvrir de film alimentaire et mettre au réfrigérateur 30 à 60 minutes.

Préchauffer le four à 190 °C (th. 6-7), puis chemiser deux plaques de four avec du papier sulfurisé.

Couper le boudin de pâte en tranches de 5 mm d'épaisseur à l'aide d'un couteau cranté, et répartir les tranches sur les plaques en les espaçant bien. Cuire 10 à 15 minutes au four préchauffé, jusqu'à ce que les biscuits soient dorés. Laisser refroidir sur les plaques 5 à 10 minutes, puis transférer sur une grille et laisser refroidir complètement.

315 *Petits biscuits aux fruits tropicaux*

Remplacer les pommes, les poires et les pruneaux par de la mangue, de la papaye et de l'ananas séchés moelleux.

Biscuits aux flocons d'avoine et aux noisettes

POUR 30 BISCUITS

55 g de raisins secs, hachés
125 ml de jus d'orange
225 g de beurre, ramolli
140 g de sucre
1 jaune d'œuf, légèrement battu
2 cuil. à café d'extrait de vanille

225 g de farine
1 pincée de sel
55 g de flocons d'avoine
55 g de noisettes, hachées
30 noisettes entières

Préchauffer le four à 190 °C (th. 6-7). Chemiser deux plaques de four de papier sulfurisé. Mettre les raisins secs dans une jatte, ajouter le jus d'orange et faire tremper 10 minutes.

Mettre le beurre et le sucre dans une grande jatte et battre jusqu'à ce que le mélange blanchisse, puis incorporer le jaune d'œuf et l'extrait de vanille. Tamiser la farine et le sel dans la jatte et ajouter les flocons d'avoine et les noisettes. Égoutter les raisins secs, les ajouter à la préparation et mélanger. Prélever des cuillerées à soupe de préparation et les répartir en tas sur les plaques en les espaçant bien. Aplatir légèrement et déposer une noisette entière au centre de chaque tas.

Cuire 12 à 15 minutes, jusqu'à ce que les biscuits soient dorés. Laisser reposer sur les plaques 5 à 10 minutes, puis transférer sur une grille et laisser refroidir complètement.

317 ## Biscuits aux flocons d'avoine et aux noix

Remplacer les raisins secs par des raisins de Corinthe et les noisettes par 100 g de cerneaux de noix concassés.

318
Biscuits citronnés à la polenta

POUR 12 BISCUITS

100 g de beurre, ramolli
70 g de sucre
2 gros œufs, légèrement battus
zeste finement râpé d'un citron
1 cuil. à soupe de jus de citron

125 g de farine
70 g de polenta
12 amandes mondées entières

Préchauffer le four à 190 °C (th. 6-7). Chemiser plusieurs plaques de four de papier sulfurisé. Mettre le beurre et le sucre dans une grande jatte et battre jusqu'à ce que le mélange blanchisse. Ajouter les œufs, le zeste de citron et le jus dans la jatte et battre jusqu'à obtention d'une consistance homogène. Ajouter la farine et la polenta, et bien mélanger.

Transférer la préparation dans une poche à douille munie d'un embout de 2 cm en forme d'étoile. Façonner des volutes de 6 cm de diamètre sur les plaques en les espaçant bien, et garnir chaque volute d'une amande.

Cuire 10 à 15 minutes au four préchauffé, jusqu'à ce que les biscuits soient légèrement dorés. Laisser reposer sur les plaques 5 minutes, puis transférer sur une grille et laisser refroidir complètement.

Langues de chats chocolat-orange

225 g de beurre, ramolli
140 g de sucre
zeste finement râpé d'une orange
1 jaune d'œuf, légèrement battu
2 cuil. à café de jus d'orange

280 g de farine
1 cuil. à café de gingembre en poudre
1 pincée de sel
115 g de chocolat noir,
   brisé en morceaux

Mettre le beurre, le sucre et le zeste d'orange dans une jatte et battre jusqu'à ce que le mélange blanchisse, puis incorporer le jaune d'œuf et le jus d'orange. Tamiser la farine, le gingembre et le sel dans la jatte et mélanger. Façonner la pâte en boule, l'envelopper de film alimentaire et la mettre au réfrigérateur 30 à 60 minutes.

Préchauffer le four à 190 °C (th. 6-7). Chemiser deux plaques de four de papier sulfurisé.

Abaisser la pâte en rectangle entre 2 feuilles de papier sulfurisé. À l'aide d'un couteau tranchant, découper en lanières de 10 x 2 cm et les déposer sur les plaques en les espaçant bien.

Cuire 10 à 12 minutes au four préchauffé, jusqu'à ce que les biscuits soient dorés. Laisser reposer 5 à 10 minutes, puis transférer sur une grille et laisser refroidir complètement.

Mettre le chocolat dans une jatte résistant à la chaleur et le faire fondre au-dessus d'une casserole d'eau frémissante, puis laisser refroidir. Plonger les biscuits à demi et en biais dans le chocolat fondu, puis laisser prendre sur une grille. Pour plus de simplicité, procéder à l'aide de pinces de cuisine pour plonger les biscuits dans le chocolat.

320 Langues de chats chocolat blanc-citron

Remplacer le zeste et le jus d'orange par du zeste et du jus de citron, puis enrober les langues de chats avec du chocolat blanc.

Biscuits à l'orange et au citron

225 g de beurre, ramolli
140 g de sucre
1 jaune d'œuf, légèrement battu
280 g de farine
1 pincée de sel
zeste finement râpé d'une orange
zeste finement râpé d'un citron

DÉCORATION
1 cuil. à soupe de blanc d'œuf
   légèrement battu
1 cuil. à soupe de jus de citron
200 g de sucre glace
quelques gouttes de colorants
   alimentaires jaune et orange
30 bonbons en formes de quartiers
   d'orange ou de citron

Préchauffer le four à 190 °C (th. 6-7). Chemiser deux plaques de four de papier sulfurisé. Abaisser la pâte à l'orange entre 2 feuilles de papier sulfurisé, découper des ronds à l'aide d'un emporte-pièce de 6 cm de diamètre et les répartir sur une plaque en les espaçant bien. Répéter l'opération avec la pâte au citron en découpant des croissants et en les répartissant sur la seconde plaque.

Cuire 10 à 15 minutes au four préchauffé, jusqu'à ce que les biscuits soient dorés. Laisser

reposer 5 à 10 minutes, puis transférer sur une grille et laisser refroidir complètement.

Pour décorer, battre le blanc d'œuf avec le jus de citron dans un bol, puis incorporer le sucre glace progressivement de façon à obtenir un glaçage fluide. Transférer la moitié du glaçage dans un autre bol, puis colorer une portion de glaçage en orange et l'autre en jaune. Garnir les biscuits avec le glaçage adapté, décorer de bonbons et laisser prendre le tout.

Mettre le beurre et le sucre dans une jatte et battre jusqu'à ce que le mélange blanchisse, puis incorporer le jaune d'œuf. Tamiser la farine et le sel dans la jatte et mélanger.

Diviser la pâte en deux et ajouter le zeste d'orange à une portion et le zeste de citron à l'autre. Façonner en boules, couvrir et mettre au réfrigérateur 30 à 60 minutes.

322 Biscuits aux framboises

Omettre les zestes d'agrumes dans la pâte et remplacer les colorants jaune et orange par du colorant rouge. Décorer les biscuits avec des bonbons en forme de framboises.

323 Biscuits à la cannelle et aux pépites de chocolat

225 g de beurre, ramolli
140 g de sucre
1 jaune d'œuf, légèrement battu
2 cuil. à café d'extrait d'orange
280 g de farine
1 pincée de sel

100 g de pépites de chocolat noir

ENROBAGE À LA CANNELLE
1½ cuil. à soupe de sucre
1½ cuil. à soupe de cannelle
    en poudre

Préchauffer le four à 190 °C (th. 6-7). Chemiser deux plaques de four de papier sulfurisé. Mettre le beurre et le sucre dans une grande jatte et battre jusqu'à ce que le mélange blanchisse, puis incorporer le jaune d'œuf et l'extrait d'orange. Tamiser la farine et le sel dans la jatte, ajouter les pépites de chocolat et bien mélanger le tout.

Pour l'enrobage à la cannelle, mélanger le sucre et la cannelle dans une assiette creuse. Prélever des cuillerées à soupe de préparation, les rouler en boules et les passer dans le sucre à la cannelle. Répartir les boules sur les plaques en les espaçant bien.

Cuire 12 à 15 minutes au four préchauffé, jusqu'à ce que les biscuits soient dorés. Laisser reposer sur les plaques 5 à 10 minutes, puis transférer sur une grille et laisser refroidir complètement.

324 Biscuits épicés au chocolat blanc

Remplacer les pépites de chocolat noir par 100 g de pépites de chocolat blanc, et la cannelle par 1 cuil. à soupe de quatre-épices ½ cuil. à café de noix muscade râpée.

325 Biscuits à la papaye et aux noix de cajou

225 g de beurre, ramolli
140 g de sucre
1 jaune d'œuf, légèrement battu
2 cuil. à café de jus de citron vert
280 g de farine

1 pincée de sel
100 g de papaye séchée moelleuse,
    hachée
100 g de noix de cajou,
    finement hachées

Mettre le beurre et le sucre dans une jatte et battre jusqu'à ce que le mélange blanchisse, puis incorporer le jaune d'œuf et le jus de citron vert.

Tamiser la farine et le sel dans la préparation, ajouter la papaye et bien mélanger le tout.

Étaler les noix de cajou sur une assiette. Façonner la pâte en boudin et la passer dans les noix de façon à bien l'enrober. Envelopper de film alimentaire et mettre au réfrigérateur 30 à 60 minutes.

Préchauffer le four à 190 °C (th. 6-7). Chemiser deux plaques de four de papier sulfurisé.

Couper le boudin de pâte en tranches à l'aide d'un couteau cranté et répartir les tranches sur les plaques en les espaçant bien.

Cuire 12 à 15 minutes au four préchauffé, jusqu'à ce que les biscuits soient légèrement dorés. Laisser reposer sur les plaques 5 à 10 minutes, puis transférer sur une grille et laisser refroidir complètement.

326 Avec un nappage aux noix de cajou

Battre 85 g de beurre en crème avec 200 g de sucre glace et 100 g de noix de cajou, et en napper les biscuits refroidis.

Biscuits façon daïquiri à la pêche

225 g de beurre, ramolli
140 g de sucre
zeste finement râpé d'un citron vert
1 jaune d'œuf, légèrement battu
2 cuil. à café de rhum blanc
280 g de farine
1 pincée de sel

100 g de pêches séchées moelleuses,
hachées

GLAÇAGE
140 g de sucre glace
2 cuil. à soupe de rhum blanc

Préchauffer le four à 190 °C (th. 6-7). Chemiser deux plaques de four de papier sulfurisé.

Mettre le beurre, le sucre et le zeste de citron vert dans une jatte et battre jusqu'à ce que le mélange blanchisse, puis incorporer le jaune d'œuf et le rhum. Tamiser la farine et le sel dans la jatte, ajouter les pêches et mélanger le tout. Prélever des cuillerées à soupe de pâte et les répartir sur les plaques, puis les aplatir légèrement. Cuire 10 à 15 minutes au four préchauffé, jusqu'à ce que les biscuits soient légèrement dorés. Laisser reposer sur les plaques 5 à 10 minutes, puis transférer sur une grille et laisser refroidir complètement.

Tamiser le sucre glace dans une jatte et incorporer assez de rhum pour obtenir une consistance de crème épaisse. Arroser les biscuits avec le glaçage à l'aide d'une cuillère à café et laisser prendre.

328 ## Avec un glaçage à la pêche

Omettre les pêches séchées de la pâte et les incorporer à une double quantité de glaçage. Couvrir les biscuits du glaçage obtenu et laisser prendre.

Biscuits aux pêches, aux poires et aux prunes

225 g de beurre, ramolli
140 g de sucre
1 jaune d'œuf, légèrement battu
2 cuil. à café d'extrait d'amande
280 g de farine
1 pincée de sel

55 g de pêches séchées moelleuses,
finement hachées
55 de poires séchées moelleuses,
finement hachées
4 cuil. à soupe de confiture de prunes

Préchauffer le four à 190 °C (th. 6-7). Chemiser deux plaques de four de papier sulfurisé. Mettre le beurre et le sucre dans une grande jatte et battre jusqu'à ce que le mélange blanchisse, puis incorporer le jaune d'œuf et l'extrait d'amande. Tamiser la farine et le sel dans la jatte, ajouter les fruits séchés et mélanger le tout.

Prélever cuillerées à soupe de préparation, les façonner en boules et les déposer sur les plaques en les espaçant bien. Ménager un creux au centre de chaque boule avec le manche humide d'une cuillère en bois et garnir les creux de confiture. Cuire 12 à 15 minutes au four préchauffé, jusqu'à ce que les biscuits soient légèrement dorés.

Laisser reposer sur les plaques 5 à 10 minutes, puis transférer sur une grille et laisser refroidir complètement.

330 ## Biscuits aux poires et aux pêches

Remplacer la confiture de prunes par de la confiture de pêches, et servir accompagnées de pêches au sirop.

225 g de beurre, ramolli
140 g de sucre
1 jaune d'œuf, légèrement battu
2 cuil. à café d'extrait de vanille
280 g de farine
1 pincée de sel
100 g de poires séchées moelleuses,
finement hachées

GLAÇAGE
200 g de sucre glace
quelques gouttes d'extrait
de menthe
1 cuil. à soupe d'eau chaude

Couper le boudin de pâte en tranches de 5 mm d'épaisseur à l'aide d'un couteau cranté et répartir les tranches sur les plaques en les espaçant bien. Cuire 10 à 15 minutes au four préchauffé, jusqu'à ce que les biscuits soient dorés. Laisser reposer sur les plaques 5 à 10 minutes, puis transférer sur une grille et laisser refroidir complètement.

Pour le glaçage, tamiser le sucre glace dans une jatte et ajouter l'extrait de menthe. Incorporer progressivement l'eau chaude de façon à obtenir un glaçage épais. Arroser les biscuits de glaçage à l'aide d'une petite cuillère et laisser prendre.

332 *Avec un glaçage à la liqueur de poire*

Dans le glaçage, remplacer l'extrait de menthe par de l'eau-de-vie de poire William.

Mettre le beurre et le sucre dans une grande jatte et battre jusqu'à ce que le mélange blanchisse, puis incorporer le jaune d'œuf et l'extrait de vanille. Tamiser la farine et le sel dans la préparation, ajouter les poires et mélanger. Façonner la pâte en boudin, envelopper de film alimentaire et mettre au réfrigérateur 30 à 60 minutes.

Préchauffer le four à 190 °C (th. 6-7). Chemiser deux plaques de four de papier sulfurisé.

225 g de beurre, ramolli
140 g de sucre
1 jaune d'œuf, légèrement battu
2 cuil. à café d'extrait de vanille
280 g de farine

1 pincée de sel
55 g de poires séchées moelleuses,
finement hachées
55 g de pistaches, hachées
pistaches entières, pour décorer

Préchauffer le four à 190 °C (th. 6-7). Chemiser deux plaques de four de papier sulfurisé. Mettre le beurre et le sucre dans une grande jatte et battre jusqu'à ce que le mélange blanchisse, puis incorporer le jaune d'œuf et l'extrait de vanille. Tamiser la farine et le sel dans la jatte, ajouter les poires et les pistaches, et bien mélanger le tout.

Prélever cuillerées à soupe de préparation et les façonner en boules. Répartir les boules sur les plaques en les espaçant bien et les aplatir légèrement. Presser délicatement une pistache entière au centre de chaque biscuit.

Cuire 10 à 15 minutes au four préchauffé, jusqu'à ce que les biscuits soient dorés. Laisser reposer sur les plaques 5 à 10 minutes, puis transférer sur une grille et laisser refroidir complètement.

334 *Biscuits mangue-noix de macadamia*

Remplacer les poires séchées et les pistaches par 55 g de mangue séchée 70 g de noix de macadamia hachées.

75 g de beurre, un peu plus pour graisser
125 g de sucre roux
1 œuf
1 cuil. à soupe de son de blé

150 g de farine levante complète
70 g de farine levante
125 g de chocolat noir,
    brisé en morceaux

Préchauffer le four à 180 °C (th. 6). Graisser légèrement deux plaques de four. Mettre le beurre et le sucre dans une grande jatte et battre jusqu'à ce que le mélange blanchisse. Ajouter l'œuf et battre de nouveau. Incorporer le son et les farines, et mélanger avec les mains. Façonner des cuillerées à café de pâte en boules et les répartir sur les plaques en les espaçant bien, puis aplatir légèrement avec les dents d'une fourchette.

Cuire 15 à 20 minutes au four préchauffé, jusqu'à ce que les biscuits soient dorés. Laisser reposer quelques minutes, puis transférer sur une grille et laisser refroidir complètement.

Mettre le chocolat dans une jatte résistant à la chaleur et le faire fondre au-dessus d'une casserole d'eau frémissante. Plonger le dessous et les bords de chaque biscuit dans le chocolat fondu en laissant l'excédent retomber dans la jatte. Mettre les biscuits sur du papier sulfurisé et laisser prendre à l'abri de la chaleur avant de servir.

336 *Biscuits complets chocolat-amande*

Ajouter 85 g d'amandes mondées hachées à la préparation.

115 g de beurre, un peu plus
    pour graisser
85 g de sucre
1 jaune d'œuf
zeste finement râpé d'un demi-citron
200 g de farine, un peu plus pour
    saupoudrer

55 g de cerises confites,
    finement hachées

GLAÇAGE
85 g de sucre glace
1½ cuil. à soupe de jus de citron

Préchauffer le four à 200 °C (th. 6-7). Graisser légèrement deux plaques de four. Mettre le beurre et le sucre dans une grande jatte et battre jusqu'à ce que le mélange blanchisse. Incorporer le jaune d'œuf et le zeste de citron. Tamiser la farine dans la jatte, ajouter les cerises et mélanger jusqu'à obtention d'une pâte souple.

Abaisser la pâte sur un plan de travail fariné de sorte qu'elle ait 5 mm d'épaisseur. Découper des ronds à l'aide d'un emporte-pièce de 8 cm de diamètre, puis ôter le centre de chaque rond avec un emporte-pièce de 2,5 cm de diamètre. Déposer les anneaux sur les plaques.

Cuire 12 à 15 minutes au four préchauffé, jusqu'à ce que les anneaux soient dorés. Laisser reposer 2 minutes, puis transférer sur une grille et laisser refroidir complètement.

Pour le glaçage, délayer le sucre glace dans le jus de citron, en arroser les biscuits et laisser prendre.

338 *Anneaux aux zestes d'agrumes confits*

Remplacer les cerises confites par des zestes d'agrumes confits hachés. Tinter le glaçage avec un peu de colorant alimentaire jaune.

225 g de beurre, ramolli
140 g de sucre
1 jaune d'œuf, légèrement battu
2 cuil. à café d'extrait de vanille
225 g de farine
55 g de cacao en poudre amer
1 pincée de sel

100 g de chocolat blanc,
  finement haché

GARNITURE
55 g de chocolat blanc, brisé
  en morceaux
15 pruneaux moelleux, coupés en deux

Mettre le beurre et le sucre dans une jatte et battre jusqu'à ce que le mélange blanchisse, puis incorporer le jaune d'œuf et l'extrait de vanille. Tamiser la farine, le cacao et le sel dans la jatte et mélanger. Diviser la pâte en deux, façonner les portions en boules et envelopper de film alimentaire, puis mettre au réfrigérateur 30 à 60 minutes.

Préchauffer le four à 190 °C (th. 6-7). Chemiser deux plaques de four de papier sulfurisé.

Abaisser une portion de pâte entre 2 feuilles de papier sulfurisé de sorte qu'elle ait 3 mm d'épaisseur. Découper 15 rounds à l'aide d'un emporte-pièce de 5 cm de diamètre et les répartir sur les plaques en les espaçant bien. Répartir le chocolat haché sur les ronds.

Abaisser la portion de pâte restante entre 2 feuilles de papier sulfurisé et découper 15 ronds à l'aide d'un emporte-pièce de 6 à 7 cm de diamètre. Poser ces ronds sur les premiers et presser les bords de façon à enfermer le chocolat

hermétiquement. Cuire 10 à 15 minutes au four préchauffé, jusqu'à ce que les biscuits soient fermes. Laisser reposer 5 à 10 minutes, puis transférer sur une grille et laisser refroidir complètement.

Pour décorer, mettre le chocolat dans une jatte résistant à la chaleur et le faire fondre au-dessus d'une casserole d'eau frémissante. Laisser refroidir légèrement. Plonger les pruneaux dans le chocolat fondu et les coller au centre des biscuits. Napper les biscuits avec le chocolat restant et laisser prendre.

340 *Biscuits aux abricots et aux noix*

Remplacer les pruneaux par 15 cerneaux de noix et 15 abricots secs moelleux.

---

341 *Biscuits aux pruneaux fourrés à la crème*   POUR 15 BISCUITS

225 g de beurre, ramolli
140 g de sucre
1 jaune d'œuf, légèrement battu
2 cuil. à café d'extrait de vanille
175 g de farine
115 g de préparation pour crème
  à la vanille
1 pincée de sel
100 g de pruneaux moelleux, hachés

CRÈME SUCRÉE
2 cuil. à soupe de beurre
225 g de sucre glace
2 cuil. à soupe de lait
quelques gouttes d'extrait de vanille

Mettre le beurre et le sucre dans une grande jatte et battre jusqu'à ce que le mélange blanchisse, puis incorporer le jaune d'œuf et l'extrait de vanille. Tamiser la farine, la préparation pour crème à la vanille et le sel dans la préparation, ajouter les pruneaux et mélanger. Diviser la pâte en deux, façonner les portions en boules, envelopper de film alimentaire et mettre au réfrigérateur 30 à 60 minutes.

Préchauffer le four à 190 °C (th. 6-7). Chemiser deux plaques de four de papier sulfurisé. Abaisser la pâte entre 2 feuilles de papier sulfurisé. Découper des ronds à l'aide d'un emporte-pièce cannelé de 6 cm de diamètre et les répartir sur les plaques en les espaçant bien. Prélever le centre de la moitié des biscuits à l'aide d'un petit emporte-pièce en forme de losange.

Cuire 10 à 15 minutes au four préchauffé, jusqu'à ce que les biscuits soient légèrement dorés. Laisser reposer sur les

plaques 5 à 10 minutes, puis transférer sur une grille et laisser refroidir complètement.

Pour la crème sucrée, mettre le beurre dans une petite casserole et chauffer à feu doux jusqu'à ce qu'il ait fondu, puis retirer du feu. Tamiser le sucre glace dans la casserole, ajouter le lait et l'extrait de vanille, et battre jusqu'à obtention d'une consistance homogène. Couvrir les biscuits pleins de crème sucrée et couvrir avec les biscuits troués.

342 *Biscuits à la banane fourrés à la crème*

Remplacer les pruneaux par une petite banane séchée moelleuse très finement hachée.

Biscuits aux groseilles et à la crème au beurre

225 g de beurre, ramolli
140 g de sucre
1 jaune d'œuf, légèrement battu
2 cuil. à café d'extrait de vanille
280 g de farine
1 pincée de sel

CRÈME AU BEURRE
2 jaunes d'œufs, légèrement battus
4 cuil. à soupe de sucre
1 cuil. à soupe de Maïzena
1 cuil. à soupe de farine
300 ml de lait
quelques gouttes d'extrait de vanille
1 blanc d'œuf

DÉCORATION
15 petites groseilles
1 blanc d'œuf, légèrement battu
2 à 3 cuil. à soupe de sucre en poudre
225 g de sucre glace, tamisé
¼ de cuil. à café d'extrait de citron
2 cuil. à soupe d'eau chaude

Mettre le beurre et le sucre dans une jatte et battre, puis incorporer le jaune d'œuf et l'extrait de vanille. Tamiser la farine et le sel dans la jatte et mélanger. Couvrir la pâte de film alimentaire et mettre au réfrigérateur 45 minutes.

Préchauffer le four à 190 °C (th. 6-7). Chemiser deux plaques de four de papier sulfurisé. Abaisser la pâte entre feuilles de papier sulfurisé. Découper des ronds à l'aide d'un emporte-pièce de 6 cm de diamètre et les répartir sur les plaques. Cuire 12 minutes au four préchauffé, jusqu'à ce que les biscuits soient dorés. Laisser reposer 5 minutes, puis transférer sur une grille et laisser refroidir.

Pour la crème au beurre, battre les jaunes d'œufs avec le sucre dans une jatte. Tamiser la Maïzena et la farine dans la jatte et bien battre, puis incorporer 3 cuillerées à soupe de lait et l'extrait de vanille. Porter le lait restant à ébullition, puis l'incorporer à la préparation.

Verser la préparation dans une casserole et porter à ébullition en remuant, puis laisser refroidir dans la casserole sans cesser de battre.

Monter le blanc d'œuf en neige ferme et y incorporer un peu de crème au beurre. Ajouter ce mélange dans la casserole et cuire 2 minutes, puis laisser refroidir. Assembler les biscuits deux par deux avec la crème.

Plonger les groseilles dans le blanc d'œuf et les passer dans le sucre en poudre. Mélanger le sucre glace, l'extrait de citron et l'eau. Napper les biscuits avec le glaçage ainsi obtenu et garnir de groseilles.

344 *Biscuits aux myrtilles et à la crème*

Remplacer les groseilles par des myrtilles.

Biscuits fraise-coco

225 g de beurre, ramolli
140 g de sucre
1 jaune d'œuf, légèrement battu
1 cuil. à café d'arôme de fraise

280 g de farine
1 pincée de sel
100 g de noix de coco déshydratée
4 cuil. à soupe de confiture de fraises

Préchauffer le four à 190 °C (th. 6-7). Chemiser deux plaques de four de papier sulfurisé. Mettre le beurre et le sucre dans une grande jatte et battre jusqu'à ce que le mélange blanchisse, puis incorporer le jaune d'œuf et l'arôme de fraise. Tamiser la farine et le sel dans la préparation, ajouter la noix de coco et bien mélanger le tout.

Prélever cuillerées à soupe de la pâte et les façonner en boules, puis les répartir sur les plaques en les espaçant bien. Ménager un creux au centre de chaque boule avec le manche humide d'une cuillère en bois et garnir les creux de confiture de fraises.

Cuire 12 à 15 minutes au four préchauffé, jusqu'à ce que les biscuits soient dorés. Laisser reposer sur les plaques 5 à 10 minutes, puis transférer sur une grille et laisser refroidir complètement.

346 *Biscuits orange-coco*

Remplacer la noix de coco par 50 g de zestes d'agrumes confits et ½ cuil. à café de zeste d'orange râpé. Garnir les biscuits de confiture d'oranges.

Biscuits à la banane et au caramel

225 g de beurre, ramolli
140 g de sucre
1 jaune d'œuf, légèrement battu
25 g de gingembre confit, finement haché,
    plus 2 cuil. à café de sirop du bocal

280 g de farine
1 pincée de sel
85 g de bananes séchées, finement
    hachées
15 caramels enrobés de chocolat

Mettre le beurre et le sucre dans une jatte et battre jusqu'à ce que le mélange blanchisse, puis incorporer le jaune d'œuf, le gingembre et son sirop. Tamiser la farine et le sel dans la jatte, ajouter les bananes et mélanger. Diviser la pâte en deux, façonner les portions en boules, envelopper de film alimentaire et mettre au réfrigérateur 30 à 60 minutes.

Préchauffer le four à 190 °C (th. 6-7). Chemiser deux plaques de four de papier sulfurisé. Abaisser les portions de pâte entre 2 feuilles de papier sulfurisé. Découper des ronds de pâte à l'aide d'un emporte-pièce cannelé de 6 cm de diamètre et les répartir sur les plaques en les espaçant bien. Déposer un caramel au centre de la moitié des biscuits, couvrir avec les biscuits restants et presser les bords.

Cuire 10 à 15 minutes au four préchauffé, jusqu'à ce que les biscuits soient légèrement dorés. Laisser reposer 5 à 10 minutes sur les plaques, puis transférer sur une grille laisser refroidir complètement.

Biscuits à la banane et aux raisins secs

2 cuil. à soupe de raisins secs
125 ml de jus d'orange ou de rhum
225 g de beurre, ramolli
140 g de sucre
1 jaune d'œuf, légèrement battu

280 g de farine
1 pincée de sel
85 g de bananes séchées moelleuses,
    finement hachées

Mettre les raisins secs dans une jatte, ajouter le jus d'orange ou le rhum, et faire tremper 30 minutes. Égoutter les raisins secs en réservant le jus d'orange restant.

Préchauffer le four à 190 °C (th. 6-7). Chemiser deux plaques de four de papier sulfurisé. Mettre le beurre et le sucre dans une jatte et battre jusqu'à ce que le mélange blanchisse, puis incorporer le jaune d'œuf et 2 cuillerées à café du jus d'orange réservé. Tamiser la farine et le sel dans la jatte, ajouter les raisins secs et la banane, et bien mélanger le tout.

Déposer des cuillerées à soupe de la préparation sur les plaques en les espaçant bien, puis aplatir légèrement.

Cuire 12 à 15 minutes au four préchauffé, jusqu'à ce que les biscuits soient dorés. Laisser reposer sur les plaques 5 à 10 minutes, puis transférer sur une grille et laisser refroidir complètement.

349 *Biscuits banane-noix de coco*

Remplacer les raisins secs par 50 g de noix de coco déshydratée.

225 g de beurre, ramolli
140 g de sucre
2 cuil. à café de zeste d'orange râpé
1 jaune d'œuf, légèrement battu
2 cuil. à café d'extrait de vanille
250 g de farine
25 g de cacao en poudre amer
1 pincée de sel
100 g de chocolat noir,
finement haché

GARNITURE AU CHOCOLAT
125 ml de crème fraîche épaisse
200 g de chocolat blanc,
brisé en morceaux
1 cuil. à café d'extrait d'orange

Préchauffer le four à 190 °C (th. 6-7). Chemiser deux plaques de four de papier sulfurisé.

Mettre le beurre, le sucre et le zeste d'orange dans une jatte et battre jusqu'à ce que le mélange blanchisse. Incorporer le jaune d'œuf et l'extrait de vanille. Tamiser la farine, le cacao et le sel dans la jatte, puis ajouter le chocolat et mélanger. Prélever des cuillerées à soupe de la pâte, les façonner en boulettes et les déposer sur les plaques en les espaçant bien. Les aplatir légèrement et lisser la surface avec le dos d'une cuillère.

Cuire 10 à 15 minutes au four préchauffé, jusqu'à ce que les biscuits soient dorés. Laisser reposer 5 à 10 minutes, puis transférer sur une grille et laisser refroidir complètement.

Pour la garniture, porter la crème à ébullition dans une casserole, puis retirer du feu. Ajouter le chocolat, remuer jusqu'à obtention d'une consistance homogène et ajouter l'extrait d'orange. Laisser refroidir complètement et assembler les biscuits deux par deux avec la crème.

351 *Biscuits fourrés au chocolat noir*

Dans la garniture, remplacer le chocolat blanc par du chocolat noir et saupoudrer les biscuits refroidis de cacao en poudre tamisé.

352 *Biscuits fourrés aux deux chocolats*

Remplacer la moitié du chocolat blanc par du chocolat noir fondu de façon à obtenir deux garnitures distinctes. Assembler la moitié des biscuits deux par deux avec la garniture blanche et les biscuits restants avec la garniture noire.

225 g de beurre, ramolli
140 g de sucre
1 jaune d'œuf, légèrement battu
280 g de farine
1 pincée de sel
½ cuil. à café de quatre-épices
55 g de pommes séchées moelleuses,
   finement hachées

½ cuil. à café de gingembre en poudre
55 g de poires séchées moelleuses,
   finement hachées
25 g d'amandes effilées
1 blanc d'œuf, légèrement battu
sucre roux, pour saupoudrer

Mettre le beurre et le sucre dans une grande jatte et battre jusqu'à ce que le mélange blanchisse, puis incorporer le jaune d'œuf. Tamiser la farine et le sel dans la jatte et mélanger. Transférer la moitié de la pâte dans une autre jatte. Ajouter le quatre-épices et les pommes dans une jatte et bien mélanger. Façonner la pâte en boule, l'envelopper de film alimentaire et la mettre au réfrigérateur 30 à 60 minutes.

Ajouter le gingembre et les poires dans l'autre jatte et bien mélanger. Façonner la pâte en boule, l'envelopper de film alimentaire et la mettre au réfrigérateur 30 à 60 minutes.

Préchauffer le four à 190 °C (th. 6-7). Chemiser deux plaques de four de papier sulfurisé.

Abaisser la pâte à la pomme entre 2 feuilles de papier sulfurisé de sorte qu'elle ait 3 mm d'épaisseur. Découper des soleils à l'aide d'un emporte-pièce et les répartir sur une plaque.

Répéter l'opération avec la pâte à la poire, découper des étoiles à l'aide d'un emporte-pièce et les répartir sur l'autre plaque.

Cuire 5 minutes au four préchauffé, puis retirer les étoiles du four et les parsemer d'amandes effilées. Cuire encore 5 à 10 minutes. Retirer les biscuits du four sans éteindre le four. Enduire les soleils d'un peu de blanc d'œuf et les saupoudrer de sucre roux, puis cuire encore 2 à 3 minutes. Laisser tous les biscuits reposer 5 à 10 minutes, puis les transférer sur une grille et les laisser refroidir complètement.

354 *Avec un glaçage à la pomme*

Remplacer la garniture aux amandes, au blanc d'œuf et au sucre, par un glaçage à la pomme : tamiser 200 g de sucre glace dans une jatte et y incorporer 1½ cuil. à soupe de jus de pomme et quelques gouttes de colorant alimentaire vert. Napper les biscuits refroidis et laisser prendre.

355 *Orangines* POUR 15 BISCUITS

25 g de beurre, ramolli,
   un peu plus pour graisser
2 cuil. à soupe de zestes d'orange confits
2 cuil. à soupe de sucre

2 cuil. à soupe de farine
25 g de poudre d'amandes
zeste finement râpé d'une petite orange
1 cuil. à café de jus d'orange

Préchauffer le four à 180 °C (th. 6). Graisser plusieurs plaques de four. Hacher très finement les zestes d'orange confits.

Mettre le beurre et le sucre dans une grande jatte et battre jusqu'à ce que le mélange blanchisse. Ajouter la farine, la poudre d'amandes, le zeste d'orange et le jus, et bien mélanger le tout.

Déposer des cuillerées à café de préparation sur les plaques en les espaçant bien. Cuire 7 à 8 minutes au four préchauffé, jusqu'à ce que les biscuits soient légèrement dorés sur les bords. Laisser reposer sur les plaques 2 à 3 minutes, puis transférer sur une grille et laisser refroidir complètement.

100 g de beurre, ramolli, un peu plus
   pour graisser
75 g de sucre
1 œuf, blanc et jaune séparés
200 g de farine, un peu plus pour
   saupoudrer

zeste finement râpé d'une orange
zeste finement râpé d'un citron
zeste finement râpé d'un citron vert
2 à 3 cuil. à soupe de jus d'orange

Préchauffer le four à 200 °C (th. 6-7). Graisser légèrement deux plaques de four. Mettre le beurre et le sucre dans une jatte et battre jusqu'à ce que le mélange blanchisse, puis incorporer le jaune d'œuf. Tamiser la farine dans la jatte et mélanger. Ajouter les zestes d'agrumes avec assez de jus d'orange pour obtenir une pâte souple.

Abaisser la pâte sur un plan de travail fariné et découper des ronds à l'aide d'un emporte-pièce de 7,5 cm de diamètre. Former des croissants en ôtant un quart de chaque rond avec l'emporte-pièce. Abaisser les chutes si nécessaire pour obtenir 25 croissants au total. Répartir les croissants sur les plaques et les piquer à l'aide d'une fourchette. Fouetter le blanc d'œuf dans un petit bol et en enduire les croissants.

Cuire 12 à 15 minutes au four préchauffé, jusqu'à ce que les biscuits soient dorés. Laisser refroidir sur une grille avant de servir.

· ·

357 *Fourrés de crème au citron*

Préparer une double quantité de biscuits. Pour la crème aux agrumes, battre 125 g de beurre en crème avec 175 g de sucre glace, 1 cuil. à café de zeste de citron, 1 cuil. à soupe de jus de citron et ½ cuil. à café d'huile de citron. Assembler les biscuits deux par deux avec la crème obtenue.

358 *Tentations au chocolat* POUR 24 BISCUITS

90 g de beurre, un peu plus pour graisser
365 g de chocolat noir
1 cuil. à café de café serré
2 œufs
140 g de sucre blond
185 g de farine
¼ de cuil. à café de levure chimique

1 pincée de sel
2 cuil. à café d'extrait d'amande
85 g de noix du Brésil, hachées
85 g de noisettes, hachées
40 g de chocolat blanc

Préchauffer le four à 180 °C (th. 6). Graisser deux plaques de four. Mettre 225 g de chocolat, le beurre et le café dans une jatte résistant à la chaleur et faire fondre le tout au-dessus d'une casserole d'eau frémissante. Retirer du feu et remuer jusqu'à obtention d'une consistance homogène.

Dans une autre jatte, battre les œufs jusqu'à ce qu'ils soient mousseux, puis incorporer progressivement le sucre sans cesser de battre jusqu'à épaississement. Ajouter la préparation précédente et bien mélanger. Tamiser la farine, la levure et le sel dans la jatte et mélanger. Hacher 85 g de chocolat morceaux et les ajouter la préparation, puis incorporer l'extrait d'amande, les noix du Brésil et les noisettes. Déposer 24 cuillerées à soupe de préparation sur les plaques. Cuire 16 minutes au four préchauffé. Transférer les biscuits sur une grille et laisser refroidir complètement. Pour décorer, faire fondre le chocolat noir restant, le transférer dans une poche à douille et arroser les biscuits. Répéter l'opération avec le chocolat blanc et laisser prendre.

Gourmandises au chamallow

225 g de beurre, ramolli
140 g de sucre
2 cuil. à café de zeste d'orange
    finement râpé
1 jaune d'œuf, légèrement battu
250 g de farine
25 g de cacao en poudre amer

½ cuil. à café de cannelle en poudre
1 pincée de sel
30 chamallows, coupés en deux
    dans l'épaisseur
300 g de chocolat noir, brisé en morceaux
4 cuil. à soupe de confiture d'oranges
15 cerneaux de noix, pour décorer

Mettre le beurre, le sucre et le zeste d'orange dans une jatte et battre jusqu'à ce que le mélange blanchisse, puis incorporer le jaune d'œuf. Tamiser la farine, le cacao, la cannelle et le sel dans la jatte et mélanger. Diviser la pâte en deux, façonner les portions en boules et les envelopper de film alimentaire, puis mettre au réfrigérateur 30 à 60 minutes.

Préchauffer le four à 190 °C (th. 6-7). Chemiser deux plaques de four de papier sulfurisé. Abaisser la pâte entre 2 feuilles de papier sulfurisé. Découper 30 ronds à l'aide d'un emporte-pièce cannelé de 6 cm de diamètre et les répartir sur les plaques en les espaçant bien. Cuire 10 à 15 minutes au four préchauffé. Laisser reposer 5 minutes. Retourner la moitié des biscuits et placer 4 demi-chamallows au centre de chaque biscuit retourné. Cuire encore 1 à 2 minutes, puis laisser refroidir sur une grille 30 minutes.

Mettre le chocolat dans une jatte résistant à la chaleur et le faire fondre au-dessus d'une casserole d'eau frémissante. Laisser refroidir.

Chemiser une plaque de four de papier sulfurisé. Couvrir de confiture le dessous des biscuits natures et les placer sur les biscuits aux chamallows, confiture vers le bas. Plonger les biscuits ainsi assemblés dans le chocolat fondu, en laissant l'excédent retomber dans la jatte. Mettre les biscuits sur la plaque chemisée, déposer un cerneau de noix au centre de chacun et laisser prendre.

360 ## Gourmandises au chocolat blanc

Remplacer le chocolat noir par du chocolat blanc. Parsemer les biscuits de 100 g de pistaches décortiquées pour remplacer les cerneaux de noix.

Biscuits de Thanksgiving

225 g de beurre, ramolli
140 g de sucre
1 jaune d'œuf, légèrement battu
2 cuil. à café de jus d'orange
280 g de farine

1 pincée de sel
55 g de myrtilles fraîches ou séchées
55 g de canneberges fraîches
    ou séchées
25 g de pépites de chocolat blanc

Préchauffer le four à 190 °C (th. 6-7). Chemiser deux plaques de four de papier sulfurisé. Mettre le beurre et le sucre dans une jatte et battre jusqu'à ce que le mélange blanchisse, puis incorporer le jaune d'œuf et le jus d'orange. Tamiser la farine et le sel dans la préparation, puis ajouter les myrtilles, les canneberges et le chocolat, et bien mélanger le tout.

Prélever cuillerées à soupe de pâte et les répartir sur les plaques en les espaçant bien. Cuire 10 à 15 minutes au four préchauffé, jusqu'à ce que les biscuits soient légèrement dorés.

Laisser refroidir sur les plaques 5 à 10 minutes, puis transférer sur une grille et laisser refroidir complètement.

362 ## Biscuits de Thanksgiving aux cerises

Remplacer les myrtilles et les canneberges par 100 g de cerises séchées, et les pépites de chocolat blanc par des pépites de chocolat au lait.

Biscuits dinosaures

225 g de beurre, ramolli
225 g de beurre de cacahuètes
200 g de sucre cristallisé
200 g de sucre blond
2 cuil. à café de levure chimique
¼ de cuil. à café de sel

2 gros œufs
1 cuil. à café d'extrait de vanille
280 g de farine, un peu plus pour
    saupoudrer
billes de sucre argentées et glaçage vert
    prêt à l'emploi

Mettre le beurre et le beurre de cacahuètes dans une jatte et bien battre. Ajouter les sucres, la levure et le sel, et bien battre de nouveau. Fouetter les œufs avec l'extrait de vanille et les ajouter dans la jatte. Tamiser la farine dans la préparation et mélanger jusqu'à obtention d'une pâte homogène. Envelopper de film alimentaire et mettre au réfrigérateur 30 minutes.

Préchauffer le four à 180 °C (th. 6). Abaisser la pâte sur un plan de travail fariné et y découper des dinosaures à l'aide d'emporte-pièces farinés. Abaisser les chutes de façon à pouvoir découper d'autres biscuits. Presser des billes en sucre pour figurer les yeux et répartir les biscuits sur deux plaques antiadhésives. Cuire 10 à 12 minutes au four préchauffé.

Laisser reposer 2 minutes, puis transférer sur une grille et laisser refroidir complètement. Décorer les dinosaures avec du glaçage vert avant de servir.

364 *Biscuits dinosaures au chocolat*

Ajouter 3 cuil. à café de cacao à la pâte avant de la mettre au réfrigérateur.

365 *Oursons endormis*

115 g de beurre, ramolli
90 g de sucre
1 cuil. à café de levure chimique
1 pincée de sel
1 gros œuf, légèrement battu
1 cuil. à café de lait
1 cuil. à café d'extrait de vanille

25 g de cacao en poudre amer,
    un peu plus pour saupoudrer
125 g de farine
25 sablés en forme d'ours de 7 cm
    de hauteur
3 cuil. à soupe de beurre de cacahuètes
    sans morceaux

Mettre le beurre et le sucre dans une grande jatte et battre jusqu'à ce que le mélange blanchisse. Ajouter la levure, le sel, l'œuf, le lait et l'extrait de vanille, et bien battre le tout. Tamiser le cacao et la farine dans la jatte et mélanger jusqu'à obtention d'une pâte homogène. Envelopper de film alimentaire et mettre au réfrigérateur 3 heures.

Préchauffer le four à 180 °C (th. 6). Abaisser la pâte sur un plan de travail saupoudré de cacao, la découper en 25 carrés de 5 cm de côté. Déposer un sablé en forme d'ours en diagonale sur le carré en le fixant avec du beurre de cacahuètes. Rabattre le bas et les côtés du carré pour figurer une couverture enveloppant l'ours aux deux tiers. Presser pour fixer le tout et déposer les ours sur une plaque antiadhésive. Cuire au four préchauffé 10 minutes et laisser refroidir sur une grille.

366 *Oursons et leur couverture multicolore*

Omettre le cacao et diviser la pâte en plusieurs portions. Tinter chaque portion avec un colorant alimentaire différent, puis poursuivre la recette comme indiqué ci-contre.

250 g de beurre, ramolli
275 g de sucre
2 gros œufs, légèrement battus
450 g de farine, un peu plus
pour saupoudrer
2 cuil. à café de levure chimique
1 pincée de sel
quelques gouttes de colorants
alimentaires
tubes de glaçages colorés

Mettre le beurre et le sucre dans une jatte et battre jusqu'à ce que le mélange blanchisse, puis incorporer progressivement les œufs. Tamiser la farine, la levure et le sel dans la jatte et mélanger jusqu'à obtention d'une pâte. Envelopper la pâte de film alimentaire et la mettre au réfrigérateur 2 heures.

Préchauffer le four à 160 °C (th. 5-6). Chemiser deux plaques de four de papier sulfurisé.

Réserver un tiers de la pâte et la conserver incolore. Diviser la pâte restante en portions et y incorporer les divers colorants. Façonner des formes d'animaux

de la ferme (*voir* ci-dessous) et les déposer sur les plaques. Cuire 20 à 25 minutes au four préchauffé. Laisser refroidir sur une grille. Ajouter les yeux et les autres décorations avec les glaçages.

Vache : façonner un ovale de 6 cm avec la pâte colorée pour le corps. Rouler un autre morceau de pâte en un boudin de 6 cm de longueur et de 1 cm de largeur, puis le couper en 3 tronçons égaux pour former les pattes et la tête. Rouler de petits morceaux de pâte incolore pour figurer le museau et les taches. Former une queue et assembler les morceaux.

Cochon : façonner un ovale de 6 cm avec la pâte colorée pour le corps. Former un ovale de 3 cm pour la tête, puis utiliser la pâte incolore pour former le groin, les oreilles et la queue. Assembler les morceaux.

Mouton : pour le corps, façonner de petites billes de pâte incolore et les coller côte à côte sur la plaque de façon à obtenir un ovale figurant le corps. Utiliser la pâte colorée pour façonner la tête et les pattes.

100 g de beurre
100 g de sucre blond
1 cuil. à soupe de golden syrup

150 g de farine levante
85 g de pastilles de chocolats
  enrobées de sucre

Préchauffer le four à 180 °C (th. 6). Chemiser plusieurs plaques de four de papier sulfurisé. Mettre le beurre et le sucre dans une grande jatte et battre jusqu'à ce que le mélange blanchisse, puis incorporer le golden syrup. Tamiser 75 g de farine dans la jatte et battre vigoureusement, puis ajouter les pastilles de chocolat et la farine. Pétrir avec les mains jusqu'à obtention d'une pâte homogène.

Façonner des billes de pâte entre la paume des mains de façon à obtenir 15 cookies et les répartir sur les plaques en les espaçant bien. Cuire 10 à 15 minutes au four préchauffé, jusqu'à ce que les cookies soient dorés.

Laisser reposer sur les plaques 2 à 3 minutes, puis transférer sur une grille et laisser refroidir complètement.

369 *Cookies de fête aux cacahuètes*

Remplacer les pastilles de chocolat par des cacahuètes enrobées de chocolat.

225 g de beurre, ramolli
140 g de sucre
1 jaune d'œuf, légèrement battu
1 cuil. à café d'extrait de menthe
280 g de farine
1 pincée de sel
100 g de noix de coco déshydratée râpée

DÉCORATION
100 g de chocolat blanc,
  brisé en morceaux
100 g de chocolat au lait,
  brisé en morceaux

Mettre le beurre et le sucre dans une jatte et battre jusqu'à ce que le mélange blanchisse. Incorporer le jaune d'œuf et l'extrait de menthe. Tamiser la farine et le sel dans la jatte, ajouter la noix de coco et mélanger. Diviser la pâte en deux, façonner les portions en boules et les envelopper de film alimentaire. Mettre au réfrigérateur 30 à 60 minutes.

Préchauffer le four à 190 °C (th. 6-7). Chemiser deux plaques de four de papier sulfurisé. Abaisser la pâte entre 2 feuilles de papier sulfurisé de sorte qu'elle ait 3 mm d'épaisseur. Découper des étoiles à l'aide d'un emporte-pièce de 6 à 7 cm et les répartir sur les plaques en les espaçant bien.

Cuire 10 à 12 minutes au four préchauffé, jusqu'à ce que les biscuits soient légèrement dorés. Laisser reposer sur les plaques 5 à 10 minutes, puis transférer sur une grille et laisser refroidir complètement.

Mettre le chocolat blanc et le lait le chocolat dans deux jattes résistant à la chaleur et les faire fondre au-dessus d'une casserole d'eau frémissante. Laisser les biscuits refroidir sur une grille, puis les arroser de chocolat blanc et de chocolat au lait à l'aide d'une petite cuillère. Laisser prendre avant de servir.

371 *Étoiles menthe-chocolat blanc*

Omettre le chocolat au lait et faire fondre 200 g de chocolat blanc au bain-marie. Napper chaque étoile de chocolat blanc et les parsemer de confettis en chocolat blanc.

225 g de beurre, ramolli
140 g de sucre
2 gros œufs, légèrement battus
1 cuil. à café d'extrait de vanille
400 g de farine
1 cuil. à café de bicarbonate
½ cuil. à café de noix muscade

1 pincée de sel
55 g de noix de pécan, finement hachées

ENROBAGE À LA CANNELLE
1 cuil. à soupe de sucre
2 cuil. à soupe de cannelle en poudre

Mettre le beurre et le sucre dans une grande jatte et battre jusqu'à ce que le mélange blanchisse, puis incorporer les œufs et l'extrait de vanille. Tamiser la farine, le bicarbonate, la noix muscade et le sel dans la jatte, ajouter les noix de pécan et mélanger. Façonner la pâte en boule, envelopper de film alimentaire et mettre au réfrigérateur 30 à 60 minutes.

Préchauffer le four à 190 °C (th. 6-7). Chemiser deux plaques de four de papier sulfurisé.

Pour l'enrobage, mélanger le sucre et la cannelle dans une assiette. Prélever des cuillerées à soupe de pâte et les façonner en boulettes. Rouler les boulettes dans le sucre à la cannelle et les déposer sur les plaques en les espaçant bien. Cuire 10 à 12 minutes au four préchauffé, jusqu'à ce que les biscuits soient dorés. Laisser reposer 5 à 10 minutes, puis les laisser refroidir complètement sur une grille.

373 *Chocodoodles*

Ajouter 2 cuil. à soupe de cacao à la pâte et rouler les biscuits dans 2 cuil. à soupe de sucre additionnées de 1 cuil. à soupe de cacao.

374 *Biscuits au cœur fondant* POUR 30 BISCUITS

85 g de chocolat noir,
    brisé en morceaux
115 g de beurre, ramolli
140 g de sucre
1 jaune d'œuf, légèrement battu
2 cuil. à café d'extrait de vanille
280 g de farine
1 cuil. à soupe de cacao en poudre amer
1 pincée de sel
GARNITURE

1 blanc d'œuf
55 g de sucre
85 g de noix de coco déshydratée râpée
1 cuil. à café de farine
2 cuil. à soupe de papaye séchée
    moelleuse, finement hachée

Préchauffer le four à 190 °C (th. 6-7). Chemiser deux plaques de four de papier sulfurisé.

Pour la garniture, monter le blanc d'œuf en neige souple dans une jatte, puis incorporer progressivement le sucre. Ajouter la noix de coco, la farine et la papaye, mélanger délicatement et réserver.

Mettre le chocolat dans une jatte résistant à la chaleur et le faire fondre au-dessus d'une casserole d'eau frémissante. Mettre le beurre et le sucre dans une jatte et battre jusqu'à ce que le mélange blanchisse, puis incorporer le jaune d'œuf et l'extrait de vanille. Tamiser la farine, le cacao et le sel dans la jatte et bien mélanger le tout. Incorporer le chocolat fondu et pétrir légèrement.

Abaisser la pâte entre 2 feuilles de papier sulfurisé de sorte qu'elle ait 5 à 8 mm d'épaisseur. Découper des ronds à l'aide d'un emporte-pièce cannelé de 7 cm de diamètre et les répartir sur les plaques. Ôter le centre des biscuits avec un emporte-pièce de 3 cm de diamètre. Cuire 8 minutes au four préchauffé, puis sortir les biscuits du four et réduire la température à 160 °C (th. 5-6). Fourrer le centre des biscuits de garniture et couvrir chaque biscuit de papier d'aluminium froissé en veillant à ce qu'il ne touche pas la garniture.

Cuire encore 15 à 20 minutes, jusqu'à ce que le cœur des biscuits ait pris. Laisser reposer sur les plaques 5 à 10 minutes, puis transférer sur une grille et laisser refroidir complètement.

375 — Biscuits croquants au müesli

115 g de beurre, ramolli,
    un peu plus pour graisser
85 g de sucre roux
1 cuil. à soupe de miel
115 g de farine levante
1 pincée de sel
60 g d'abricots secs moelleux,
    hachés

50 g de figues sèches moelleuses,
    hachées
115 g de flocons d'avoine
1 cuil. à café de lait (facultatif)
40 g de raisins secs ou de canneberges
    séchées
40 g de cerneaux de noix concassés

Préchauffer le four à 160 °C (th. 5-6). Graisser deux plaques de four. Mettre le beurre, le sucre et le miel dans une casserole et chauffer à feu doux jusqu'à ce que le tout ait fondu, puis mélanger. Tamiser la farine et le sel dans une jatte et incorporer les abricots, les figues et les flocons d'avoine. Ajouter le mélange à base de beurre et mélanger jusqu'à obtention d'une pâte. Ajouter un peu de lait si la pâte est trop épaisse.

Diviser la pâte en 24 morceaux et les façonner en boules. Répartir sur les plaques et aplatir de façon à obtenir des biscuits de 6 cm de diamètre. Mélanger les raisins secs et les noix, et presser le mélange dans les biscuits. Cuire 15 minutes au four préchauffé, en intervertissant les plaques à mi-cuisson. Laisser refroidir sur les plaques.

376 — Avec une garniture aux noisettes

Hacher 100 g de noisettes et en garnir les biscuits avant la cuisson.

377 — Macarons à la noix de coco extra-larges

2 gros blancs d'œufs
115 g de sucre
150 g de noix de coco déshydratée
8 cerises confites

Préchauffer le four à 180 °C (th. 6). Chemiser deux ou trois plaques de four avec du papier de riz.

Monter les blancs d'œufs en neige souple, puis y incorporer le sucre à l'aide d'une grande cuillère métallique. Ajouter la noix de coco et mélanger délicatement. Déposer 8 cuillerées à soupe de préparation sur les plaques et garnir le centre des macarons d'une cerise confite.

Cuire 15 à 20 minutes au four préchauffé, jusqu'à ce que les biscuits soient légèrement dorés sur les bords. Laisser reposer sur les plaques 2 à 3 minutes, puis transférer sur une grille et laisser refroidir complètement.

378 — Macarons extra-larges croquants

Hacher finement 50 g d'amandes, de noisettes, de noix de macadamia, de noix de pécan ou de noix, et les ajouter à la préparation avec la noix de coco.

379 *Anneaux sablés à la cerise confite*

150 g de beurre, ramolli
50 g de sucre glace
½ cuil. à café d'extrait de vanille
125 g de farine

1 pincée de sel
70 g de cerises confites,
    finement hachées

Préchauffer le four à 190 °C (th. 6-7). Mettre le beurre et le sucre dans une jatte et battre jusqu'à ce que le mélange blanchisse, puis incorporer l'extrait de vanille. Tamiser progressivement la farine et le sel dans la jatte en mélangeant bien entre chaque ajout. Incorporer les cerises.

Transférer la préparation dans une poche à douille munie d'un embout de 2,5 cm en forme d'étoiles et former des anneaux sur deux plaques de four antiadhésives. Cuire 8 à 10 minutes au four préchauffé, jusqu'à ce que les biscuits soient légèrement dorés. Laisser refroidir sur une grille.

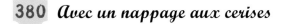

380 *Avec un nappage aux cerises*

Battre en crème 85 g de beurre avec 150 g de sucre glace et 50 g de cerises confites. Garnir les biscuits à l'aide d'une poche à douille et les décorer d'angélique confite.

381 *Biscuits aux pistaches et aux amandes*

225 g de beurre, ramolli
140 g de sucre
1 jaune d'œuf, légèrement battu
2 cuil. à café d'extrait d'amande

225 g de farine
1 pincée de sel
55 g de poudre d'amandes
55 g de pistaches, finement hachées

Mettre le beurre et le sucre dans une jatte et battre jusqu'à ce que le mélange blanchisse, puis incorporer le jaune d'œuf et l'extrait d'amande. Tamiser la farine et le sel dans la jatte, ajouter la poudre d'amandes et bien mélanger le tout. Diviser la pâte en deux, façonner les portions en boules et les envelopper de film alimentaire, puis mettre au réfrigérateur 30 à 60 minutes.

Préchauffer le four à 190 °C (th. 6-7). Chemiser deux plaques de four de papier sulfurisé. Abaisser les portions de pâte entre 2 feuilles de papier sulfurisé de sorte qu'elles aient 3 mm d'épaisseur. Répartir les pistaches sur les abaisses de pâte et les faire adhérer en passant délicatement le rouleau à pâtisserie. Découper des cœurs à l'aide d'un emporte-pièce et les répartir sur les plaques en les espaçant bien.

Cuire 10 à 12 minutes au four préchauffé. Laisser reposer 5 à 10 minutes, puis laisser refroidir complètement sur une grille.

382 *Avec une crème aux pistaches*

Fouetter 200 ml de crème fraîche épaisse avec 2 cuil. à soupe de sucre glace et ½ cuil. à café de colorant alimentaire vert. Incorporer 85 g de pistaches hachées et mettre dans un bol. Servir en accompagnement des biscuits.

115 g de beurre, ramolli
125 g de sucre blanc
125 g de sucre blond
2 gros œufs, légèrement battus
1 cuil. à café d'extrait de vanille
280 g de farine
1 cuil. à café de bicarbonate
300 g de chocolat,
grossièrement haché

Préchauffer le four à 180 °C (th. 6). Chemiser plusieurs plaques de four de papier sulfurisé.

Mettre le beurre et les sucres dans une jatte et battre jusqu'à ce que le mélange blanchisse. Incorporer les œufs et l'extrait de vanille, puis tamiser la farine et le bicarbonate dans la jatte et mélanger. Incorporer les éclats de chocolat.

Déposer 12 grandes cuillerées de préparation sur les plaques en les espaçant bien.

Cuire 15 à 20 minutes au four préchauffé, jusqu'à ce que les biscuits aient pris et soient dorés. Laisser reposer sur les plaques 2 à 3 minutes, puis transférer sur une grille et laisser refroidir complètement.

384 *Cookies géants aux pépites de chocolat*

Remplacer le chocolat concassé par des pépites de chocolat. Choisir du chocolat noir, au lait ou blanc, ou un mélange des trois.

385 *Cookies au double chocolat*

Parsemer les cookies de 100 g de morceaux de chocolat supplémentaires avant d'enfourner.

Biscuits croquants et leur crème au miel

300 g de beurre, ramolli
140 g de sucre
1 jaune d'œuf, légèrement battu
2 cuil. à café d'extrait de vanille
280 g de farine

1 pincée de sel
40 g de noix de macadamia, de noix
    de cajou ou de pignons, hachés
85 g de sucre glace
85 g de miel

Préchauffer le four à 190 °C (th. 6-7). Chemiser deux plaques de four de papier sulfurisé. Mettre 225 g de beurre et le sucre dans une jatte et battre jusqu'à ce que le mélange blanchisse, puis incorporer le jaune d'œuf et l'extrait de vanille. Tamiser la farine et le sel dans la jatte et mélanger. Prélever des cuillerées à soupe de préparation et les façonner en billes. Déposer la moitié d'entre elles sur une plaque en les espaçant bien et les aplatir légèrement. Étaler les noix dans une assiette et passer un côté des billes restantes dedans, puis déposer les billes sur la plaque restante, côté garni de noix vers le haut.

Cuire 10 à 15 minutes au four préchauffé, jusqu'à ce que les biscuits soient légèrement dorés. Laisser reposer sur les plaques 5 à 10 minutes, puis transférer sur une grille et laisser refroidir complètement.

Battre en crème le beurre restant avec le sucre glace et le miel jusqu'à ce que le mélange blanchisse. Étaler la crème sur les biscuits non garnis et couvrir avec les biscuits aux noix.

387 *Biscuits croquants au sirop d'érable*

Remplacer les noix de macadamia par des noix de pécan et les incorporer à la préparation, puis remplacer le miel par du sirop d'érable.

Biscuits à la noisette nappés de chocolat

225 g de beurre, ramolli
140 g de sucre
1 jaune d'œuf, légèrement battu
225 g de farine
1 pincée de sel
55 g de poudre de noisettes

GARNITURE
225 g de chocolat noir,
    brisé en morceaux
30 noisettes

Mettre le beurre et le sucre dans une jatte et battre jusqu'à ce que le mélange blanchisse, puis incorporer le jaune d'œuf. Tamiser la farine et le sel dans la jatte, ajouter la poudre de noisettes et mélanger. Diviser la pâte en deux, façonner les portions en boules et les envelopper de film alimentaire, puis mettre au réfrigérateur 30 à 60 minutes.

Préchauffer le four à 190 °C (th. 6-7). Chemiser deux plaques de four de papier sulfurisé.

Abaisser la pâte entre 2 feuilles de papier sulfurisé. Découper des ronds à l'aide d'un emporte-pièce de 6 cm de diamètre et les répartir sur la plaque en les espaçant bien. Cuire 10 à 12 minutes au four préchauffé, jusqu'à ce que les biscuits soient dorés. Laisser reposer 5 à 10 minutes, puis laisser refroidir complètement sur une grille.

Placer la grille au-dessus d'une feuille de papier sulfurisé. Mettre le chocolat dans une jatte résistant à la chaleur et le faire fondre au-dessus d'une casserole d'eau frémissante. Laisser refroidir, puis napper les biscuits. Taper la grille doucement pour niveler la surface, puis laisser prendre quelques minutes. Déposer une noisette au centre de chaque biscuit.

389 *Avec un nappage au chocolat blanc*

Remplacer le chocolat noir par du chocolat blanc et hacher les noisettes entières pour en parsemer le nappage.

Cookies et leurs pépites aux trois chocolats

225 g de beurre, ramolli
140 g de sucre
1 jaune d'œuf, légèrement battu
2 cuil. à café d'extrait de vanille
225 g de farine
55 g de cacao en poudre amer

1 pincée de sel
85 g de pépites de chocolat au lait
85 g de pépites de chocolat blanc
115 g de chocolat noir,
    grossièrement concassé

Préchauffer le four à 190 °C (th. 6-7). Chemiser deux ou trois plaques de four de papier sulfurisé. Mettre le beurre et le sucre dans une grande jatte et battre jusqu'à ce que le mélange blanchisse, puis incorporer le jaune d'œuf et l'extrait de vanille. Tamiser la farine, le cacao et le sel dans la jatte, ajouter les pépites de chocolat et mélanger.

Façonner 12 boulettes avec la préparation et les répartir sur les plaques en les espaçant bien, puis les aplatir légèrement. Presser les morceaux de chocolat concassé dans les cookies.

Cuire 12 à 15 minutes au four préchauffé. Laisser reposer sur les plaques 5 à 10 minutes, puis transférer sur une grille et laisser refroidir complètement.

391 ## Cookies aux pépites de caramel

Remplacer les pépites de chocolat par 280 g de bonbons de caramel enrobés de chocolat hachés.

392 # Sablés au gingembre et aux cacahuètes

225 g de beurre, ramolli
140 g de sucre
1 jaune d'œuf, légèrement battu
280 g de farine
1 cuil. à café de gingembre en poudre
1 pincée de sel
2 cuil. à café de zeste de citron râpé

GARNITURE
3 cuil. à soupe de beurre de cacahuètes
    sans morceaux
3 cuil. à soupe de sucre glace
cacahuètes grillées entières ou hachées,
    pour décorer

Mettre le beurre et le sucre dans une jatte et battre jusqu'à ce que le mélange blanchisse, puis incorporer le jaune d'œuf. Tamiser la farine, le gingembre et le sel dans la jatte, ajouter le zeste de citron et mélanger. Diviser la pâte en deux, façonner les portions en boules et les envelopper de film alimentaire, puis les mettre au réfrigérateur 30 à 60 minutes.

Préchauffer le four à 190 °C (th. 6-7). Chemiser deux plaques de four de papier sulfurisé. Abaisser la pâte entre 2 feuilles de papier sulfurisé de sorte qu'elle ait 3 mm d'épaisseur. Découper des ronds à l'aide d'un emporte-pièce de 6 cm de diamètre et les répartir sur les plaques en les espaçant bien. Cuire 10 à 15 minutes au four préchauffé, jusqu'à ce que les biscuits soient dorés. Laisser reposer 5 à 10 minutes, puis laisser refroidir complètement sur une grille. Pour la garniture, battre le beurre de cacahuètes avec le sucre glace en ajoutant un peu d'eau si nécessaire, napper les biscuits avec le mélange obtenu et parsemer de cacahuètes.

393 ## Avec un croquant aux cacahuètes

Pour varier la garniture, napper les biscuits de beurre de cacahuètes non sucré et les parsemer de 150 g de croquant aux cacahuètes pilé.

394 *Biscuits riches à la cacahuète et à la crème*

6 cuil. à soupe de cacahuètes salées
225 g de beurre, ramolli
140 g de sucre
1 jaune d'œuf, légèrement battu
280 g de farine

½ cuil. à café de quatre-épices
1 pincée de sel
3 cuil. à soupe de crème fraîche épaisse
85 g de fromage frais
115 g d'ananas confit, haché

Hacher finement les cacahuètes. Mettre le beurre et le sucre dans une jatte et battre jusqu'à ce que le mélange blanchisse, puis incorporer le jaune d'œuf. Tamiser la farine, le quatre-épices et le sel dans la jatte et mélanger. Diviser la pâte en deux, façonner les portions en boules et les envelopper de film alimentaire, puis mettre au réfrigérateur 30 à 60 minutes.

Préchauffer le four à 190 °C (th. 6-7). Chemiser deux plaques de four de papier sulfurisé. Abaisser la pâte entre 2 feuilles de papier sulfurisé. Parsemer de cacahuètes et presser avec un rouleau à pâtisserie. Découper des ronds à l'aide d'un emporte-pièce cannelé de 5 à 6 cm de diamètre et les répartir sur les plaques en les espaçant bien.

Cuire 10 à 15 minutes au four préchauffé, jusqu'à ce que les biscuits soient légèrement dorés. Laisser reposer sur les plaques 5 à 10 minutes, puis transférer sur une grille et laisser refroidir complètement.

Fouetter la crème fraîche avec le fromage frais, puis incorporer l'ananas confit. Étaler le mélange sur le dessous de la moitié des biscuits et couvrir avec les biscuits restants, côté garni de cacahuètes vers le haut.

395 *Avec une crème à la noix de coco*

Pour la garniture, tamiser 55 g de sucre glace dans une jatte et incorporer 1 cuil. à soupe de rhum à la noix de coco et 85 g de beurre de cacahuètes avec des morceaux de cacahuètes, puis utiliser cette garniture pour assembler les biscuits deux par deux.

396 *Biscuits aux pistaches*

250 g de pistaches mondées
9 cuil. à soupe de beurre
zeste finement râpé d'un citron
100 g de sucre blond

1 œuf
150 g de farine levante
1 pincée de sel

Mettre les pistaches dans un torchon propre et les frotter vigoureusement de façon à ôter la fine peau qui les recouvre. Mettre le beurre, le zeste de citron et le sucre dans une grande jatte et battre jusqu'à ce que le mélange blanchisse. Incorporer l'œuf, puis tamiser la farine et le sel dans la jatte. Piler les pistaches et les ajouter dans la jatte, puis bien mélanger le tout. Transférer la préparation sur une grande feuille de film alimentaire, puis façonner un boudin en tortillant les extrémités de la feuille de film alimentaire. Mettre au réfrigérateur 20 minutes.

Préchauffer le four à 180 °C (th. 6). Chemiser deux plaques de four de papier sulfurisé.

Retirer le film alimentaire de la pâte, couper le boudin en tranches de 5 mm d'épaisseur et les répartir sur les plaques en les espaçant bien. Cuire 10 à 15 minutes au four préchauffé, jusqu'à ce que les biscuits soient dorés. Laisser refroidir sur une grille.

397 Spirales aux noix, aux figues et à la menthe

225 g de beurre, ramolli
200 g de sucre
1 jaune d'œuf, légèrement battu
225 g de farine
1 pincée de sel

55 g de noix finement moulues
125 ml d'eau
280 g de figues sèches, finement hachées
5 cuil. à soupe de thé à la menthe
2 cuil. à café de menthe fraîche hachée

Mettre le beurre et 140 g de sucre dans une jatte et battre jusqu'à ce que le mélange blanchisse, puis incorporer le jaune d'œuf. Tamiser la farine et le sel dans la jatte, ajouter les noix et mélanger. Façonner la pâte en boule, envelopper de film alimentaire et mettre au réfrigérateur 30 à 60 minutes.

Pendant ce temps, mettre le sucre restant dans une casserole et ajouter l'eau, les figues, le thé à la menthe et la menthe hachée. Porter à ébullition sans cesser de remuer, jusqu'à ce que le sucre soit dissous, puis réduire le feu et laisser mijoter 5 minutes à feu doux en remuant de temps en temps. Laisser refroidir.

Abaisser la pâte entre 2 feuilles de papier sulfurisé en un carré de 30 cm de côté. Répartir le contenu de la casserole uniformément sur le carré de pâte, puis l'enrouler. Envelopper de film alimentaire et mettre au réfrigérateur 30 minutes.

Préchauffer le four à 190 °C (th. 6-7). Chemiser deux plaques de four de papier sulfurisé. Couper le boudin de pâte en tranches à l'aide d'un couteau cranté, puis déposer les tranches sur les plaques en les espaçant bien les unes des autres.

Cuire 10 à 15 minutes au four préchauffé, jusqu'à ce que les biscuits soient dorés. Laisser reposer sur les plaques 5 à 10 minutes, puis transférer sur une grille et laisser refroidir complètement.

398 Spirales aux dattes et noix de pécan

Remplacer les noix et les figues par des noix de pécan finement hachées et des dattes sèches dénoyautées et hachées.

399 Biscuits aux amandes et leur crème au thé vert

225 g de beurre, ramolli
140 g de sucre, un peu plus
    pour saupoudrer
1 jaune d'œuf, légèrement battu
2 cuil. à café d'extrait de vanille
280 g de farine
1 pincée de sel
25 g d'amandes effilées
1 blanc d'œuf, légèrement battu

CRÈME AU THÉ VERT
125 ml de lait
2 sachets de thé vert
    ou 2 cuil. à café de feuilles
    de thé vert
1 cuil. à soupe de sucre
1 cuil. à soupe de préparation en poudre
    pour crème à la vanille
125 g de fromage frais

Mettre le beurre et le sucre dans une jatte et battre jusqu'à ce que le mélange blanchisse, puis incorporer le jaune d'œuf et l'extrait de vanille. Tamiser la farine et le sel dans la jatte et mélanger. Diviser la pâte en deux, façonner les portions en boules et envelopper de film alimentaire, puis réfrigérer 30 à 60 minutes.

Préchauffer le four à 190 °C (th. 6-7). Chemiser deux plaques de four de papier sulfurisé.

Abaisser une portion de pâte entre 2 feuilles de papier sulfurisé. Découper des ronds à l'aide d'un emporte-pièce de 6 cm de diamètre et répartir sur les plaques. Abaisser la pâte restante de sorte qu'elle ait 1 cm d'épaisseur, puis la parsemer d'amandes effilées, la couvrir de papier sulfurisé et l'abaisser encore de sorte qu'elle ait 5 mm d'épaisseur. Découper des ronds et répartir sur les plaques. Enduire de blanc d'œuf et saupoudrer de sucre. Cuire 10 à 15 minutes au four préchauffé, jusqu'à ce que les biscuits soient dorés. Laisser reposer 5 à 10 minutes, puis laisser refroidir sur une grille.

Faire bouillir le lait, ajouter le thé et couvrir de film alimentaire, puis laisser reposer 15 minutes. Filtrer le lait et le verser dans une casserole avec le sucre et la poudre pour crème à la vanille. Porter à ébullition sans cesser de remuer, couvrir et laisser refroidir.

Fouetter le fromage frais et y ajouter la crème. Napper les biscuits natures et couvrir avec les biscuits aux amandes.

400 Avec leur crème aux amandes

Remplacer la crème au thé vert par une crème aux amandes : incorporer 1 cuil. à soupe de sucre glace et 1 cuil. à café d'extrait d'amande à 125 g de fromage frais.

225 g de beurre, ramolli
140 g de sucre
1 jaune d'œuf, légèrement battu
½ cuil. à café d'extrait d'amande
225 g de farine
1 pincée de sel
225 g d'amandes mondées,
    concassées

Mettre le beurre et le sucre dans une grande jatte et battre jusqu'à ce que le mélange blanchisse, puis incorporer le jaune d'œuf et l'extrait d'amande. Tamiser la farine et le sel dans la jatte, ajouter les amandes et mélanger. Diviser la pâte en deux, façonner les portions en boules et les envelopper de film alimentaire, puis mettre au réfrigérateur 30 à 60 minutes.

Préchauffer le four à 190 °C (th. 6-7). Chemiser deux ou trois plaques de four de papier sulfurisé.

Façonner la pâte en 50 billes, les aplatir légèrement entre la paume des mains et les répartir sur les plaques en les espaçant bien. Cuire 15 à 20 minutes au four préchauffé, jusqu'à ce que les biscuits soient dorés. Laisser reposer sur les plaques 5 à 10 minutes, puis transférer sur une grille et laisser refroidir complètement.

402 *Avec une garniture au massepain*

Couper 100 g de massepain en dés et en presser un au centre de chaque bille. Reformer la bille de pâte autour du dé de massepain de sorte que celui-ci soit totalement enveloppé et cuire comme indiqué ci-dessus.

403 *Biscuits aux amandes fourrés aux framboises* POUR 25 BISCUITS

225 g de beurre, ramolli
140 g de sucre
1 jaune d'œuf, légèrement battu
2 cuil. à café d'extrait d'amande
280 g de farine
1 pincée de sel
55 g d'amandes, grillées et hachées
55 g de zestes d'agrumes confits, hachés
4 cuil. à soupe de confiture
    de framboises

Préchauffer le four à 190 °C (th. 6-7). Chemiser deux plaques de four de papier sulfurisé. Mettre le beurre et le sucre dans une jatte et battre jusqu'à ce que le mélange blanchisse, puis incorporer le jaune d'œuf et l'extrait d'amande. Tamiser la farine et le sel dans la jatte, ajouter les amandes et les zestes confits, et mélanger.

Prélever des cuillerées à soupe de pâte et façonner les portions en billes entre la paume des mains, puis les répartir sur les plaques en les espaçant bien. Ménager un creux au centre des biscuits avec le manche humide d'une cuillère en bois et garnir de confiture de framboises. Cuire au four préchauffé 12 à 15 minutes, jusqu'à ce que les biscuits soient dorés. Laisser reposer 5 à 10 minutes, puis transférer sur une grille et laisser refroidir complètement.

404 *Fourrés aux fraises*

Remplacer le zeste d'agrume confit par 55 g de fraises séchées et remplacer la confiture de framboises par de la confiture de fraises.

Croquants chocolatés aux flocons d'avoine

200 g de beurre, un peu plus
    pour graisser
275 g de sucre roux
1 œuf
125 g de farine
1 cuil. à café de levure chimique
1 cuil. à café de bicarbonate
125 g flocons d'avoine

1 cuil. à soupe de son
1 cuil. à soupe de germes de blé
115 g d'un mélange de noix, grillées et
    concassées
200 g de pépites de chocolat
115 g de raisins secs
175 g de chocolat noir,
    concassé

Préchauffer le four à 180 °C (th. 6). Graisser deux plaques de four. Mettre le beurre, le sucre et l'œuf dans une jatte et battre jusqu'à ce que le mélange blanchisse. Tamiser la farine, la levure et le bicarbonate dans la jatte, ajouter les flocons d'avoine, le son et les germes de blé et mélanger. Incorporer les noix, les pépites de chocolat et les raisins secs. Déposer 24 cuillerées à soupe de préparation sur les plaques.

Cuire 12 minutes au four préchauffé, jusqu'à ce que les biscuits soient dorés. Laisser refroidir sur une grille.

Pendant ce temps, mettre le chocolat dans une jatte résistant à la chaleur et le faire fondre au-dessus d'une casserole d'eau frémissante. Remuer, puis laisser refroidir légèrement. Arroser les croquants de chocolat fondu à l'aide d'une cuillère ou d'une poche à douille et laisser prendre.

406 *Avec un nappage au chocolat*

Ajouter 115 g d'un mélange de noix grillées et hachées au chocolat fondu et napper les biscuits de façon homogène.

407 *Biscuits aux noix de cajou et graines de pavot* POUR 20 BISCUITS

225 g de beurre, ramolli
140 g de sucre
1 jaune d'œuf, légèrement battu
280 g de farine

1 cuil. à café de cannelle en poudre
1 pincée de sel
115 g de noix de cajou, hachées
2 à 3 cuil. à soupe de graines de pavot

Mettre le beurre et le sucre dans une jatte et battre jusqu'à ce que le mélange blanchisse, puis incorporer le jaune d'œuf. Tamiser la farine, la cannelle et le sel dans la jatte, ajouter les noix de cajou et mélanger. Façonner la pâte en boudin. Étaler les graines de pavot sur une assiette et passer le boudin de pâte dedans de façon à bien l'enrober. Envelopper de film alimentaire et mettre au réfrigérateur 30 à 60 minutes.

Préchauffer le four à 190 °C (th. 6-7). Chemiser deux plaques de four de papier sulfurisé.

Couper le boudin de pâte en tranches de 1 cm d'épaisseur à l'aide d'un couteau cranté, et répartir les tranches sur les plaques. Cuire 12 minutes au four préchauffé, jusqu'à ce que les biscuits soient dorés. Laisser reposer sur les plaques 5 à 10 minutes, puis transférer laisser refroidir complètement sur une grille.

408 *Biscuits aux noix de cajou*

Omettre les graines de pavot et passer le boudin de pâte dans 225 g de noix de cajou finement hachées.

Biscuits complets au chocolat et au café

175 g de beurre, un peu plus pour graisser
200 g de sucre blond
1 œuf
70 g de farine, un peu plus
    pour saupoudrer (facultatif)
1 cuil. à café de bicarbonate
1 pincée de sel
70 g de farine complète
1 cuil. à soupe de son
225 g de pépites de chocolat noir
185 g de flocons d'avoine
1 cuil. à soupe de café serré
100 g de noisettes, grillées
    et concassées

Préchauffer le four à 190 °C (th. 6-7). Graisser deux plaques de four. Mettre le beurre et le sucre dans une jatte et battre jusqu'à ce que le mélange blanchisse, puis incorporer l'œuf. Tamiser la farine blanche, le bicarbonate et le sel dans la jatte, ajouter la farine complète et le son, et mélanger. Incorporer les pépites de chocolat, les flocons d'avoine et les noisettes.

Déposer 24 cuillerées à soupe de préparation sur les plaques en les espaçant bien, ou façonner 24 billes de préparation avec les mains farinées, les déposer sur les plaques et les aplatir.

Cuire 16 à 18 minutes au four préchauffé, jusqu'à ce que les biscuits soient dorés. Laisser reposer 5 minutes, puis transférer sur une grille et laisser refroidir complètement.

410 ## Fourrés à la crème glacée

Sortir un bac de crème glacée au chocolat du congélateur et laisser revenir à température ambiante. Transférer la crème glacée dans une jatte et ajouter 2 cuil. à soupe de liqueur de café. Assembler les biscuits deux par deux avec la crème glacée et les mettre 10 minutes au congélateur. Pour 12 biscuits.

Cookies aux flocons d'avoine et raisins secs

85 g de flocons d'avoine
100 g de farine
½ cuil. à café de bicarbonate
1 pincée de sel
60 g de beurre, ramolli
100 g de sucre blond
50 g de sucre cristallisé
1 gros œuf
½ cuil. à café d'extrait de vanille
175 g de raisins secs

Préchauffer le four à 190 °C (th. 6-7). Mettre les flocons d'avoine dans un robot de cuisine et mixer brièvement par intermittence, puis transférer les flocons dans une jatte. Tamiser la farine, le bicarbonate et le sel dans la jatte et bien mélanger le tout.

Mettre le beurre et les sucres dans une autre jatte et battre jusqu'à ce que le mélange blanchisse, puis incorporer l'œuf et l'extrait de vanille. Ajouter le mélange à base de farine, mélanger et incorporer les raisins secs.

Diviser la pâte en 15 billes et les répartir sur deux plaques de four antiadhésives en les espaçant bien. Aplatir les biscuits de façon à obtenir des ronds réguliers et cuire 12 minutes au four préchauffé, jusqu'à ce que les biscuits soient dorés. Laisser reposer 5 minutes, puis transférer sur une grille et laisser refroidir complètement.

412 ## Cookies à l'avoine et aux fruits secs

Remplacer les raisins secs par 100 g d'abricots secs moelleux hachés et 100 g de pruneaux moelleux hachés.

115 g de beurre, ramolli, un peu plus
    pour graisser
115 g de sucre roux
85 g de sucre
1 cuil. à café d'extrait de vanille
1 cuil. à soupe de café soluble, dissous
    dans 1 cuil. à soupe d'eau chaude

1 œuf
175 g de farine
½ cuil. à café de levure chimique
¼ de cuil. à café de bicarbonate
55 g de pépites de chocolat au lait
55 g de cerneaux de noix,
    concassés

Préchauffer le four à 180 °C (th. 6). Graisser deux plaques de four. Mettre le beurre et les sucres dans une grande jatte et battre jusqu'à ce que le mélange blanchisse. Mettre l'extrait de vanille, le café et l'œuf dans une autre jatte et bien battre le tout. Incorporer progressivement le mélange obtenu dans la première jatte en battant vigoureusement. Tamiser la farine, la levure et le bicarbonate dans la préparation et mélanger délicatement. Incorporer les pépites de chocolat et les noix.

Répartir des cuillerées de préparation sur les plaques en les espaçant bien. Cuire 10 à 15 minutes au four préchauffé, jusqu'à ce que les biscuits soient croustillants sur les bords et moelleux au centre. Laisser reposer sur les plaques 2 minutes et laisser refroidir complètement sur une grille

414 *Avec leur glaçage au moka*

Tamiser 200 g de sucre glace dans une jatte. Mélanger ½ cuil. à café de café soluble, ½ cuil. à café de cacao en poudre et 1 cuil. à soupe d'eau bouillante, ajouter le tout dans la jatte et battre jusqu'à obtention d'un glaçage fluide. Napper les biscuits de nappage et laisser prendre sur une grille.

1 cuil. à café d'huile d'arachide,
    pour graisser
85 g de beurre, ramolli
70 g de sucre

50 g de farine
1 pincée de sel
70 g d'amandes effilées

Préchauffer le four à 200 °C (th. 6-7) et huiler deux plaques de four. Mettre le beurre et le sucre dans une jatte et battre jusqu'à ce que le mélange blanchisse. Tamiser la farine et le sel dans la jatte, ajouter les amandes et mélanger.

Déposer 12 cuillerées à café de préparation sur chaque plaque en les espaçant bien et les étaler en ovales avec le dos d'une cuillère en bois.

Cuire 5 minutes au four préchauffé, jusqu'à ce que les tuiles soient dorées. Déposer immédiatement les tuiles sur un rouleau à pâtisserie de façon à leur donner leur forme incurvée. Laisser prendre 1 minute, puis transférer sur une grille et laisser refroidir complètement.

416 *Nappées de chocolat blanc*

Faire fondre 150 g de chocolat blanc au bain-marie. Plonger chaque tuile dans le chocolat fondu de façon à les enrober uniformément et les laisser prendre sur du papier sulfurisé.

417 Biscuits à la camomille

225 g de beurre, ramolli
140 g de sucre, un peu plus
    pour enrober
1 cuil. à soupe de poudre
    pour infusion de camomille
    (3 ou 4 sachets)

1 jaune d'œuf, légèrement
    battu
1 cuil. à café d'extrait
    de vanille
280 g de farine
1 pincée de sel

Mettre le beurre et le sucre dans une jatte et battre jusqu'à ce que le mélange blanchisse, puis incorporer la poudre de camomille, le jaune d'œuf et l'extrait de vanille. Tamiser la farine et le sel dans la jatte et mélanger. Façonner la pâte en boudin. Étaler le sucre supplémentaire sur une assiette et passer le boudin dedans de façon à bien l'enrober. Envelopper de film alimentaire et mettre au réfrigérateur 30 à 60 minutes.

Préchauffer le four à 190 °C (th. 6-7). Chemiser deux plaques de four de papier sulfurisé.

Couper le boudin en tranches de 5 mm d'épaisseur à l'aide d'un couteau cranté et répartir les tranches sur les plaques en les espaçant bien. Cuire 10 minutes au four préchauffé, jusqu'à ce que les biscuits soient dorés. Laisser reposer sur les plaques 5 à 10 minutes, puis transférer sur une grille et laisser refroidir complètement.

418 Biscuits à la verveine

Remplacer la camomille par de la verveine citronnée et ajouter ½ cuil. à café de zeste de citron finement râpé à la préparation.

419 Biscuits vanillés aux noix de pécan

150 g de beurre, ramolli
150 g de sucre
225 g de farine levante

1 à 2 cuil. à soupe de lait
½ cuil. à café d'extrait de vanille
280 g de noix de pécan

Préchauffer le four à 190 °C (th. 6-7). Chemiser deux plaques de four de papier sulfurisé. Mettre le beurre et le sucre dans une jatte et battre jusqu'à ce que le mélange blanchisse. Tamiser la farine dans la jatte et battre vigoureusement. Ajouter 1 cuillerée à soupe de lait et l'extrait de vanille, et mélanger jusqu'à obtention d'une pâte en ajoutant du lait si la consistance est trop épaisse.

Réserver 20 cerneaux de noix de pécan. Hacher finement les noix de pécan restantes et les incorporer à la pâte en pétrissant. Diviser la pâte en 20 billes, les répartir sur les plaques en les espaçant bien et les aplatir de sorte que les biscuits aient 1 cm d'épaisseur. Presser un cerneau de noix de pécan au centre de chaque biscuit et Cuire 10 à 15 minutes au four préchauffé. Laisser les biscuits refroidir sur les plaques.

2 sachets de cappuccino soluble
1 cuil. à soupe d'eau chaude
225 g de beurre, ramolli
140 g de sucre
1 jaune d'œuf, légèrement battu
280 g de farine
1 pincée de sel

GARNITURE
175 g de chocolat blanc, brisé
   en morceaux
cacao en poudre amer,
   pour saupoudrer

Mettre le cappuccino soluble dans un bol et incorporer l'eau chaude (non bouillante) de façon à obtenir une pâte homogène. Mettre le beurre et le sucre dans une jatte et battre jusqu'à ce que le mélange blanchisse, puis incorporer le jaune d'œuf et le cappuccino. Tamiser la farine et le sel dans la jatte et mélanger. Diviser la pâte en deux, façonner les portions en boules et les envelopper de film alimentaire, puis réfrigérer 30 à 60 minutes.

Préchauffer le four à 190 °C (th. 6-7). Chemiser deux plaques de four de papier sulfurisé. Abaisser la pâte entre 2 feuilles de papier sulfurisé, découper des ronds à l'aide d'un emporte-pièce de 6 cm de diamètre et les répartir sur les plaques en les espaçant bien. Cuire 10 à 12 minutes au four préchauffé, jusqu'à ce que les biscuits soient dorés. Laisser reposer 5 à 10 minutes, puis laisser refroidir complètement sur une grille.

Placer la grille sur du papier sulfurisé. Mettre le chocolat dans une jatte résistant à la chaleur et le faire fondre au-dessus d'une casserole d'eau frémissante. Laisser refroidir et napper les biscuits. Laisser prendre et saupoudrer de cacao.

421 *Garnis de grains de café*

Remplacer le cacao par 100 g de grains de café enrobés de chocolat pilés, et en parsemer le chocolat blanc fondu avant de laisser prendre.

---

422 *Biscuits à la cannelle et au caramel*   POUR 25 BISCUITS

225 g de beurre, ramolli
140 g de sucre
1 jaune d'œuf, légèrement battu
1 cuil. à café d'extrait de vanille
280 g de farine

1 cuil. à café de cannelle en poudre
½ cuil. à café de quatre-épices
1 pincée de sel
25 à 30 caramels mous

Préchauffer le four à 190 °C (th. 6-7). Chemiser deux plaques de four de papier sulfurisé. Mettre le beurre et le sucre dans une jatte et battre jusqu'à ce que le mélange blanchisse, puis incorporer le jaune d'œuf et l'extrait de vanille. Tamiser la farine, la cannelle, le quatre-épices et le sel dans la jatte et mélanger.

Prélever des cuillerées à soupe de préparation et les façonner en billes, puis les déposer sur les plaques en les espaçant bien. Cuire 8 minutes au four préchauffé. Déposer un caramel mou sur chaque biscuit et cuire encore 6 à 7 minutes. Laisser reposer sur les plaques 5 à 10 minutes, puis laisser refroidir complètement sur une grille.

423 *Biscuits citronnés aux bonbons*

Remplacer la cannelle et le quatre-épices par 1 cuil. à café de zeste de citron râpé, et remplacer les caramels par 25 bonbons durs au citron.

Biscuit à l'angélique et au citron

225 g de beurre, ramolli
140 g de sucre
1 jaune d'œuf, légèrement battu
1 cuil. à soupe d'angélique
    finement hachée

280 g de farine
1 pincée de sel
1 cuil. à soupe de graines
    de fenouil

Mettre le beurre et le sucre dans une jatte et battre jusqu'à ce que le mélange blanchisse, puis incorporer le jaune d'œuf et l'angélique. Tamiser la farine et le sel dans la jatte, ajouter les graines de fenouil et mélanger. Façonner la pâte en boudin, l'envelopper de film alimentaire et la mettre au réfrigérateur 30 à 60 minutes.

Préchauffer le four à 190 °C (th. 6-7). Chemiser deux plaques de four de papier sulfurisé. Couper le boudin de pâte en tranches de 1 cm d'épaisseur à l'aide d'un couteau cranté, et répartir les tranches sur les plaques en les espaçant bien. Cuire 12 à 15 minutes au four préchauffé, jusqu'à ce que les biscuits soient légèrement dorés.

Laisser reposer sur les plaques 5 à 10 minutes, puis transférer sur une grille et laisser refroidir complètement.

425 *Biscuits citronnés à l'angélique*

Ajouter 1 cuil. à café de zeste de citron râpé et ½ cuil. à café d'huile de citron à la préparation.

Biscuits moelleux au gingembre et chocolat

225 g de beurre, ramolli
140 g de sucre
1 jaune d'œuf, légèrement battu
55 g de gingembre confit, concassé, plus
    1 cuil. à soupe de sirop du bocal

280 g de farine
1 pincée de sel
55 g de pépites de chocolat noir

Mettre le beurre et le sucre dans une jatte et battre jusqu'à ce que le mélange blanchisse, puis incorporer le jaune d'œuf et le sirop de gingembre. Tamiser la farine et le sel dans la jatte, ajouter le gingembre et les pépites de chocolat, et mélanger. Façonner la préparation en un boudin, l'envelopper de film alimentaire et mettre au réfrigérateur 30 à 60 minutes.

Préchauffer le four à 190 °C (th. 6-7). Chemiser deux plaques de four de papier sulfurisé.

Couper le boudin de pâte en tranches de 5 mm à l'aide d'un couteau cranté et répartir les tranches sur les plaques en les espaçant bien. Cuire 12 à 15 minutes au four préchauffé, jusqu'à ce que les biscuits soient dorés.

Laisser refroidir sur les plaques 5 à 10 minutes, puis transférer sur une grille et laisser refroidir complètement.

427 *Biscuits moelleux au citron*

Remplacer les pépites de chocolat par des zestes d'agrumes confits.

Biscuits épicés à la mélasse

225 g de beurre, ramolli
2 cuil. à soupe de mélasse
140 g de sucre
1 jaune d'œuf, légèrement battu
280 g de farine
1 cuil. à café de cannelle en poudre
½ cuil. à café de noix muscade râpée
½ cuil. à café de clou de girofle
  en poudre

1 pincée de sel
2 cuil. à soupe de noix hachées

GLAÇAGE
200 g de sucre glace
1 cuil. à soupe d'eau chaude
quelques gouttes de colorant jaune
quelques gouttes de colorant rose

Mettre le beurre, la mélasse et le sucre dans une jatte et battre jusqu'à ce que le mélange blanchisse, puis incorporer le jaune d'œuf.

Tamiser la farine, la cannelle, la noix muscade, le clou de girofle et le sel dans la jatte, ajouter les noix et mélanger. Diviser la pâte en deux, façonner les portions en boules et les envelopper de film alimentaire, puis réfrigérer 30 à 60 minutes.

Préchauffer le four à 190 °C (th. 6-7). Chemiser deux plaques de four de papier sulfurisé. Abaisser la pâte entre 2 feuilles de papier sulfurisé de sorte qu'elle ait 5 mm d'épaisseur. Découper des ronds à l'aide d'un emporte-pièce de 6 cm de diamètre et les répartir sur les plaques.

Cuire 10 à 15 minutes au four préchauffé, jusqu'à ce que les biscuits soient fermes. Laisser reposer sur les plaques 5 à 10 minutes, puis laisser refroidir complètement sur une grille.

Pour le glaçage, tamiser le sucre glace dans un bol, puis incorporer progressivement l'eau chaude de façon à obtenir une consistance de crème épaisse. Transférer la moitié du glaçage dans un autre bol et ajouter du colorant jaune. Ajouter le colorant rose dans le premier bol. À l'aide d'une petite cuillère, arroser les biscuits de glaçage jaune en fines lignes horizontales, puis de glaçage rose à la verticale. Laisser prendre.

429 Biscuits épicés au golden syrup

Remplacer la mélasse par du golden syrup et décorer les biscuits de glaçage non coloré.

Spirales croustillantes cannelle-orange

225 g de beurre, ramolli
200 g de sucre
zeste finement râpé d'une orange
1 jaune d'œuf, légèrement battu

4 cuil. à café de jus d'orange
280 g de farine
1 pincée de sel
2 cuil. à café de cannelle en poudre

Mettre le beurre, 140 g de sucre et le zeste d'orange dans une jatte et battre jusqu'à ce que le mélange blanchisse, puis incorporer le jaune d'œuf et 2 cuillerées à café de jus d'orange. Tamiser la farine et le sel dans la jatte et mélanger. Façonner la pâte en boule, l'envelopper de film alimentaire et la mettre au réfrigérateur 30 à 60 minutes.

Abaisser la pâte entre 2 feuilles de papier sulfurisé en un carré de 30 cm de côté. Enduire le carré avec le jus d'orange restant et le saupoudrer de cannelle, puis presser délicatement avec le rouleau à pâtisserie. Enrouler la pâte, l'envelopper de film alimentaire et la réfrigérer encore 30 minutes.

Préchauffer le four à 190 °C (th. 6-7). Chemiser deux plaques de four de papier sulfurisé.

Couper le rouleau de pâte en fines tranches, puis placer les tranches sur les plaques en les espaçant bien. Cuire 10 à 12 minutes au four préchauffé. Laisser reposer 5 à 10 minutes, puis laisser refroidir complètement sur une grille.

431 Avec un nappage au chocolat blanc

Faire fondre 150 g de chocolat blanc au bain-marie, puis plonger à demi les spirales dans le chocolat fondu et laisser prendre sur une grille.

100 g de raisins secs
125 ml de vin blanc doux
225 g de beurre, ramolli
140 g de sucre

1 jaune d'œuf, légèrement battu
280 g de farine
½ cuil. à café de safran en poudre
1 pincée de sel

Mettre les raisins secs dans un bol, ajouter le vin et laisser tremper 1 heure. Égoutter les raisins et réserver le vin restant.

Préchauffer le four à 190 °C (th. 6-7). Chemiser deux plaques de four de papier sulfurisé. Mettre le beurre et le sucre dans une jatte et battre jusqu'à ce que le mélange blanchisse, puis incorporer le jaune d'œuf et 2 cuillerées à café du vin réservé. Tamiser la farine, le safran et le sel dans la jatte et mélanger.

Prélever des cuillerées à soupe de préparation et les répartir sur les plaques en les espaçant bien. Aplatir légèrement et lisser la surface avec le dos d'une cuillère.

Cuire 10 à 15 minutes au four préchauffé, jusqu'à ce que les cookies soient légèrement dorés. Laisser reposer sur les plaques 5 à 10 minutes, puis transférer sur une grille et laisser refroidir complètement.

433 *Avec un glaçage au vin doux*

Omettre les raisins secs et arroser les cookies d'un glaçage : tamiser 200 g de sucre glace dans une jatte et incorporer 1 cuil. à soupe de vin blanc doux, puis arroser les cookies et laisser prendre.

434 *Biscuits à la menthe et ganache au chocolat blanc*   POUR 15 BISCUITS

225 g de beurre, ramolli
140 g de sucre
1 jaune d'œuf, légèrement battu
2 cuil. à café d'extrait de vanille
280 g de farine
1 pincée de sel

100 g de bâtonnets de chocolat
    à la menthe, finement hachés
sucre glace, pour saupoudrer

GANACHE AU CHOCOLAT BLANC
2 cuil. à soupe de crème fraîche épaisse
100 g de chocolat blanc,
    brisé en morceaux

Mettre le beurre et le sucre dans une jatte et battre jusqu'à ce que le mélange blanchisse. Incorporer le jaune d'œuf et l'extrait de vanille. Tamiser la farine et le sel dans la jatte, ajouter les bâtonnets hachés, et mélanger. Diviser la pâte en deux, façonner les portions en boules et les envelopper, puis réfrigérer 30 à 60 minutes.

Préchauffer le four à 190 °C (th. 6-7). Chemiser deux plaques de four de papier sulfurisé. Abaisser la pâte entre 2 feuilles de papier sulfurisé. Découper des ronds à l'aide d'un emporte-pièce cannelé de 6 cm de diamètre et les répartir sur les plaques en les espaçant bien. Cuire 10 à 15 minutes au four préchauffé, jusqu'à ce que les biscuits soient légèrement dorés.

Laisser reposer sur les plaques 5 à 10 minutes, puis laisser refroidir complètement sur une grille.

Mettre la crème et le chocolat dans une casserole et faire fondre à feu doux sans cesser de remuer. Laisser refroidir, puis mettre au réfrigérateur jusqu'à obtention d'une consistance de pâte à tartiner. Napper la moitié des biscuits avec la ganache et couvrir avec les biscuits restants, puis saupoudrer de sucre glace.

435 *Avec une ganache à menthe*

Remplacer le chocolat blanc dans la ganache par du chocolat noir à la menthe haché.

Biscuits fleuris

225 g de beurre, ramolli
140 g de sucre
1 jaune d'œuf, légèrement battu
1 cuil. à café de jus de citron
280 g de farine
1 pincée de sel
2 cuil. à soupe de feuilles de thé
    au jasmin

DÉCORATION
1 cuil. à soupe de jus de citron
1 cuil. à soupe d'eau
200 g de sucre glace
colorant alimentaire orange, rose, bleu
    et jaune
fleurs en sucre orange, roses, bleues
    et jaunes

Mettre le beurre et le sucre dans une jatte et battre jusqu'à ce que le mélange blanchisse. Incorporer le jaune d'œuf et le jus de citron. Tamiser la farine et le sel dans la jatte, ajouter le thé et mélanger. Diviser la pâte en deux, façonner les portions en boules, envelopper de film alimentaire et mettre au réfrigérateur 30 à 60 minutes.

Préchauffer le four à 190 °C (th. 6-7). Chemiser deux plaques de four de papier sulfurisé. Abaisser la pâte entre 2 feuilles de papier sulfurisé de sorte qu'elle ait 3 mm d'épaisseur. Découper des fleurs à l'aide d'un emporte-pièce de 5 cm et les répartir sur les plaques en les espaçant bien.

Cuire 10 à 12 minutes au four préchauffé, jusqu'à ce que les biscuits soient dorés. Laisser reposer 5 à 10 minutes, puis transférer sur une grille et laisser refroidir complètement.

Pour décorer, mettre le jus de citron et l'eau dans un bol, puis incorporer progressivement assez de sucre glace pour obtenir une consistance de crème épaisse. Répartir le glaçage dans 4 bols et ajouter un colorant différent dans chacun.

Laisser les biscuits sur la grille. Napper un quart des biscuits avec le glaçage orange, et ainsi de suite. Laisser prendre légèrement, ajouter une fleur en sucre de la couleur correspondante sur chaque biscuit et laisser prendre complètement.

437 *Biscuits fleuris multicolores*

Abaisser la pâte comme indiqué ci-dessus et découper des ronds à l'aide d'un emporte-pièce de 2,5 cm de diamètre, puis assembler les ronds six par six en formant le centre avec une fleur en sucre. Pour environ 20 biscuits.

438 *Biscuits à la lavande*

225 g de beurre, ramolli
200 g de sucre
1 gros œuf, légèrement battu
250 g de farine

2 cuil. à café de levure chimique
1 cuil. à soupe de lavande séchée,
    hachée

Préchauffer le four à 190 °C (th. 6-7). Chemiser deux ou trois plaques de four de papier sulfurisé. Mettre le beurre et le sucre dans une jatte et battre jusqu'à ce que le mélange blanchisse, puis incorporer l'œuf. Tamiser la farine et la levure dans la préparation, ajouter la lavande et mélanger.

Déposer des cuillerées à soupe de préparation sur les plaques en les espaçant bien. Cuire 15 minutes au four préchauffé, jusqu'à ce que les biscuits soient dorés. Laisser reposer sur les plaques 5 à 10 minutes, puis transférer sur une grille et laisser refroidir complètement.

439 *Biscuits au romarin*

Remplacer la lavande avec 1½ cuil. à café de romain séché haché.

Biscuits à l'eau de rose

225 g de beurre, ramolli
200 g de sucre
1 gros œuf, légèrement battu
1 cuil. à soupe d'eau de rose
280 g de farine
1 cuil. à café de levure chimique
1 pincée de sel

NAPPAGE
1 blanc d'œuf
250 g de sucre glace
2 cuil. à café de farine
2 cuil. à café d'eau de rose
quelques gouttes de colorant
    alimentaire rose

Mettre le beurre et le sucre dans une jatte et battre jusqu'à ce que le mélange blanchisse, puis incorporer l'œuf et l'eau de rose. Tamiser la farine, la levure et le sel dans la jatte et mélanger. Façonner la pâte en boudin, l'envelopper de film alimentaire et la mettre au réfrigérateur 1 à 2 heures.

Préchauffer le four à 190 °C (th. 6-7). Chemiser deux ou trois plaques de four de papier sulfurisé.

Couper le boudin de pâte en fines tranches à l'aide d'un couteau cranté et déposer les tranches sur les plaques en les espaçant bien.

Cuire 10 à 12 minutes au four préchauffé, jusqu'à ce que les biscuits soient légèrement dorés. Laisser refroidir sur les plaques 10 minutes, puis transférer sur une grille et laisser refroidir complètement.

Pour le nappage, battre le blanc d'œuf dans un bol à la fourchette. Tamiser la moitié du sucre glace dans le bol et bien mélanger, puis tamiser le sucre glace restant et la farine et ajouter assez d'eau de rose pour obtenir un nappage épais. Incorporer du colorant rose.

Laisser les biscuits sur la grille, les couvrir de nappage et laisser prendre.

· · · · · · · · · · · · · · ·

Biscuits à la violette

Omettre l'eau de rose et le colorant rose. Tinter le nappage de colorant alimentaire violet, puis parsemer le nappage de 85 g de petites violettes cristallisées hachées.

Petits croquants aux trois chocolats

55 g de chocolat noir,
    brisé en morceaux
125 g de farine
1 cuil. à café de levure chimique
1 œuf
140 g de sucre

50 ml d'huile de tournesol, un peu plus
    pour graisser
½ cuil. à café d'extrait de vanille
2 cuil. à soupe de sucre glace
boutons en chocolat au lait
boutons en chocolat blanc

Mettre le chocolat dans une jatte résistant à la chaleur et le faire fondre au-dessus d'une casserole d'eau frémissante, puis laisser refroidir. Tamiser la farine et la levure. Pendant ce temps, mettre l'œuf, le sucre, l'huile et l'extrait de vanille dans une jatte et battre le tout. Incorporer le chocolat fondu, puis ajouter progressivement la farine et la levure tamisées. Couvrir la jatte et mettre au réfrigérateur au moins 3 heures.

Préchauffer le four à 190 °C (th. 6-7). Huiler une ou deux plaques de four.

Avec les mains, façonner des quenelles de 5 cm de longueur. Les passer dans le sucre glace, puis les déposer sur les plaques en les espaçant bien. Cuire 15 minutes au four préchauffé,

jusqu'à ce que les biscuits soient fermes. Dès que les biscuits sont prêts, déposer 3 boutons de chocolat en ligne sur chacun en alternant les couleurs. Transférer sur une grille et laisser refroidir.

· · · · · · · · · · · · · · ·

Avec un glaçage bicolore

Tamiser 200 g de sucre glace dans une jatte, ajouter 1 cuil. à soupe d'eau et mélanger jusqu'à obtention d'une consistance homogène. Réserver un quart du glaçage et le tinter de colorant alimentaire noir. Utiliser le glaçage blanc pour couvrir les biscuits, puis arroser de bandes noires et laisser prendre.

444 Biscuits rhum-raisin fourrés à l'orange

100 g de raisins secs
150 ml de rhum
225 g de beurre, ramolli
140 g de sucre
1 jaune d'œuf, légèrement battu
280 g de farine
1 pincée de sel

GARNITURE À L'ORANGE
175 g de sucre glace
6 cuil. à soupe de beurre, ramolli
2 cuil. à café de zeste d'orange râpé
1 cuil. à café de rhum
quelques gouttes de colorant alimentaire
jaune (facultatif)

Mettre les raisins secs dans un bol avec le rhum et faire tremper 15 minutes, puis égoutter en réservant le rhum restant.

Préchauffer le four à 190 °C (th. 6-7). Chemiser deux plaques de four de papier sulfurisé.

Mettre le beurre et le sucre dans une jatte et battre jusqu'à ce que le mélange blanchisse, puis incorporer le jaune d'œuf et 2 cuillerées à café du rhum réservé. Tamiser la farine et le sel dans la jatte, ajouter les raisins secs et mélanger.

Prélever des cuillerées à soupe de préparation et les répartir sur les plaques en les espaçant bien. Aplatir légèrement et lisser la surface avec le dos d'une cuillère.

Cuire 10 à 15 minutes au four préchauffé, jusqu'à ce que les biscuits soient légèrement dorés.

Laisser reposer 5 à 10 minutes, puis transférer sur une grille et laisser refroidir complètement.

Pour la garniture, tamiser le sucre glace dans une jatte, ajouter le beurre, le zeste d'orange, le rhum et le colorant, et battre jusqu'à obtention d'une consistance homogène. Assembler les biscuits deux par deux avec la garniture.

445 Fourrés au chocolat noir

Remplacer la garniture à l'orange avec une garniture au chocolat noir : porter 125 ml de crème fraîche épaisse au point de frémissement et la verser sur 125 g de chocolat noir haché et remuer jusqu'à obtention d'une consistance homogène. Laisser refroidir et mettre au réfrigérateur jusqu'à épaississement, puis assembler les biscuits deux par deux avec la garniture ainsi obtenue.

446 Gingersnaps

350 g de farine levante
1 pincée de sel
200 g de sucre
1 cuil. à soupe de gingembre en poudre
1 cuil. à café de bicarbonate

125 g de beurre, un peu plus
pour graisser
75 g de golden syrup
1 œuf, légèrement battu
1 cuil. à café de zeste d'orange râpé

Préchauffer le four à 160 °C (th. 5-6). Graisser légèrement plusieurs plaques de four.

Tamiser la farine, le sel, le sucre, le gingembre et le bicarbonate dans une jatte. Chauffer le beurre et le golden syrup dans une casserole à feu très doux jusqu'à ce que le beurre ait fondu. Laisser refroidir légèrement, puis verser dans la jatte. Ajouter l'œuf et le zeste d'orange, et mélanger jusqu'à obtention d'une pâte homogène. Façonner 30 billes de pâte entre la paume des mains.

Mettre billes sur les plaques en les espaçant bien, puis aplatir légèrement avec les doigts.

Cuire 15 à 20 minutes au four préchauffé, puis transférer délicatement sur une grille et laisser refroidir complètement.

447 Gingersnaps au gingembre confit

Égoutter 3 morceaux de gingembre confit en sirop, les hacher finement et les ajouter à la pâte avant de façonner les billes.

225 g de beurre, ramolli
140 g de sucre
1 jaune d'œuf, légèrement battu
2 cuil. à café d'extrait de vanille
280 g de farine

1 pincée de sel
1 cuil. à café de gingembre en poudre
1 cuil. à soupe de zeste d'orange râpé
1 cuil. à soupe de cacao en poudre
1 blanc d'œuf, légèrement battu

Mettre le beurre et le sucre dans une jatte et battre jusqu'à ce que le mélange blanchisse, puis incorporer le jaune d'œuf et l'extrait de vanille. Tamiser la farine et le sel dans la jatte et mélanger. Diviser la pâte en deux. Ajouter le gingembre et le zeste d'orange à la première portion. Façonner la pâte en un boudin de 15 cm de longueur et l'aplatir pour obtenir un rectangle de 5 cm d'épaisseur. Envelopper de film alimentaire et mettre au réfrigérateur 30 à 60 minutes.

Tamiser le cacao dans la seconde portion de pâte et procéder comme pour la première portion. Envelopper le rectangle de film alimentaire et mettre au réfrigérateur 30 à 60 minutes.

Couper chaque rectangle en trois dans la longueur, puis en trois dans la largeur. Enduire les tronçons de blanc d'œuf et les assembler trois par trois en alternant les couleurs, puis superposer les six assemblages pour reformer deux rectangles. Envelopper de film alimentaire et mettre au réfrigérateur 30 à 60 minutes.

Préchauffer le four à 190 °C (th. 6-7). Chemiser deux plaques de four de papier sulfurisé.

Couper les rectangles en tranches à l'aide d'un couteau cranté, puis déposer les tranches sur les plaques en les espaçant bien. Cuire 12 à 15 minutes au four préchauffé, jusqu'à ce que les biscuits soient fermes. Laisser reposer 5 à 10 minutes, puis transférer sur une grille et laisser refroidir complètement.

449 *Biscuits battenberg*

Omettre le zeste d'orange et le gingembre et tinter la portion de pâte avec du colorant rose. Façonner les portions en boudins et les réfrigérer. Couper chaque boudin en 2 lanières et les enduire de blanc d'œuf. Assembler les lanières deux par deux en alternant les couleurs, puis empiler les quatre assemblages pour reformer deux rectangles. Poursuivre la recette comme indiqué ci-dessus.

450 *Cookies croquants au beurre de cacahuètes*   POUR 20 COOKIES

125 g de beurre, ramolli, un peu plus
    pour graisser
150 g de beurre de cacahuètes avec
    des morceaux
225 g de sucre cristallisé
1 œuf, légèrement battu

125 g de farine
½ cuil. à café de levure chimique
1 pincée de sel
75 g de cacahuètes non salées,
    concassées

Graisser légèrement deux plaques de four. Battre le beurre avec le beurre de cacahuètes dans une jatte, puis incorporer progressivement le sucre et l'œuf sans cesser de battre. Tamiser la farine, la levure et le sel dans la jatte, ajouter les cacahuètes et mélanger jusqu'à obtention d'une pâte souple. Envelopper la pâte de film alimentaire et mettre au réfrigérateur 30 minutes.

Préchauffer le four à 190 °C (th. 6-7). Façonner 20 billes de pâte et les répartir sur les plaques en les espaçant de 5 cm. Les aplatir légèrement avec les doigts.

Cuire 15 minutes au four préchauffé, jusqu'à ce que les biscuits soient dorés. Laisser refroidir sur une grille.

225 g de farine, un peu plus pour
    saupoudrer
150 g de beurre, coupé en dés,
    un peu plus pour graisser

125 g de sucre, un peu plus
    pour saupoudrer
1 cuil. à café d'extrait
    de vanille

Préchauffer le four à 180 °C (th. 6). Graisser une plaque de four. Tamiser la farine dans une jatte, ajouter le beurre et l'incorporer avec les doigts de façon à obtenir une consistance de fine chapelure. Ajouter le sucre et l'extrait de vanille et mélanger jusqu'à obtention d'une pâte ferme.

Abaisser la pâte sur un plan de travail fariné de sorte qu'elle ait 1 cm d'épaisseur. Découper 12 cœurs à l'aide d'un emporte-pièce de 5 cm de largeur et les répartir sur la plaque.

Cuire 15 à 20 minutes au four préchauffé, jusqu'à ce que les cœurs se colorent. Transférer sur une grille et laisser refroidir complètement. Saupoudrer de sucre juste avant de servir.

452 *Avec une garniture à la vanille*

Battre en crème 100 g de beurre avec les graines d'une gousse de vanille, incorporer 150 g de sucre glace tamisé et battre jusqu'à obtention d'une consistance homogène. Napper les cœurs de la garniture ainsi obtenue.

---

453 *Cœurs au sucre multicolores*   POUR 30 CŒURS

225 g de beurre, ramolli
280 g de sucre
1 jaune d'œuf, légèrement battu
2 cuil. à café d'extrait de vanille
250 g de farine

25 g de cacao en poudre amer
1 pincée de sel
3 ou 4 colorants alimentaires
100 g de chocolat noir,
    brisé en morceaux

Mettre le beurre et la moitié du sucre dans une grande jatte et battre jusqu'à ce que le mélange blanchisse, puis incorporer le jaune d'œuf et l'extrait de vanille. Tamiser la farine, le cacao et le sel dans la jatte et mélanger. Diviser la pâte en deux, façonner les portions en boules et envelopper de film alimentaire, puis mettre au réfrigérateur 30 à 60 minutes.

Préchauffer le four à 190 °C (th. 6-7). Chemiser deux plaques de four de papier sulfurisé.

Abaisser la pâte entre 2 feuilles de papier sulfurisé. Découper des cœurs à l'aide d'un emporte-pièce et les répartir sur les plaques en les espaçant bien. Cuire 10 à 15 minutes au four préchauffé, jusqu'à ce que les biscuits soient fermes. Laisser reposer 5 à 10 minutes, puis transférer sur une grille et laisser refroidir complètement.

Pendant ce temps, répartir le sucre restant dans 4 bols. Ajouter un peu de colorant dans chaque

bol et mélanger. Procéder avec des gants en plastique pour éviter de se tinter les mains. Mettre le chocolat dans une jatte résistant à la chaleur et le faire fondre au-dessus d'une casserole d'eau frémissante. Laisser refroidir légèrement.

Laisser les biscuits sur la grille et les napper de chocolat fondu, puis les saupoudrer de sucre coloré. Laisser prendre.

454 *Cœurs au sucre blancs*

Remplacer le chocolat noir par du chocolat blanc et parsemer de noix de coco déshydratée plutôt que de sucre coloré.

Biscuits de Pâques

225 g de beurre, ramolli
140 g de sucre, un peu plus
    pour saupoudrer
1 jaune d'œuf, légèrement battu
280 g de farine

1 cuil. à café de quatre-épices
1 pincée de sel
1 cuil. à soupe de zeste d'agrumes confits
55 g de raisins secs
1 blanc d'œuf, légèrement battu

Mettre le beurre et le sucre dans une jatte et battre jusqu'à ce que le mélange blanchisse, puis incorporer le jaune d'œuf. Tamiser la farine, le quatre-épices et le sel dans la jatte, ajouter les zestes confits et les raisins secs, et mélanger. Diviser la pâte en deux, façonner les portions en boules et les envelopper de film alimentaire, puis réfrigérer 30 à 60 minutes.

Préchauffer le four à 190 °C (th. 6-7). Chemiser deux plaques de four de papier sulfurisé.

Abaisser la pâte entre 2 feuilles de papier sulfurisé. Découper des ronds à l'aide d'un emporte-pièce cannelé de 6 cm de diamètre et les répartir sur les plaques en les espaçant bien. Cuire 7 minutes au four préchauffé, puis enduire de blanc d'œuf et saupoudrer de sucre. Cuire encore 5 à 8 minutes, jusqu'à ce que les biscuits soient légèrement dorés. Laisser reposer sur les plaques 5 à 10 minutes, puis transférer sur une grille et laisser refroidir complètement.

Petits lapins de Pâques

225 g de beurre, ramolli
140 g de sucre, un peu plus
    pour saupoudrer
1 jaune d'œuf, légèrement battu
2 cuil. à café d'extrait de vanille
250 g de farine
25 g de cacao en poudre amer
1 pincée de sel

2 cuil. à soupe de gingembre confit
    finement haché
1 blanc d'œuf, légèrement battu
15 minichamallows blancs

GLAÇAGE
140 g de sucre glace
quelques gouttes de colorant rose

Mettre le beurre et le sucre dans une jatte et battre jusqu'à ce que le mélange blanchisse, puis incorporer le jaune d'œuf et l'extrait de vanille. Tamiser la farine, le cacao et le sel dans la jatte, ajouter le gingembre et mélanger. Diviser la pâte en deux, façonner les portions en boules et envelopper de film alimentaire, puis mettre au réfrigérateur 30 à 60 minutes.

Préchauffer le four à 190 °C (th. 6-7). Chemiser deux plaques de four de papier sulfurisé. Abaisser la pâte entre 2 feuilles de papier sulfurisé. Découper 15 ronds avec un emporte-pièce de 5 cm de diamètre (corps), 15 ronds avec un emporte-pièce de 3 cm (tête), 30 ronds avec un emporte-pièce de 2 cm (oreilles) et 15 ronds avec un emporte-pièce de 1 cm (queue). Assembler les lapins sur les plaques en les espaçant bien.

Cuire 7 minutes au four préchauffé, puis enduire de blanc d'œuf et saupoudrer de sucre. Cuire encore 5 à 8 minutes, puis retirer du four et déposer un minichamallow sur chaque queue. Cuire au four encore 1 minute. Laisser reposer 5 à 10 minutes, puis transférer sur une grille et laisser refroidir complètement.

Tamiser le sucre glace dans une jatte et incorporer assez d'eau pour obtenir une consistance de crème épaisse. Ajouter quelques gouttes de colorant rose. Avec une poche à douille, délimiter la tête et le corps, et dessiner éventuellement des initiales. Laisser prendre.

Petits œufs de Pâques

Utiliser la moitié de la pâte pour confectionner des petits lapins et la pâte restante pour façonner des œufs de Pâques à l'aide d'emporte-pièces ovales. Décorer de glaçages prêts à l'emploi, de petits bonbons et de minichamallows.

Petits nids de Pâques

225 g de beurre, ramolli,
un peu plus pour graisser
140 g de sucre
1 jaune d'œuf, légèrement battu
2 cuil. à café de jus de citron
280 g de farine
1 pincée de sel
1 cuil. à soupe de zestes d'agrumes
confits hachés
55 g de cerises confites,
finement hachées

DÉCORATION
200 g de sucre glace
quelques gouttes de colorant jaune
mini-œufs de Pâques en sucre
confettis de sucre jaunes

Mettre le beurre et le sucre dans une jatte et battre jusqu'à ce que le mélange blanchisse, puis incorporer le jaune d'œuf et le jus de citron. Tamiser la farine et le sel dans la préparation, ajouter les zestes et les cerises confits, et mélanger. Diviser la pâte en deux, façonner les portions en boules et envelopper de film alimentaire, puis mettre au réfrigérateur 30 à 60 minutes.

Préchauffer le four à 190 °C (th. 6-7). Beurrer plusieurs plaques à muffins.

Abaisser la pâte entre 2 feuilles de papier sulfurisé. Découper des ronds à l'aide d'un emporte-pièce en forme de soleil de 7 à 8 cm de diamètre et les disposer dans les alvéoles des plaques à muffins.

Cuire 10 à 15 minutes au four préchauffé, jusqu'à ce que les biscuits soient légèrement dorés. Laisser refroidir dans les alvéoles.

Tamiser le sucre glace dans une jatte, ajouter le colorant et incorporer assez d'eau pour obtenir une consistance de crème épaisse. Mettre les biscuits sur une grille et les napper délicatement de glaçage. Laisser prendre légèrement, presser 3 ou 4 œufs dans le glaçage et ajouter les confettis. Laisser prendre complètement.

459 Petits nids au chocolat

Ajouter 2 cuil. à café de cacao à la pâte et remplacer les œufs en sucre par des cacahuètes enrobées de chocolat.

Biscuits d'Halloween façon toile d'araignée

225 g de beurre, ramolli
140 g de sucre
1 jaune d'œuf, légèrement battu
1 cuil. à café d'extrait de menthe
250 g de farine
25 g de cacao en poudre amer
1 pincée de sel

GLAÇAGE
175 g de sucre glace
quelques gouttes d'extrait de vanille
1 à 1½ cuil. à soupe d'eau chaude
quelques gouttes de colorant
alimentaire noir

Mettre le beurre et le sucre dans une jatte, et battre jusqu'à ce que le mélange blanchisse, puis incorporer le jaune d'œuf et l'extrait de menthe. Tamiser la farine, le cacao et le sel dans la jatte et mélanger. Diviser la pâte en deux, façonner les portions en boules, envelopper de film alimentaire et mettre au réfrigérateur 30 à 60 minutes.

Préchauffer le four à 190 °C (th. 6-7). Chemiser deux plaques de four de papier sulfurisé. Abaisser la pâte entre 2 feuilles de papier sulfurisé. Découper des ronds à l'aide d'un emporte-pièce de 6 cm de diamètre et les répartir sur les plaques en les espaçant bien. Cuire 10 à 15 minutes au four préchauffé, jusqu'à ce que les biscuits soient légèrement dorés. Laisser reposer 5 à 10 minutes, puis laisser refroidir complètement sur une grille.

Tamiser le sucre glace dans une jatte, ajouter l'extrait de vanille et incorporer assez d'eau pour obtenir une consistance épaisse. Réserver 2 cuillerées à soupe et couvrir les biscuits avec le glaçage restant.

Ajouter quelques gouttes de colorant noir au glaçage réservé et le transférer dans une poche à douille munie d'un embout très fin. En partant du centre de chaque biscuit, dessiner une série de cercles concentriques. Passer délicatement un pique à cocktail en plusieurs rayons partant du centre. Laisser prendre.

461 Biscuits d'Halloween effrayants

Utiliser la moitié de la pâte pour confectionner les toiles d'araignées et découper la pâte restante à l'aide d'emporte-pièces aux formes d'Halloween (chauve-souris, citrouilles, etc.). Décorer de glaçages orange, noirs et verts.

462 Anges de Noël

225 g de beurre, ramolli
140 g de sucre
1 jaune d'œuf, légèrement battu
2 cuil. à café de pulpe de fruit
    de la passion
280 g de farine
1 pincée de sel
55 g de noix de coco déshydratée râpée

DÉCORATION
175 g de sucre glace
1 à 1½ cuil. à soupe de pulpe de fruit
    de la passion
paillettes argentées comestibles

Mettre le beurre et le sucre dans une jatte et battre jusqu'à ce que le mélange blanchisse, puis incorporer le jaune d'œuf et le fruit de la passion. Tamiser la farine et le sel dans la jatte, ajouter la noix de coco et mélanger. Diviser la pâte en deux, façonner les portions en boules et les envelopper de film alimentaire, puis mettre au réfrigérateur 30 à 60 minutes.

Préchauffer le four à 190 °C (th. 6-7). Chemiser deux plaques de four de papier sulfurisé. Abaisser la pâte entre 2 feuilles de papier sulfurisé et y découper des biscuits à l'aide d'un emporte-pièce en forme d'ange de 7 cm. Répartir les anges sur les plaques en les espaçant bien.

Cuire 10 à 15 minutes au four préchauffé, jusqu'à ce que les biscuits soient légèrement dorés. Laisser reposer 5 à 10 minutes, puis laisser refroidir complètement sur une grille.

Tamiser le sucre glace dans une jatte et incorporer la pulpe de fruit de la passion de façon à obtenir une consistance de crème épaisse. Laisser les biscuits sur la grille et les garnir de glaçage. Parsemer de paillettes et laisser prendre.

463 Décorations en forme d'ange

Avant la cuisson, percer un trou au sommet de chaque biscuit à l'aide d'une brochette ou d'une paille. Vérifier que les trous sont toujours assez grands en les sortant du four et percer de nouveau si nécessaire. Laisser refroidir et décorer. Accrocher les anges au sapin de Noël à l'aide de fins rubans blancs.

464 Cloches de Noël

225 g de beurre, ramolli
140 g de sucre
zeste finement râpé d'un citron
1 jaune d'œuf, légèrement battu
280 g de farine
½ cuil. à café de cannelle en poudre
1 pincée de sel
100 g de pépites de chocolat noir

DÉCORATION
2 cuil. à soupe de blanc d'œuf
    légèrement battu
2 cuil. à soupe de jus de citron
225 g de sucre glace
30 billes de sucre argentées
stylos de glaçages colorés

Mettre le beurre, le sucre et le zeste de citron dans une jatte et battre jusqu'à ce que le mélange blanchisse, puis incorporer le jaune d'œuf. Tamiser la farine, la cannelle et le sel dans la jatte, ajouter le chocolat et mélanger. Diviser la pâte en deux, façonner les portions en boules et les envelopper de film alimentaire, puis mettre au réfrigérateur 30 à 60 minutes.

Préchauffer le four à 190 °C (th. 6-7). Chemiser deux plaques de four de papier sulfurisé. Abaisser la pâte entre 2 feuilles de papier sulfurisé et y découper des biscuits à l'aide d'un emporte-pièce en forme de cloche de 5 cm. Mettre les biscuits sur les plaques en les espaçant bien.

Cuire 10 à 15 minutes au four préchauffé, jusqu'à ce que les biscuits soient légèrement dorés.

Laisser reposer 5 à 10 minutes, puis laisser refroidir sur une grille.

Mélanger le blanc d'œuf et le jus de citron, puis ajouter le sucre glace progressivement de façon à obtenir un glaçage fluide. Garnir les biscuits de glaçage, placer une bille de sucre sur le battant de chaque cloche et laisser prendre. Dessiner les motifs de son choix sur le glaçage durci avec les stylos de glaçage.

465 Cloches multicolores

Diviser le nappage 3 portions. Colorer une portion avec du colorant rouge et une autre avec du colorant vert. Couvrir les cloches de glaçage blanc, vert ou rouge, et laisser prendre. Assembler les cloches trois par trois avec un ruban.

125 g de beurre, ramolli
140 g de sucre
1 jaune d'œuf, légèrement battu
2 cuil. à café d'extrait de vanille
280 g de farine
1 pincée de sel

1 blanc d'œuf, légèrement battu
2 cuil. à soupe de paillettes multicolores
400 g de bonbons durs multicolores
25 rubans, pour accrocher

Mettre le beurre et le sucre dans une jatte et battre jusqu'à ce que le mélange blanchisse, puis incorporer le jaune d'œuf et l'extrait de vanille. Tamiser la farine et le sel dans la jatte et mélanger. Diviser la pâte en deux, façonner les portions en boules et les envelopper de film alimentaire, puis mettre au réfrigérateur 30 à 60 minutes.

Préchauffer le four à 190 °C (th. 6-7). Chemiser deux plaques de four de papier sulfurisé. Abaisser la pâte entre 2 feuilles de papier sulfurisé et y découper des biscuits à l'aide d'emporte-pièces aux formes de Noël, puis les répartir sur les plaques en les espaçant bien.

Ôter le centre de chaque biscuit en s'aidant d'un embout large de poche à douille. Percer le sommet des biscuits à l'aide d'une brochette en prévision du ruban. Enduire de blanc d'œuf et parsemer de paillettes. Cuire 7 minutes au four préchauffé. Pendant ce temps, piler les bonbons à l'aide d'un rouleau à pâtisserie et les répartir dans des bols couleur par couleur. Sortir les biscuits du four et remplir les centres de bonbons pilés. Cuire au four encore 5 à 8 minutes, jusqu'à ce que les biscuits soient légèrement dorés et que les bonbons aient fondu. Laisser refroidir sur les plaques, puis transférer sur une grille et laisser refroidir complètement. Passer les rubans dans les trous et les accrocher au sapin de Noël.

467 *Étoiles des neiges*

POUR 36 BISCUITS

75 g de farine, un peu plus
pour saupoudrer
1 cuil. à café de cannelle en poudre
1 cuil. à café de gingembre en poudre
90 g de beurre, coupé en dés
85 g de sucre blond
zeste finement râpé d'une orange
1 œuf, légèrement battu

DÉCORATION
200 g de sucre glace
3 à 4 cuil. à café d'eau froide
billes de sucre argentées
confettis argentés

Préchauffer le four à 180 °C (th. 6). Chemiser plusieurs plaques de four de papier sulfurisé.

Tamiser la farine, la cannelle et le gingembre dans une jatte. Incorporer avec les doigts de façon à obtenir une consistance de fine chapelure. Ajouter le sucre, le zeste d'orange et l'œuf, et mélanger jusqu'à obtention d'une pâte souple.

Sur un plan de travail fariné, abaisser la pâte de sorte qu'elle ait 5 mm d'épaisseur. Découper des biscuits à l'aide d'un emporte-pièce de 6,5 cm en forme de flocon ou d'étoile et les déposer sur les plaques.

Cuire 10 à 15 minutes au four préchauffé, jusqu'à ce que les biscuits soient dorés. Laisser reposer 2 à 3 minutes, puis laisser refroidir sur une grille.

Pour décorer, tamiser le sucre glace dans une jatte et ajouter assez d'eau pour obtenir un glaçage fluide. Napper les biscuits de glaçage et décorer de billes ou de confettis argentés.

468 *Petits biscuits épicés de Pâques*

Utiliser un emporte-pièce de lapin et figurer l'œil du lapin avec un raisin sec. Il est également possible d'utiliser un emporte-pièce en forme de poussin et d'ajouter quelques gouttes de colorant alimentaire jaune au glaçage.

Cœurs café-chocolat

POUR 30 CŒURS

1 sachet de poudre pour cappuccino
  instantané
1½ cuil. à café d'eau chaude
225 g de beurre, ramolli
140 g de sucre
1 jaune d'œuf, légèrement battu

250 g de farine
1 cuil. à café d'extrait de vanille
3 cuil. à soupe de cacao en poudre amer
1 pincée de sel

Mettre la poudre de cappuccino dans une jatte, ajouter l'eau chaude non bouillante et mélanger jusqu'à obtention d'une pâte homogène.

Mettre le beurre et le sucre dans une jatte et battre jusqu'à ce que le mélange blanchisse. Incorporer le jaune d'œuf et diviser la préparation en deux. Ajouter le cappuccino à la première portion, puis tamiser 70 g de farine et du sel dans la préparation et mélanger. Façonner la pâte en boule, envelopper de film alimentaire et réfrigérer 30 à 60 minutes. Incorporer l'extrait de vanille à la seconde portion, puis tamiser la farine, le cacao et du sel dans la préparation et mélanger. Façonner la pâte en boule, envelopper de film alimentaire et réfrigérer 30 à 60 minutes.

Préchauffer le four à 190 °C (th. 6-7). Chemiser deux plaques de four de papier sulfurisé.

Abaisser chaque pâte entre 2 feuilles de papier sulfurisé, puis y découper des biscuits à l'aide d'un emporte-pièce en forme de cœur de 7 cm et les répartir sur les plaques en les espaçant bien. Prélever le centre de chaque cœur à l'aide d'un emporte-pièce de 4 à 5 cm, puis placer les petits cœurs au café au centre des grands cœurs au chocolat, et inversement.

Cuire 10 à 15 minutes au four préchauffé. Laisser reposer 5 à 10 minutes, puis laisser refroidir complètement sur une grille.

470 Petits cœurs tricolores

Diviser la préparation en 3 portions, et ajouter du colorant rose à la troisième portion. Procéder comme indiqué ci-dessus et faire contraster les trois couleurs.

Biscuits viennois au chocolat

POUR 16 BISCUITS

100 g de beurre, un peu plus
  pour graisser
2 cuil. à soupe de sucre

½ cuil. à café d'extrait de vanille
100 g de farine levante
100 g de chocolat noir

Préchauffer le four à 160 °C (th. 5-6). Graisser deux plaques de four. Mettre le beurre, le sucre et l'extrait de vanille dans une jatte et battre jusqu'à ce que le mélange blanchisse. Incorporer la farine et mélanger jusqu'à obtention d'une pâte très épaisse.

Mettre la pâte dans une poche à douille munie d'un large embout en forme d'étoile et former 16 biscuits de 6 cm de longueur sur les plaques. Cuire 10 à 15 minutes au four préchauffé, jusqu'à ce que les biscuits soient légèrement dorés. Laisser reposer sur les plaques 2 à 3 minutes, puis transférer sur une grille et laisser refroidir complètement.

Mettre le chocolat dans une jatte résistant à la chaleur et le faire fondre au-dessus d'une casserole d'eau frémissante. Retirer du feu. Plonger chaque extrémité des biscuits dans le chocolat fondu, puis laisser prendre sur une plaque chemisée de papier sulfurisé.

472 Biscuits viennois roses

Omettre le chocolat et plonger les biscuits dans un glaçage rose : incorporer 115 g de sucre glace dans 1 cuil. à soupe d'eau et une goutte de colorant rose. Plonger les extrémités des biscuits dans le glaçage avant qu'il n'ait pris, puis laisser prendre complètement.

473 Biscuits alphabet

225 g de beurre, ramolli
140 g de sucre
1 jaune d'œuf, légèrement battu
2 cuil. à café de grenadine
280 g de farine
1 pincée de sel
5 à 6 cuil. à soupe de pépins de grenade
séchés non salés ou de graines de
tournesol grillées

Mettre le beurre et le sucre dans une jatte et battre jusqu'à ce que le mélange blanchisse, puis incorporer le jaune d'œuf et la grenadine. Tamiser la farine et le sel dans la jatte et mélanger. Diviser la pâte en deux, façonner les portions en boules et envelopper de film alimentaire, puis mettre au réfrigérateur 30 à 60 minutes.

Préchauffer le four à 190 °C (th. 6-7). Chemiser deux plaques de four de papier sulfurisé.

Abaisser la pâte entre 2 feuilles de papier sulfurisé de sorte qu'elle ait 3 mm d'épaisseur. Répartir les graines sur la pâte et presser à l'aide d'un rouleau à pâtisserie. Découper des lettres à l'aide d'emporte-pièces et les répartir sur les plaques en les espaçant bien.

Cuire 10 à 12 minutes au four préchauffé, jusqu'à ce que les biscuits soient dorés. Laisser reposer sur les plaques 5 à 10 minutes, puis transférer sur une grille et laisser refroidir complètement.

474 Biscuits alphabet aux fruits

Remplacer les pépins par 25 g de fruits confits hachés, 25 g de cerises confites et 25 g d'angélique, et les incorporer directement à la pâte.

475 Étoiles multicolores

225 g de beurre, ramolli
140 g de sucre
1 jaune d'œuf, légèrement battu
½ cuil. à café d'extrait de vanille
280 g de farine
1 pincée de sel

DÉCORATION
200 g de sucre glace
1 à 2 cuil. à soupe d'eau chaude
colorants alimentaires
billes de sucre argentées
et dorées
confettis multicolores
noix de coco déshydratée râpée
paillettes de sucre
mini-décorations en sucre

Mettre le beurre et le sucre dans une jatte et battre jusqu'à ce que le mélange blanchisse, puis incorporer le jaune d'œuf et l'extrait de vanille. Tamiser la farine et le sel dans la jatte et mélanger. Diviser la pâte en deux, façonner les portions en boules et les envelopper de film alimentaire, puis mettre au réfrigérateur 30 à 60 minutes.

Préchauffer le four à 190 °C (th. 6-7). Chemiser deux plaques de four de papier sulfurisé. Abaisser la pâte entre 2 feuilles de papier sulfurisé de sorte qu'elle ait 3 mm d'épaisseur. Découper des étoiles à l'aide d'un emporte-pièce et les répartir sur les plaques en les espaçant bien. Cuire 10 à 15 minutes au four préchauffé, jusqu'à ce que les biscuits soient légèrement dorés. Laisser reposer 5 à 10 minutes, puis laisser refroidir sur une grille.

Pour décorer, tamiser le sucre glace dans une jatte et ajouter assez d'eau chaude pour obtenir un glaçage crémeux. Diviser le glaçage dans 3 ou 4 bols et y incorporer quelques gouttes des colorants de son choix. Napper les biscuits avec les glaçages colorés et les décorer de billes de sucre, de confettis multicolores et de paillettes. Tinter éventuellement la noix de coco râpée avec le colorant de son choix et en parsemer certaines étoiles. Laisser prendre avant de servir.

476 Étoiles au massepain

Omettre le glaçage et abaisser finement 150 g de massepain sur un plan de travail saupoudré de sucre glace. Découper 30 étoiles avec l'emporte-pièce ayant servi pour les biscuits et les fixer sur les biscuits avec un peu de blanc d'œuf, puis faire légèrement griller les bords du massepain au chalumeau.

477   *Biscuits initiales*

POUR 30 BISCUITS

225 g de beurre, ramolli
140 g de sucre
1 jaune d'œuf, légèrement battu
2 cuil. à café de jus d'orange
   ou de liqueur à l'orange
zeste finement râpé d'une orange
280 g de farine
1 pincée de sel

DÉCORATION
1 blanc d'œuf
225 g de sucre glace
quelques gouttes de deux colorants
   alimentaires
billes de sucre ou fleurs cristallisées

Mettre le beurre et le sucre dans une jatte et battre jusqu'à ce que le mélange blanchisse, puis incorporer le jaune d'œuf, le jus d'orange et le zeste râpé. Tamiser la farine et le sel dans la jatte et mélanger. Diviser la pâte en deux, façonner les portions en boules et les envelopper de film alimentaire, puis mettre au réfrigérateur 30 à 60 minutes.

Préchauffer le four à 190 °C (th. 6-7). Chemiser deux plaques de four de papier sulfurisé. Abaisser la pâte de sorte qu'elle ait 3 mm d'épaisseur. Découper des biscuits à l'aide d'emporte-pièces de son choix – selon l'occasion et des invités – et les répartir sur les plaques en les espaçant bien. Cuire 10 à 15 minutes au four préchauffé, jusqu'à ce que les biscuits soient légèrement dorés.

Laisser reposer sur les plaques 5 à 10 minutes, puis transférer sur une grille et laisser refroidir complètement.

Mettre le blanc d'œuf et le sucre glace dans une jatte et battre jusqu'à obtention d'un glaçage homogène. Transférer la moitié du nappage dans une autre jatte, et colorer les deux glaçages avec des colorants différents. Mettre les glaçages dans des poches à douilles munies d'embouts fins et décorer les biscuits avec les initiales des prénoms de son choix. Ajouter des billes de sucre et des fleurs cristallisées, et laisser prendre.

478   *Nombres croquants*

POUR 35 BISCUITS

225 g de beurre, ramolli
140 g de sucre
1 jaune d'œuf, légèrement battu
2 cuil. à café d'extrait de vanille
280 g de farine
1 cuil. à café de gingembre en poudre

¼ de cuil. à café de cannelle en poudre
¼ de cuil. à café de clou de girofle en
   poudre
1 pincée de sel
4 à 5 cuil. à soupe de noix de macadamia
   hachées

Mettre le beurre et le sucre dans une jatte et battre jusqu'à ce que le mélange blanchisse, puis incorporer le jaune d'œuf et l'extrait de vanille. Tamiser la farine, le gingembre, la cannelle, le clou de girofle et le sel dans la jatte et mélanger. Diviser la pâte en deux, façonner les portions en boules et les envelopper de film alimentaire, puis réfrigérer 30 à 60 minutes.

Préchauffer le four à 190 °C (th. 6-7). Chemiser deux plaques de four de papier sulfurisé. Abaisser la pâte entre 2 feuilles de papier sulfurisé de sorte qu'elle ait 3 mm d'épaisseur. Parsemer la pâte de noix de macadamia et presser légèrement avec le rouleau à pâtisserie. Découper des nombres à l'aide d'emporte-pièces et les répartir sur les plaques en les espaçant bien. Cuire 10 à 12 minutes au four préchauffé, jusqu'à ce qu'ils soient dorés. Laisser reposer 5 à 10 minutes, puis laisser refroidir complètement sur une grille.

479   *Nombres croquants aux cacahuètes*

Omettre les épices et les noix de macadamia. Hacher 115 g de cacahuètes salées et en parsemer la pâte.

24 gaufrettes
24 carrés de chocolat noir
ou au lait
12 chamallows

Préchauffer le four à 180 °C (th. 6) ou préparer le barbecue. Pour la cuisson au four, chemiser une plaque de papier sulfurisé.

Mettre 12 gaufrettes sur la plaque, puis déposer 2 carrés de chocolat sur chacune et ajouter un chamallow.

Cuire 4 à 6 minutes au four préchauffé, jusqu'à ce que le chocolat et le chamallow aient fondu. Retirer du four et couvrir avec les gaufrettes restantes. Servir immédiatement.

Pour la cuisson au barbecue, déposer délicatement les gaufrettes garnies sur la grille. Chauffer jusqu'à ce que le chocolat et le chamallow commencent à fondre, puis retirer de la grille et couvrir avec les gaufrettes restantes. Presser légèrement et servir immédiatement.

8 chamallows
8 cookies aux pépites de chocolat
1 banane, coupée
en fines rondelles
4 carrés de chocolat noir

Piquer 2 chamallows au bout d'une brochette et les faire griller quelques minutes au barbecue jusqu'à ce qu'ils fondent.

Déposer les chamallows sur un cookie et garnir de tranches de banane et d'un carré de chocolat. Couvrir le tout avec un second cookie.

Presser délicatement et répéter l'opération avec les ingrédients restants.

2 sachets de préparation instantanée
 pour boisson au chocolat malté
1 cuil. à soupe d'eau chaude
225 g de beurre, ramolli
140 g de sucre

1 jaune d'œuf, légèrement battu
280 g de farine
1 pincée de sel
jaune d'œuf et colorants alimentaires,
 pour décorer

Mettre la préparation instantanée dans une jatte et incorporer l'eau chaude, non bouillante, de façon à obtenir une pâte homogène.

Mettre le beurre et le sucre dans une jatte et battre jusqu'à ce que le mélange blanchisse, puis incorporer le jaune d'œuf et la pâte au chocolat malté. Tamiser la farine et le sel dans la jatte et mélanger. Diviser la pâte en deux, façonner les portions en boules et les envelopper de film alimentaire, puis mettre au réfrigérateur 30 à 60 minutes.

Préchauffer le four à 190 °C (th. 6-7). Chemiser deux plaques de four de papier sulfurisé. Abaisser la pâte entre 2 feuilles de papier sulfurisé. Découper des biscuits à l'aide d'un emporte-pièce en forme de papillon et les répartir sur les plaques.

Mettre un peu de jaune d'œuf dans un coquetier. Ajouter quelques gouttes de colorant et bien mélanger. À l'aide d'un pinceau de cuisine fin, décorer les ailes des papillons. Incorporer d'autres colorants au jaune d'œuf restant et achever de décorer les papillons.

Cuire 10 à 15 minutes au four préchauffé, jusqu'à ce que les biscuits soient fermes. Laisser reposer sur les plaques 5 à 10 minutes, puis transférer sur une grille et laisser refroidir complètement.

225 g de beurre, ramolli
140 g de sucre
1 jaune d'œuf, légèrement battu
2 cuil. à café d'extrait de vanille
280 g de farine, un peu plus
 pour saupoudrer
1 pincée de sel
100 g de noix de coco déshydratée

DÉCORATION
1½ cuil. à soupe de blanc d'œuf
 légèrement battu
1½ cuil. à soupe de jus de citron
175 g de sucre glace
cerises confites rouges, jaunes
 et vertes
bonbons oursons rouges et verts

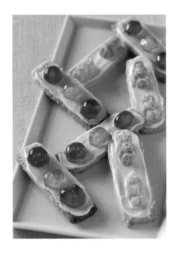

Mettre le beurre et le sucre dans une jatte et battre jusqu'à ce que le mélange blanchisse, puis incorporer le jaune d'œuf et l'extrait de vanille. Tamiser la farine et le sel dans la jatte, ajouter la noix de coco et mélanger. Diviser la pâte en deux, façonner les portions en boules et les envelopper de film alimentaire, puis réfrigérer 30 à 60 minutes.

Préchauffer le four à 190 °C (th. 6-7). Chemiser deux plaques de four de papier sulfurisé.

Abaisser les portions de pâte entre 2 feuilles de papier sulfurisé en rectangles de 5 mm d'épaisseur. À l'aide d'un couteau tranchant, découper en rectangles de 10 x 2 cm et les répartir sur les plaques en les espaçant bien. Cuire 10 à 12 minutes au four préchauffé, jusqu'à ce que les biscuits soient dorés. Laisser reposer sur les plaques 5 à 10 minutes, puis laisser refroidir complètement sur une grille.

Pour décorer, mélanger le blanc d'œuf et le jus de citron dans un bol et incorporer progressivement le sucre glace de façon à obtenir un glaçage homogène. Laisser les biscuits sur leur grille et les napper de glaçage. Décorer avec les cerises confites pour figurer les feux de circulation tricolores, et avec les nounours pour figurer les feux piétons. Laisser prendre.

484 *Avec un nappage au chocolat*

Remplacer le glaçage, par un nappage au chocolat. Faire fondre 150 g de chocolat noir au bain-marie et en couvrir les biscuits, puis presser 3 bonbons mous sur chaque biscuit.

Biscuits vitraux

350 g de farine, un peu plus pour
saupoudrer
1 pincée de sel
1 cuil. à café de bicarbonate
7 cuil. à soupe de beurre
200 g de sucre

1 gros œuf
1 cuil. à café d'extrait de vanille
4 cuil. à soupe de golden syrup
50 bonbons durs multicolores
(environ 250 g), concassés
25 rubans, pour suspendre les biscuits

Tamiser la farine, le bicarbonate et le sel dans une jatte et incorporer le beurre avec les doigts de façon à obtenir une consistance de chapelure, puis ajouter le sucre. Battre l'œuf avec la vanille et le golden syrup, puis verser le tout dans la jatte et mélanger jusqu'à obtention d'une pâte homogène. Envelopper de film alimentaire et mettre au réfrigérateur 30 minutes.

Préchauffer le four à 180 °C (th. 6). Chemiser deux plaques de four de papier sulfurisé. Abaisser la pâte sur un plan de travail fariné de sorte qu'elle ait 5 mm d'épaisseur. Découper des biscuits avec les emporte-pièces farinés de son choix et les répartir sur les plaques. Ôter le centre des biscuits avec des emporte-pièces plus petits et remplir avec des bonbons concassés. Percer un trou au sommet de chaque biscuit à l'aide d'une brochette.

Cuire 10 à 12 minutes au four préchauffé, jusqu'à ce que les bonbons aient fondu. S'assurer que les trous ne se soient pas bouchés et percer de nouveau si nécessaire. Laisser reposer sur les plaques jusqu'à ce que les bonbons aient durci. Laisser refroidir et attacher avec les rubans.

486 Biscuits vitraux à la menthe

Couper le centre de tous les biscuits à l'aide d'en emporte-pièce rond et garnir avec des bonbons à la menthe durs pilés. Accrocher avec des rubans blancs.

Dominos au chocolat

225 g de beurre, ramolli
140 g de sucre
1 jaune d'œuf, légèrement battu
2 cuil. à café d'extrait de vanille
250 g de farine
25 g de cacao en poudre amer
1 pincée de sel
25 g de noix de coco déshydratée
50 g de pépites de chocolat blanc

Mettre le beurre et le sucre dans une jatte et battre jusqu'à ce que le mélange blanchisse, puis incorporer le jaune d'œuf et l'extrait de vanille. Tamiser la farine, le cacao et le sel dans la jatte, ajouter la noix de coco et mélanger. Diviser la pâte en deux, façonner les portions en boules et les envelopper de film alimentaire, puis mettre au réfrigérateur 30 à 60 minutes.

Préchauffer le four à 190 °C (th. 6-7). Chemiser deux plaques de four de papier sulfurisé.

Abaisser la pâte entre 2 feuilles de papier sulfurisé. Découper des carrés à l'aide d'un emporte-pièce de 9 cm, puis couper chaque carré en deux pour obtenir des petits rectangles. Déposer les rectangles sur les plaques et tracer une ligne au milieu des rectangles à l'aide d'un couteau et en veillant à ne pas couper de part en part. Placer les pépites de chocolat blanc pour figurer les dominos et les presser très légèrement dans la pâte.

Cuire 10 à 15 minutes au four préchauffé, jusqu'à ce que les biscuits soient dorés. Laisser reposer 5 à 10 minutes, puis transférer sur une grille et laisser refroidir complètement.

488 Avec un glaçage noir

Tamiser 200 g de sucre glace dans une jatte et incorporer 1 cuil. à soupe d'eau pour obtenir un glaçage fluide. Ajouter quelques gouttes de colorant alimentaire noir et mélanger. Napper les biscuits, laisser prendre puis figurer les points blancs avec du glaçage blanc.

½ cuil. à café d'huile d'arachide,
   pour graisser
225 g de beurre, ramolli
200 g de sucre cristallisé
1 cuil. à café d'extrait de vanille

280 g de farine
1 pincée de sel
175 g de pépites de chocolat au lait
150 g de noix de pécan, hachées
150 g d'amandes, grillées et hachées

Préchauffer le four à 190 °C (th. 6-7). Huiler un moule à roulé de 38 x 25 cm. Mettre le beurre et le sucre dans une jatte et battre jusqu'à ce que le mélange blanchisse, puis incorporer l'extrait de vanille. Tamiser la farine et le sel dans la jatte et mélanger. Incorporer 90 g de pépites de chocolat, les noix de pécan et les amandes. Presser la préparation dans le moule en veillant à ce qu'elle recouvre bien le fond et qu'elle soit uniformément répartie. Cuire 20 à 25 minutes au four préchauffé, jusqu'à ce que le biscuit soit doré. Laisser refroidir dans le moule.

Mettre le chocolat restant dans une jatte résistant à la chaleur et le faire fondre au-dessus d'une casserole d'eau frémissante. Arroser le biscuit de chocolat fondu et laisser prendre, puis briser le biscuit en morceaux irréguliers.

490 *Croquants amande-citron*

Omettre le chocolat, les noix de péan et les amandes. Ajouter le zeste finement râpé de 2 citrons à la préparation avant de la presser dans le moule. Parsemer de 150 g d'amandes effilées et cuire comme indiqué ci-dessus. Laisser refroidir et briser en morceaux irréguliers.

491 *Cookies aux pépites de chocolat blanc et noir*   POUR 24 COOKIES

200 g de beurre, ramolli, un peu plus
   pour graisser
200 g de sucre
½ cuil. à café d'extrait de vanille
1 gros œuf

225 g de farine
1 pincée de sel
1 cuil. à café de bicarbonate
115 g de pépites de chocolat blanc
115 g de pépites de chocolat noir

Préchauffer le four à 180 °C (th. 6). Graisser deux plaques de four. Mettre le beurre, le sucre et l'extrait de vanille dans une jatte et bien mélanger. Incorporer l'œuf progressivement de façon à obtenir une consistance légère et aérée. Tamiser la farine, le sel et le bicarbonate dans la jatte et mélanger. Incorporer les pépites de chocolat.

Déposer des cuillerées à café de préparation sur les plaques en les espaçant bien. Cuire 10 à 12 minutes au four préchauffé, jusqu'à ce que les cookies soient croustillants à l'extérieur, mais toujours moelleux au centre.

Laisser reposer sur les plaques 2 minutes, puis transférer sur une grille et laisser refroidir complètement.

492 *Cookies noisette-chocolat noir*

Remplacer les pépites de chocolat blanc par des noisettes grillées concassées.

Biscuits fourrés à la crème glacée

225 g de beurre, ramolli
140 g de sucre
1 jaune d'œuf, légèrement battu
2 cuil. à soupe de gingembre confit
finement haché, plus 2 cuil. à café
de sirop du bocal

250 g de farine
25 g de cacao en poudre amer
½ cuil. à café de cannelle en poudre
1 pincée de sel
450 ml de crème glacée à la vanille,
au chocolat ou au café

Mettre le beurre et le sucre dans une grande jatte et battre jusqu'à ce que le mélange blanchisse, puis incorporer le jaune d'œuf, le gingembre et son sirop. Tamiser la farine, le cacao, la cannelle et le sel dans la jatte et mélanger. Diviser la pâte en deux, façonner les portions en boules, les envelopper de film alimentaire et les mettre au réfrigérateur 30 à 60 minutes.

Préchauffer le four à 190 °C (th. 6-7). Chemiser deux plaques de four de papier sulfurisé.

Abaisser la pâte entre 2 feuilles de papier sulfurisé. Découper des biscuits à l'aide d'un emporte-pièce cannelé de 6 cm de diamètre et les répartir sur les plaques en les espaçant bien.

Cuire 10 à 15 minutes au four préchauffé, jusqu'à ce que les biscuits soient légèrement dorés. Laisser reposer 5 à 10 minutes, puis laisser refroidir complètement sur une grille.

Sortir la crème glacée du congélateur 15 minutes avant de servir, puis laisser ramollir. Déposer une cuillerée à café de crème glacée sur la moitié des biscuits et couvrir avec les biscuits restants. Presser délicatement de sorte que la crème glacée s'étale jusqu'aux bords des biscuits. Il est possible de conserver ces biscuits emballés individuellement de papier d'aluminium au congélateur.

494 *Au parfum menthe-chocolat*

Remplacer le gingembre confit par 1 cuil. à café d'extrait de menthe, puis fourrer les biscuits avec de la crème glacée au chocolat.

495 *Biscuits aux noix et à la crème de café*

225 g de beurre, ramolli
140 g de sucre
1 jaune d'œuf, légèrement battu
2 cuil. à café d'extrait de vanille
225 g de farine
1 pincée de sel
55 g de poudre de noix
55 g de noix, finement hachées
sucre glace, pour saupoudrer
(facultatif)

CRÈME AU CAFÉ
6 cuil. à soupe de beurre, ramolli
140 g de sucre glace
1½ cuil. à café de café noir corsé

Préchauffer le four à 190 °C (th. 6-7). Chemiser deux plaques de four de papier sulfurisé. Abaisser la pâte entre 2 feuilles de papier sulfurisé. Découper des biscuits à l'aide d'un emporte-pièce cannelé de 6 cm de diamètre et les répartir sur les plaques en les espaçant bien.

Cuire 10 à 15 minutes au four préchauffé, jusqu'à ce que les biscuits soient légèrement dorés. Laisser reposer sur les plaques 5 à 10 minutes, puis laisser refroidir complètement sur une grille.

Pour la crème au café, battre le beurre en crème avec le sucre glace dans une jatte, puis incorporer le café.

Assembler les biscuits deux par deux avec la crème au café, puis presser de sorte que la crème dépasse des bords. Lisser les bords avec le doigt humide. Étaler les noix hachées sur une assiette et passer les biscuits dedans de façon à garnir les bords. Saupoudrer éventuellement de sucre glace.

Mettre le beurre et le sucre dans une jatte et battre jusqu'à ce que le mélange blanchisse, puis incorporer le jaune d'œuf et l'extrait de vanille. Tamiser la farine et le sel dans la jatte, ajouter la poudre de noix et mélanger. Diviser la pâte en deux, façonner les portions en boules et les envelopper de film alimentaire, puis réfrigérer 30 à 60 minutes.

496 *Biscuits aux noix et au chocolat*

Remplacer le café par 1 cuil. à café de cacao.

Cookies gourmands au chocolat

115 g de beurre, ramolli
250 g de sucre blond
1 gros œuf, légèrement battu
2 cuil. à café d'extrait de vanille
280 g de farine

1 cuil. à soupe de cacao en poudre
1 cuil. à café de bicarbonate
1 cuil. à café de sel
200 g de chocolat noir, haché
150 g de chocolat au lait, haché

Préchauffer le four à 180 °C (th. 6). Chemiser deux plaques de four de papier sulfurisé. Mettre le beurre et le sucre dans une jatte et battre jusqu'à ce que le mélange blanchisse. Battre l'œuf avec l'extrait de vanille, puis l'incorporer progressivement dans la jatte. Battre jusqu'à obtention d'une consistance homogène. Ajouter la farine, le cacao, le bicarbonate et le sel, et mélanger. Incorporer 100 g de chaque chocolat, et mélanger de nouveau.

Déposer 6 cuillerées à soupe de la préparation sur chaque plaque de four en les espaçant bien. Répartir le chocolat restant sur les cookies et presser légèrement.

Cuire 15 à 17 minutes au four préchauffé. Laisser reposer sur les plaques 5 minutes, puis transférer sur une grille et laisser refroidir complètement.

498 ## Nappés de chocolat fondu

Faire fondre 150 g de chocolat au bain-marie et le laisser refroidir quelques minutes. Napper les cookies de chocolat fondu et laisser prendre.

Cookies au beurre de cacahuètes

115 g de beurre, ramolli, un peu plus
    pour graisser
115 g de beurre de cacahuètes
    avec des morceaux
115 g de sucre blanc
115 g de sucre roux
1 œuf, légèrement battu

½ cuil. à café d'extrait de vanille
85 g de farine
½ cuil. à café de bicarbonate
½ cuil. à café de levure chimique
1 pincée de sel
115 g de flocons d'avoine

Préchauffer le four à 180 °C (th. 6). Graisser 3 plaques de four. Battre le beurre en crème avec le beurre de cacahuètes, puis incorporer les sucres. Ajouter progressivement l'œuf et l'extrait de vanille. Tamiser la farine, le bicarbonate, la levure, et le sel dans la jatte, ajouter les flocons d'avoine et mélanger.

Déposer des cuillerées de préparation sur les plaques en les espaçant bien et aplatir légèrement à l'aide d'une fourchette. Cuire 12 minutes au four préchauffé, jusqu'à ce que les cookies soient légèrement dorés. Laisser reposer 2 minutes, puis laisser refroidir sur une grille.

500 ## Garnis de banane citronnée

Napper un cookie de beurre de cacahuètes, puis le garnir de rondelles de bananes enduites de jus de citron, puis couvrir avec un second cookie. Pour 13 biscuits.

501 Cookies façon gâteau de carottes

115 g de beurre, ramolli
85 g de sucre blanc
75 g de sucre blond
1 gros œuf
½ cuil. à café d'extrait de vanille
125 g de farine

½ cuil. à café de bicarbonate
½ cuil. à café de cannelle en poudre
85 g de carottes, finement râpées
25 g de cerneaux de noix, hachés
25 g de noix de coco déshydratée râpée

Préchauffer le four à 190 °C (th. 6-7). Chemiser plusieurs plaques de four de papier sulfurisé.

Mettre le beurre et les sucres dans une jatte et battre jusqu'à ce que le mélange blanchisse, puis incorporer l'œuf et l'extrait de vanille. Tamiser la farine, le bicarbonate et la cannelle dans la jatte et mélanger. Ajouter les carottes râpées, les noix et la noix de coco, et bien mélanger le tout.

Déposer des cuillerées à café de préparation sur les plaques en les espaçant bien. Cuire 8 à 10 minutes au four préchauffé, jusqu'à ce que les biscuits soient légèrement dorés sur les bords.

Laisser reposer sur les plaques 2 à 3 minutes, puis transférer sur une grille et laisser refroidir complètement.

502 Avec un nappage au fromage frais

Garnir les cookies de nappage au fromage frais : battre 40 g de fromage frais avec 25 g de beurre et ½ cuil. à café d'extrait de vanille. Ajouter 200 g de sucre glace tamisé et battre vigoureusement le tout.

503 Cookies banane-chocolat

125 g de beurre
125 g de sucre
1 gros œuf, légèrement battu
1 banane mûre, écrasée
175 g de farine levante

1 cuil. à café de quatre-épices
2 cuil. à soupe de lait
100 g de chocolat, concassé
55 g de raisins secs

Préchauffer le four à 190 °C (th. 6-7). Chemiser deux plaques de four de papier sulfurisé. Mettre le beurre et le sucre dans une grande jatte et battre jusqu'à ce que le mélange blanchisse. Ajouter progressivement l'œuf en battant bien après chaque ajout. Incorporer la banane écrasée et bien mélanger.

Tamiser la farine et le quatre-épices dans la jatte et mélanger à l'aide d'une spatule. Ajouter le lait de façon à obtenir une consistance souple, puis incorporer le chocolat et les raisins secs. Déposer des cuillerées à soupe de préparation sur les plaques en les espaçant bien. Cuire au centre du four préchauffé 15 à 20 minutes, jusqu'à ce que les biscuits soient légèrement dorés. Laisser tiédir, puis transférer sur une grille et laisser refroidir complètement.

225 g de beurre, ramolli
140 g de sucre
1 jaune d'œuf, légèrement battu
2 cuil. à café d'extrait de vanille
225 g de farine, un peu plus
  pour saupoudrer
55 g de cacao en poudre amer
1 pincée de sel
200 g de chocolat blanc,
  brisé en morceaux
confettis de chocolat, pour décorer

Mettre le beurre et le sucre dans une jatte et mélanger à l'aide d'une cuillère en bois, puis incorporer le jaune d'œuf et l'extrait de vanille.

Tamiser la farine, le cacao et le sel dans la jatte et mélanger. Diviser la pâte en deux, façonner les portions en boules et les, envelopper de film alimentaire, puis les mettre au réfrigérateur 30 à 60 minutes.

Préchauffer le four à 190 °C (th. 6-7). Chemiser deux plaques de four de papier sulfurisé.

Abaisser la pâte entre 2 feuilles de papier sulfurisé de sorte qu'elle ait 5 mm d'épaisseur. Découper 30 biscuits à l'aide d'un emporte-pièce cannelé et 6 à 7 cm de diamètre et les déposer sur les plaques en les espaçant bien.

Cuire 10 à 12 minutes au four préchauffé. Laisser reposer sur les plaques 5 à 10 minutes, puis transférer sur une grille et laisser refroidir complètement.

Mettre le chocolat blanc dans une jatte résistant à la chaleur et le faire fondre au-dessus d'une casserole d'eau frémissante. Retirer immédiatement du feu et étaler le chocolat fondu sur les biscuits. Laisser tiédir, puis parsemer de confettis de chocolat. Laisser prendre avant de servir.

505 *Biscuits marbrés*

Omettre les confettis de chocolat et mélanger 100 g de chocolat noir fondu au chocolat blanc de façon à créer un effet marbré.

115 g de beurre, coupé en dés,
  un peu plus pour graisser
175 g de farine, un peu plus pour
  saupoudrer
1 pincée de sel
55 g de sucre, un peu plus
  pour saupoudrer

Préchauffer le four à 150 °C (th. 5). Beurrer un moule à tarte cannelé de 20 cm de diamètre à fond amovible.

Mettre la farine, le sel et le sucre dans une jatte et mélanger, puis incorporer le beurre avec les doigts. Continuer à mélanger jusqu'à obtention d'une pâte souple. Veiller à ne pas trop mélanger car les sablés en deviendraient durs.

Presser délicatement la pâte dans le moule à tarte. À défaut de moule cannelé, étaler la pâte sur du papier sulfurisé, déposer le tout sur une plaque de four et pincer les bords de façon à obtenir un effet cannelé.

Marquer 8 parts avec un couteau et piquer uniformément avec une fourchette. Cuire 45 à 50 minutes au four préchauffé, jusqu'à le sablé soit ferme et juste coloré. Laisser reposer quelques minutes dans le moule, puis saupoudrer de sucre. Couper en parts, transférer sur une grille et laisser refroidir complètement.

507 *Sablés vanille-citron*

Fendre une gousse de vanille en deux, prélever les graines et les ajouter à la farine avec le zeste finement râpé d'un citron.

175 g de beurre, ramolli
50 g de sucre glace,
    un peu plus pour saupoudrer
1 petit jaune d'œuf

2½ cuil. à café de cognac
375 g de farine
¼ de cuil. à café de levure
    chimique

Préchauffer le four à 180 °C (th. 6). Chemiser 2 ou 3 plaques de four de papier sulfurisé.

Mettre le beurre et le sucre glace dans une jatte et battre jusqu'à ce que le mélange blanchisse. Ajouter le jaune d'œuf et cognac, et battre jusqu'à obtention d'une consistance homogène. Tamiser la farine et la levure dans la jatte et battre vigoureusement, puis pétrir jusqu'à ce que la pâte soit souple.

Façonner de petites billes avec la pâte, puis les répartir sur les plaques en les espaçant bien et aplatir légèrement avec les doigts. Cuire 15 minutes au four préchauffé, jusqu'à ce que les sablés soient fermes au toucher et légèrement dorés. Pendant ce temps, tamiser du sucre glace dans un grand plat à rôti.

Laisser les sablés tiédir 2 à 3 minutes sur les plaques, puis les étaler dans le plat en une seule couche. Tamiser du sucre glace sur le dessus des sablés et laisser refroidir complètement.

509 *Sablés à la grecque aux amandes*

N'utiliser que 2 cuil. à café de cognac et ajouter ½ cuil. à café d'extrait d'amande. Remplacer 125 g de farine par de la poudre d'amandes.

510 *Sablés à la grecque aux pistaches*

Ajouter 50 g de pistaches hachées à la préparation après avoir incorporé la farine et la levure.

511 *Sablés à la grecque au citron*

Ajouter le zeste finement râpé d'un citron à la préparation avec le jaune d'œuf et remplacer le cognac par 2½ cuil. à café de jus de citron.

512 *Biscotti à la pistache*

225 g de beurre, ramolli
140 g de sucre
zeste finement râpé d'un citron
1 jaune d'œuf, légèrement battu
2 cuil. à café de cognac

280 g de farine
85 g de pistaches
1 pincée de sel
sucre glace, pour saupoudrer

Mettre le beurre, le sucre et le zeste de citron dans une jatte et battre jusqu'à ce que le mélange blanchisse, puis incorporer le jaune d'œuf et le cognac. Tamiser la farine, les pistaches et le sel dans la jatte et mélanger. Façonner la pâte en boudin, l'aplatir légèrement et l'envelopper de film alimentaire, puis la mettre au réfrigérateur 30 à 60 minutes.

Préchauffer le four à 190 °C (th. 6-7). Chemiser deux plaques de four de papier sulfurisé. Couper le boudin de pâte légèrement en biais en tranches de 5 mm d'épaisseur à l'aide d'un couteau cranté et répartir les tranches sur les plaques.

Cuire 10 minutes au four préchauffé, jusqu'à ce que les biscotti soient dorés. Laisser reposer 5 à 10 minutes, puis laisser refroidir complètement sur une grille. Saupoudrer de sucre glace tamisé.

513 *Biscotti aux noisettes*

Remplacer les pistaches par des noisettes et le zeste de citron par du zeste d'orange.

514 *Biscotti au citron et aux amandes*

beurre, pour graisser
280 g de farine, un peu plus pour
    saupoudrer
1 cuil. à café de levure chimique

150 g de sucre
85 g d'amandes mondées
2 gros œufs, légèrement battu
zeste finement râpé et jus d'un citron

Préchauffer le four à 180 °C (th. 6). Graisser une plaque de four. Tamiser la farine et la levure dans une jatte. Ajouter le sucre, les amandes, les œufs, le zeste de citron et le jus de citron, et mélanger jusqu'à obtention d'une pâte souple. Sur un plan de travail fariné, pétrir la pâte 2 à 3 minutes avec les mains farinées, jusqu'à ce qu'elle soit souple et homogène.

Diviser la pâte en deux et façonner chaque portion en un boudin de 4 cm de diamètre. Déposer les boudins sur la plaque et les aplatir de sorte qu'ils aient 2,5 cm d'épaisseur.

Cuire 25 minutes au four préchauffé, jusqu'à ce que les boudins soient légèrement dorés. Sortir les boudins du four et les laisser reposer 15 minutes. Réduire la température à 150 °C (th. 5).

À l'aide d'un couteau cranté, découper les boudins en tranches de 1 cm d'épaisseur et les répartir à plat sur des plaques de four beurrées. Cuire 10 minutes, retourner les tranches et cuire encore 10 à 15 minutes, jusqu'à ce que les biscotti soient dorés et croustillants. Transférer sur une grille et laisser refroidir et durcir.

515 *Biscotti à l'orange et aux noix*

Remplacer le zeste et le jus de citron par du zeste et du jus d'orange, puis les amandes par des cerneaux de noix concassés.

Biscotti aux amandes

250 g de farine, un peu plus
pour saupoudrer
1 cuil. à café de levure chimique
1 pincée de sel
150 g de sucre
2 œufs, légèrement battus
zeste finement râpé d'une orange
100 g d'amandes mondées,
légèrement grillées

Préchauffer le four à 180 °C (th. 6).
Saupoudrer légèrement une plaque
de four de farine. Tamiser la farine,
la levure et le sel dans une jatte.
Ajouter le sucre, les œufs et le zeste
d'orange, et mélanger jusqu'à
obtention d'une pâte. Incorporer
les amandes en pétrissant.

Diviser la pâte en deux et
façonner chaque portion en boudin
de 4 cm de diamètre. Déposer les
boudins sur la plaque et les Cuire
10 minutes au four préchauffé.
Laisser reposer 5 minutes.

À l'aide d'un couteau cranté,
couper les boudins de pâte en biais
en tranches de 1 cm d'épaisseur.
Déposer les tranches sur des
plaques de four non graissées et
cuire au four encore 15 minutes,
jusqu'à ce que les biscotti soient
légèrement dorés. Transférer sur
une grille pour laisser refroidir
et durcir.

517 *Biscotti amande-vanille*

Omettre le zeste d'orange râpé et ajouter 2 cuil. à café d'extrait de vanille
à la préparation avec les œufs. Parsemer les boudins de pâte avec 2 cuil.
à soupe d'amandes mondées avant la cuisson.

518 *Biscotti à l'eau de rose*

Omettre le zeste d'orange et ajouter 2 cuil. à café d'eau de rose à la préparation
avec les œufs. Avant la cuisson, battre 1 blanc d'œuf avec 1 cuil. à café d'eau,
en enduire les boudins de pâte et les saupoudrer avec 2 cuil. à soupe de sucre.

519 *Biscotti chocolat-amande*

beurre, pour graisser
150 g d'amandes mondées
150 g de chocolat noir,
brisé en morceaux
250 g de farine, un peu plus
pour saupoudrer
1 cuil. à café de levure chimique
150 g de sucre
2 gros œufs, légèrement battus
1 cuil. à café d'extrait de vanille

Préchauffer le four à 160 °C (th. 5-6). Graisser une plaque de four. Étaler les amandes sur une autre plaque et Cuire 5 à 10 minutes au four préchauffé, jusqu'à ce qu'elles soient légèrement grillées. Laisser refroidir.

Mettre le chocolat dans une jatte résistant à la chaleur et le faire fondre au-dessus d'une casserole d'eau frémissante. Retirer du feu, remuer puis laisser tiédir.

Tamiser la farine et la levure dans une jatte, ajouter le sucre, les amandes, le chocolat, les œufs et la vanille, et mélanger jusqu'à obtention d'une pâte souple.

Sur un plan fariné, pétrir la pâte 2 à 3 minutes avec les mains farinées, jusqu'à ce qu'elle soit souple. Diviser la pâte en deux et façonner les portions en boudins de 5 cm de diamètre. Mettre les boudins sur la plaque et les aplatir pour qu'ils aient 2,5 cm d'épaisseur.

Cuire 20 à 30 minutes au four préchauffé, jusqu'à ce que les boudins soient fermes. Laisser reposer 15 minutes. Réduire la température du four à 150 °C (th. 5). À l'aide d'un couteau cranté, détailler les boudins en tranches de 1 cm d'épaisseur et les mettre sur des plaques de four non graissées.

Cuire 10 minutes, retourner et cuire encore 10 à 15 minutes, jusqu'à ce que les biscotti soient dorés. Laisser durcir sur une grille.

520 *Biscotti aux deux chocolats*

Remplacer les amandes par 100 g de pépites de chocolat blanc et les ajouter à la préparation avec le sucre.

521 *Biscotti chocolat-orange*

Omettre les amandes et l'extrait de vanille, et ajouter le zeste finement râpé d'une orange et 100 g de zestes d'orange confits hachés avec le sucre.

100 g de chocolat noir,
brisé en morceaux
85 g de beurre, ramolli
140 g de sucre
2 gros œufs, légèrement battu
½ cuil. à café d'extrait de vanille

280 g de farine, un peu plus pour
saupoudrer
1½ cuil. à café de levure chimique
75 g d'amandes mondées, hachées
zeste finement râpé d'une orange

Préchauffer le four à 190 °C (th. 6-7). Mettre le chocolat dans une jatte résistant à la chaleur et le faire fondre au-dessus d'une casserole d'eau frémissante. Retirer du feu, remuer et laisser refroidir.

Mettre le beurre et le sucre dans une jatte et battre jusqu'à ce que le mélange blanchisse, puis incorporer les œufs et l'extrait de vanille. Tamiser la farine et la levure dans la jatte, ajouter les amandes et mélanger jusqu'à obtention d'une pâte souple. Diviser la pâte en deux et mettre une portion dans une autre jatte. Ajouter le chocolat fondu dans cette seconde jatte et mélanger. Ajouter le zeste d'orange râpé dans la première jatte et mélanger.

Déposer les portions de pâte sur un plan de travail fariné et les pétrir chacune 2 à 3 minutes avec les mains farinées, jusqu'à ce qu'elles soient souples. Diviser chaque portion de pâte en deux, puis façonner les quatre portions obtenues en boudins de 30 cm de longueur.

Placer les boudins côte à côte sur une plaque en alternant les couleurs et les torsader ensemble deux par deux pour obtenir deux boudins bicolores. Aplatir de sorte que les boudins aient 2,5 cm d'épaisseur. Cuire 25 minutes au four préchauffé, jusqu'à ce que les boudins soient légèrement dorés. Retirer du four et laisser refroidir 15 minutes. Réduire la température du four à 170 °C (th. 5-6).

À l'aide d'un couteau cranté, couper les boudins en tranches de 1 cm d'épaisseur. Déposer les tranches sur une plaque de four non graissée et cuire 10 minutes. Retourner les tranches et cuire encore 10 à 15 minutes, jusqu'à ce que les biscotti soient dorés et croustillants. Transférer sur une grille pour laisser refroidir et durcir.

55 g de beurre, ramolli, un peu plus
pour graisser
75 g de sucre
2 gros œufs, légèrement battu
225 g de farine, un peu plus pour
saupoudrer

1¼ cuil. à café de levure chimique
85 g de cerneaux de noix,
concassés
1¼ cuil. à café de romarin séché

Préchauffer le four à 190 °C (th. 6-7). Graisser une plaque de four.

Mettre le beurre et le sucre dans une jatte et battre jusqu'à ce que le mélange blanchisse, puis incorporer les œufs. Tamiser la farine et la levure dans la jatte, ajouter les noix et le romarin, et mélanger jusqu'à obtention d'une pâte souple.

Sur un plan de travail fariné, pétrir la pâte 2 à 3 minutes avec les mains farinées, jusqu'à ce qu'elle soit homogène. Diviser la pâte en deux et façonner chaque portion en un boudin de 4 cm de diamètre. Mettre les boudins sur la plaque et les aplatir de sorte qu'ils aient 2,5 cm d'épaisseur. Cuire 20 à 25 minutes au four préchauffé, jusqu'à ce que les boudins soient légèrement dorés. Sortir les boudins du four et les laisser refroidir 15 minutes.

Réduire la température du four à 160 °C (th. 5-6).

Avec un couteau cranté, couper les boudins en tranches de 1 cm d'épaisseur puis les déposer sur des plaques de four non graissées. Cuire 10 minutes, retourner les tranches et cuire encore 10 à 15 minutes, jusqu'à ce que les biscotti soient croustillants. Transférer sur une grille, puis laisser refroidir et durcir.

524 *Biscotti au citron et aux pignons*

Remplacer les noix par des pignons, puis le romarin par le zeste finement râpé d'un gros citron.

525 Biscotti aux abricots

beurre, pour graisser
150 g d'abricots secs moelleux, hachés
280 g de farine, un peu plus pour
saupoudrer
1 cuil. à café de levure chimique

150 g de sucre
2 gros œufs, légèrement battu
¼ de cuil. à café d'extrait d'amande
zeste finement râpé d'un citron

Préchauffer le four à 190 °C (th. 6-7). Graisser une plaque de four. Hacher les abricots à l'aide d'une paire de ciseaux de cuisine.

Tamiser la farine et la levure dans une jatte et ajouter les abricots et le sucre. Ajouter les œufs, l'extrait d'amande et le zeste de citron, et mélanger jusqu'à obtention d'une pâte souple.

Sur un plan de travail fariné, pétrir la pâte 2 à 3 minutes avec les mains farinées, jusqu'à ce qu'elle soit homogène. Diviser la pâte en deux et façonner les portions en boudins de 4 cm de diamètre. Mettre les boudins sur la plaque et les aplatir de sorte qu'ils aient 2,5 cm d'épaisseur.

Cuire 20 à 30 minutes au four préchauffé, jusqu'à ce que les boudins soient légèrement dorés. Sortir les boudins du four et les laisser refroidir 15 minutes. Réduire la température du four à 160 °C (th. 5-6). À l'aide d'un couteau cranté, couper les boudins en tranches de 1 cm d'épaisseur et déposer les tranches sur des plaques non graissées. Cuire 10 minutes au four préchauffé, retourner et cuire encore 10 minutes, jusqu'à ce que les biscotti soient croustillants. Transférer sur une grille et laisser refroidir et durcir.

526 Biscotti aux raisins secs

Remplacer les abricots par des raisins secs, et l'extrait d'amande par de l'extrait de vanille.

527 Biscotti au safran

beurre, pour graisser
100 g d'amandes mondées
280 g de farine, un peu plus pour
saupoudrer

½ cuil. à café de bicarbonate
150 g de sucre
2 pincées de pistils de safran
2 gros œufs, légèrement battus

Préchauffer le four à 190 °C (th. 6-7). Graisser une plaque de four. Étaler les amandes sur une autre plaque et les cuire 5 à 10 minutes au four préchauffé, jusqu'à ce qu'elles soient dorées. Laisser refroidir.

Tamiser la farine et le bicarbonate dans une jatte et ajouter le sucre, les amandes et le safran. Ajouter les œufs et mélanger jusqu'à obtention d'une pâte souple.

Sur un plan de travail fariné, pétrir la pâte 2 à 3 minutes avec les mains farinées, jusqu'à ce qu'elle soit homogène. Diviser la pâte en deux et façonner les portions en boudins de 4 cm de diamètre. Mettre les boudins sur la plaque et les aplatir de sorte qu'ils aient 2,5 cm d'épaisseur.

Cuire 20 à 30 minutes au four préchauffé, jusqu'à ce que les boudins soient légèrement dorés. Sortir les boudins du four et les laisser refroidir 15 minutes. Réduire la température du four à 160 °C (th. 5-6). À l'aide d'un couteau cranté, couper les boudins en tranches de 1 cm d'épaisseur et déposer les tranches sur des plaques non graissées. Cuire 10 minutes au four préchauffé, retourner et cuire encore 10 minutes, jusqu'à ce que les biscotti soient croustillants. Transférer sur une grille et laisser refroidir et durcir.

50 g de beurre, ramolli, un peu plus
pour graisser
100 g de sucre
2 gros œufs, légèrement battus
4 cuil. à café d'extrait de café

300 g de farine, un peu plus pour
saupoudrer
1 cuil. à café de levure chimique
1 cuil. à soupe de cacao en poudre
35 g d'amandes mondées hachées

Préchauffer le four à 190 °C (th. 6-7). Graisser une plaque de four.
Mettre le beurre et le sucre dans une jatte et battre jusqu'à ce que
le mélange blanchisse, puis incorporer les œufs et l'extrait de café.
Tamiser la farine, la levure et le cacao dans la jatte, ajouter les amandes
et mélanger jusqu'à obtention d'une pâte souple.

Sur un plan de travail fariné, pétrir la pâte 2 à 3 minutes avec les mains
farinées, jusqu'à ce qu'elle soit homogène. Diviser la pâte en deux et
façonner les portions en boudins de 4 cm de diamètre. Mettre les boudins
sur la plaque et les aplatir de sorte qu'ils aient 2,5 cm d'épaisseur.

Cuire 20 à 25 minutes au four préchauffé, jusqu'à ce que les boudins
soient fermes au toucher. Sortir les boudins du four et les laisser
refroidir 15 minutes. Réduire la température du four à 160 °C (th. 5-6).
À l'aide d'un couteau cranté, couper les boudins en tranches de 1 cm
d'épaisseur et déposer les tranches sur des plaques non graissées. Cuire
10 minutes au four préchauffé, retourner et cuire encore 10 minutes,
jusqu'à ce que les biscotti soient croustillants. Transférer sur une grille
et laisser refroidir et durcir.

529 *Biscotti au miel et aux graines de sésame*

POUR 20 BISCOTTI

40 g de beurre, ramolli, un peu plus
pour graisser
4 cuil. à soupe de sucre
2 gros œufs, légèrement battus
85 g de miel liquide

300 g de farine, un peu plus
pour saupoudrer
1 cuil. à café de levure chimique
5 cuil. à soupe de graines de sésame

Préchauffer le four à 190 °C (th. 6-7). Graisser une plaque de four. Mettre
le beurre et le sucre dans une jatte et battre jusqu'à ce que le mélange
blanchisse, puis incorporer les œufs et le miel. Tamiser la farine et la
levure dans la jatte, ajouter 3 cuillerées à soupe de graines de sésame
et mélanger jusqu'à obtention d'une pâte souple.

Sur un plan de travail fariné, pétrir la pâte 2 à 3 minutes avec les mains
farinées, jusqu'à ce qu'elle soit homogène. Diviser la pâte en deux et
façonner les portions en boudins de 4 cm de diamètre. Étaler les graines
de sésame restantes sur une feuille de papier sulfurisé et y passer les
boudins de façon à bien les enrober. Mettre les boudins sur la plaque
et les aplatir de sorte qu'ils aient 2,5 cm d'épaisseur. Parsemer avec
les éventuelles graines de sésame restantes et presser légèrement.

Cuire 15 à 20 minutes au four préchauffé, jusqu'à ce que les boudins
soient légèrement dorés. Sortir les boudins du four et les laisser refroidir
15 minutes. Réduire la température du four à 160 °C (th. 5-6). À l'aide
d'un couteau cranté, couper les boudins en tranches de 1 cm d'épaisseur
et déposer les tranches sur des plaques non graissées. Cuire 10 minutes
au four préchauffé, retourner et cuire encore 10 minutes, jusqu'à ce que
les biscotti soient croustillants. Transférer sur une grille et laisser
refroidir et durcir.

Biscotti épicés

50 g de beurre, ramolli, un peu plus
  pour graisser
50 g de sucre blanc
50 g de sucre blond
2 gros œufs, légèrement battus
280 g de farine, un peu plus pour
  saupoudrer

1¼ cuil. à café de levure chimique
¼ de cuil. à café de cannelle en poudre
¼ de cuil. à café de noix muscade
¼ de cuil. à café de gingembre
  en poudre
100 g d'amandes mondées, hachées

Préchauffer le four à 190 °C
(th. 6-7). Graisser une plaque de
four. Mettre le beurre et les sucres
dans une jatte et battre jusqu'à
ce que le mélange blanchisse, puis
incorporer les œufs. Tamiser
la farine, la levure et les épices
dans la jatte, ajouter les amandes
après en avoir réservé 2 cuillerées
à soupe, et mélanger jusqu'à
obtention d'une pâte souple.

Sur un plan de travail fariné,
pétrir la pâte 2 à 3 minutes avec les
mains farinées, jusqu'à ce qu'elle
soit homogène. Diviser la pâte
en deux et façonner les portions
en boudins de 4 cm de diamètre.
Mettre les boudins sur la plaque
et les aplatir de sorte qu'ils aient
2,5 cm d'épaisseur. Parsemer avec
les amandes réservées et presser
légèrement.

Cuire 20 à 25 minutes au four
préchauffé, jusqu'à ce que
les boudins soient légèrement
dorés. Sortir les boudins du four
et les laisser refroidir 15 minutes.
Réduire la température du four
à 160 °C (th. 5-6). À l'aide
d'un couteau cranté, couper les
boudins en tranches de 1 cm
d'épaisseur et déposer les tranches
sur des plaques non graissées.
Cuire 10 minutes au four préchauffé,
retourner et cuire encore 10 minutes,
jusqu'à ce que les biscotti soient
croustillants. Transférer sur une
grille et laisser refroidir et durcir.

Biscotti aux cerises et aux amandes

50 de beurre, ramolli,
  un peu plus pour graisser
100 g de sucre
1 gros œuf, légèrement battu
200 g de farine, un peu plus
  pour saupoudrer
1¼ cuil. à café de levure chimique
100 g de cerises confites,
  coupées en deux
35 g d'amandes mondées,
  concassées

Préchauffer le four à 190 °C
(th. 6-7). Graisser une plaque de
four. Mettre le beurre et le sucre
dans une jatte et battre jusqu'à ce
que le mélange blanchisse, puis
incorporer l'œuf. Tamiser la farine
et la levure dans la jatte, ajouter
les cerises et les amandes,
et mélanger jusqu'à obtention
d'une pâte souple. Sur un plan
de travail fariné, pétrir la pâte

2 à 3 minutes avec les mains
farinées, jusqu'à ce qu'elle soit
homogène. Diviser la pâte
en deux et façonner les portions
en boudins de 4 cm de diamètre.
Mettre les boudins sur la plaque
et les aplatir de sorte qu'ils aient
2,5 cm d'épaisseur.

Cuire 20 à 25 minutes au four
préchauffé, jusqu'à ce que
les boudins soient légèrement
dorés. Sortir les boudins du four
et les laisser refroidir 15 minutes.
Réduire la température du four
à 160 °C (th. 5-6). À l'aide
d'un couteau cranté, couper les
boudins en tranches de 1 cm

d'épaisseur et déposer les tranches
sur des plaques non graissées.
Cuire 10 minutes au four préchauffé,
retourner et cuire encore 10 minutes,
jusqu'à ce que les biscotti soient
croustillants. Transférer sur une
grille et laisser refroidir et durcir.

Biscotti aux fruits rouges

Remplacer les cerises par 75 g de canneberges séchées et 25 g de myrtilles séchées.

Biscotti aux cerises multicolores

Utiliser des cerises confites de couleurs variées.

225 g de flocons d'avoine, un peu plus
pour saupoudrer
½ cuil. à café de bicarbonate
½ cuil. à café de sel
15 g de beurre, fondu
150 g d'eau chaude

Préchauffer le four à 180 °C (th. 6). Mettre les flocons d'avoine et le bicarbonate dans une jatte et incorporer le sel, puis creuser un puits au centre. Verser le beurre fondu et l'eau dans le puits et mélanger jusqu'à obtention d'une pâte souple.

Abaisser la pâte sur un plan de travail parsemé de flocons d'avoine et découper des biscuits à l'aide d'un emporte-pièce. Abaisser les chutes et découper davantage de biscuits. Mettre les biscuits sur deux plaques de four antiadhésives.

Cuire 20 minutes au four préchauffé, en retournant les biscuits trois fois au cours de la cuisson. Laisser refroidir complètement sur une grille.

535 *Agrémentés de canneberges*

Incorporer 50 g de canneberges séchées à la pâte avant de l'abaisser.

536 *Bonshommes au gingembre* POUR 20 BISCUITS

115 g de beurre, un peu plus
pour graisser
450 g de farine, un peu plus
pour saupoudrer
2 cuil. à café de gingembre
en poudre
1 cuil. à café de quatre-épices
2 cuil. à café de bicarbonate
100 g de golden syrup
115 g de sucre roux
1 œuf, légèrement battu

DÉCORATION
raisins secs
cerises confites
85 g de sucre glace
3 à 4 cuil. à café d'eau

Préchauffer le four à 160 °C (th. 5-6). Graisser trois plaques de four. Tamiser la farine, les épices et le bicarbonate dans une jatte. Mettre le beurre, le golden syrup et le sucre dans une casserole et chauffer à feu doux jusqu'à ce que le tout ait fondu. Verser le tout dans la jatte et ajouter l'œuf. Mélanger jusqu'à obtention d'une pâte homogène, qui sera de moins en moins collante en refroidissant.

Abaisser la pâte sur un plan de travail fariné de sorte qu'elle ait 3 mm d'épaisseur et découper des bonshommes. Abaisser les chutes et découper davantage de biscuits. Déposer les bonshommes sur les plaques et les décorer de raisins secs pour les yeux et de cerises confites pour la bouche.

Cuire 15 à 20 minutes au four préchauffé, jusqu'à ce que les biscuits soient fermes et légèrement dorés. Laisser reposer sur les plaques quelques minutes, puis transférer sur une grille et laisser refroidir complètement.

Mettre le sucre glace et l'eau dans un petit bol et mélanger jusqu'à épaississement. Transférer le glaçage dans une poche à douille munie d'un embout très fin et dessiner des boutons ou des nœuds papillons sur les biscuits.

537 *Arche de Noé au gingembre*

Utiliser des emporte-pièces en formes d'animaux plutôt que de bonshommes. Offrir en cadeau une boîte symbolisant l'arche de Noé contenant deux bonshommes et des animaux.

125 g de farine, un peu plus pour
  saupoudrer
150 g de fromage à pâte dure affiné,
  râpé
1 jaune d'œuf

150 g de beurre, coupé en dés,
  un peu plus pour graisser
graines de sésame, pour parsemer

Mettre la farine et le fromage dans une jatte, mélanger et incorporer
le beurre avec les doigts. Ajouter le jaune d'œuf et mélanger jusqu'à
obtention d'une pâte. Envelopper de film alimentaire et mettre au
réfrigérateur 30 minutes.

Préchauffer le four à 200 °C (th. 6-7). Graisser légèrement plusieurs
plaques de four. Abaisser finement la pâte sur un plan de travail fariné.
Découper des ronds à l'aide d'un emporte-pièce de 6 cm de diamètre.
Abaisser les chutes pour découper des ronds supplémentaires pour en
obtenir 35 au total, puis les répartir sur les plaques. Parsemer de graines
de sésame.

Cuire 10 minutes au four préchauffé, jusqu'à ce que les sablés
soient légèrement dorés. Transférer sur une grille et laisser tiédir avant
de servir.

539 *Petits sablés au gruyère*

Utiliser spécifiquement du gruyère affiné.

115 g de farine, un peu plus
  pour saupoudrer
1 pincée de sel
1 cuil. à café de poudre de curry
55 g de fromage râpé

4 cuil. à soupe de beurre, un peu plus
  pour graisser
1 œuf, légèrement battu
graines de sésame et de pavot,
  pour parsemer

Tamiser la farine, le sel et la poudre de curry dans une jatte, puis incorporer
le beurre avec les doigts de façon à obtenir une consistance de chapelure.
Ajouter le fromage et la moitié de l'œuf, et mélanger jusqu'à obtention
d'une pâte. Envelopper de film alimentaire et réfrigérer 30 minutes.

Préchauffer le four à 200 °C (th. 6-7). Graisser plusieurs plaques
de four. Abaisser la pâte sur un plan de travail fariné de sorte qu'elle ait
5 mm d'épaisseur, puis couper des lanières de 7,5 x 1 cm. Pincer légèrement
le bord des lanières et les déposer sur les plaques.

Enduire les lanières avec l'œuf battu restant et parsemer la moitié
des lanières avec les graines de sésame, et l'autre moitié avec les graines
de pavot. Cuire 10 à 15 minutes au four préchauffé, jusqu'à ce que
les lanières soient dorées. Transférer sur une grille et laisser refroidir.

541 *Sablés au fromage et au céleri*

Remplacer la poudre de curry par 1½ cuil. à café de sel de céleri.

542 Gressins

350 g de farine, un peu plus pour
    saupoudrer
1½ cuil. à café de sel
1½ cuil. à café de levure de boulanger
    déshydratée

200 ml d'eau tiède
3 cuil. à soupe d'huile d'olive,
    un peu plus pour graisser
graines de sésame, pour parsemer

Tamiser la farine et le sel dans une jatte tiède, ajouter la levure et creuser un puits au centre. Verser l'eau et l'huile dans le puits et mélanger jusqu'à obtention d'une pâte souple. Sur un plan fariné, pétrir la pâte 5 à 10 minutes, jusqu'à ce qu'elle soit lisse et élastique. Mettre la pâte dans une jatte huilée, couvrir d'un torchon humide et laisser lever 1 heure près d'une source de chaleur jusqu'à ce qu'elle ait doublé de volume.

Préchauffer le four à 200 °C (th. 6-7). Graisser légèrement deux plaques de four. Pétrir légèrement la pâte sur un plan fariné, puis l'abaisser en un rectangle de 23 x 20 cm. Couper le rectangle en 3 lanières de 20 cm de longueur, puis couper chaque lanière en 10 morceaux. Façonner chaque morceau en un bâtonnet de 30 cm et les enduire d'huile.

Étaler les graines de sésame sur une assiette et y rouler les bâtonnets. Les mettre sur les plaques en les espaçant bien, les enduire d'huile et couvrir d'un torchon humide. Laisser lever 15 minutes près d'une source de chaleur.

Cuire 10 minutes au four préchauffé, retourner les bâtonnets et cuire encore 5 à 10 minutes, jusqu'à ce qu'ils soient dorés. Laisser refroidir sur une grille.

543 Gressins aux graines

Piler 1 cuil. à soupe de graines de cumin et de coriandre, ajouter 1 cuil. à soupe de graines de pavot et de sésame, et en enduire les gressins.

544 Craquelins aux flocons d'avoine

100 g de beurre, un peu plus
    pour graisser
90 g de flocons d'avoine
2 cuil. à soupe de farine complète
½ cuil. à café de gros sel

1 cuil. à café de thym séché
40 g de cerneaux de noix,
    finement hachés
1 œuf, légèrement battu
40 g de graines de sésame

Préchauffer le four à 180 °C (th. 6). Graisser deux plaques de four. Mettre les flocons d'avoine et la farine dans une jatte et incorporer le beurre avec les doigts. Ajouter le sel, le thym, les noix et l'œuf, puis mélanger jusqu'à obtention d'une pâte souple. Étaler les graines de sésame sur une grande assiette.

Façonner des billes avec la pâte, puis les roules dans les graines de sésame de façon à les enrober. Déposer les billes sur les plaques en les espaçant bien et les aplatir le plus possible à l'aide d'un rouleau à pâtisserie.

Cuire 12 à 15 minutes au four préchauffé, jusqu'à ce que les craquelins soient fermes et légèrement dorés. Laisser reposer 3 à 4 minutes, puis transférer sur une grille et laisser refroidir complètement.

545 Craquelins épicés

Ajouter ½ cuil. à café de cumin en poudre et ½ cuil. à café de graines de coriandre pilées à la pâte, et remplacer la moitié des graines de sésame par 2 cuil. à soupe de graines de pavot.

Brownies
et petits pavés

225 g de beurre, coupé en dés, un peu
    plus pour graisser
150 g de chocolat noir, haché
225 g de farine levante
125 g de sucre roux
4 œufs, légèrement battus

60 g de noisettes mondées, hachées
60 g de raisins secs
100 g de pépites de chocolat
115 g de chocolat blanc, fondu,
    pour décorer

Préchauffer le four à 180 °C (th. 6). Graisser et chemiser un moule
de 28 x 18 cm. Mettre le beurre et le chocolat dans une casserole
et chauffer à feu doux sans cesser de remuer jusqu'à ce que le tout
ait fondu. Retirer du feu.

Tamiser la farine dans une jatte, ajouter le sucre et bien mélanger.
Incorporer les œufs dans la casserole, puis ajouter le tout dans la jatte
en battant bien. Ajouter les noisettes, les raisins secs et les pépites de
chocolat, et mélanger. Répartir la préparation dans le moule et lisser
la surface.

Cuire 30 minutes au four préchauffé, jusqu'à ce que le brownie soit
ferme et que la pointe d'un couteau piquée au centre ressorte sans
trace de pâte. Laisser reposer 15 minutes, puis démouler sur une grille
et laisser refroidir complètement.

Pour décorer, arroser le brownie de chocolat blanc fondu, puis
le couper en carrés. Laisser prendre avant de servir.

547 *Brownies aux billes de chocolat*

Remplacer le sucre roux par du sucre blanc, et les raisins secs par 150 g
de billes de chocolat enrobées de sucre.

548 *Brownies datte-chocolat*

Remplacer les noisettes, les raisins secs et les pépites de chocolat par 175 g de
dattes sèches hachées. Décorer de chocolat au lait plutôt que de chocolat blanc.

549 *Brownies chocolat-piment*

Ajouter ¼ de cuil. à café de flocons de piment dans la casserole contenant
le chocolat et le beurre fondu.

550 Brownies au cappuccino

225 g de beurre, ramolli, un peu plus
    pour graisser
225 g de farine levante
1 cuil. à café de levure chimique
1 cuil. à café de cacao en poudre
    amer, un peu plus
    pour saupoudrer
200 g de sucre
4 œufs, légèrement battus

3 cuil. à soupe de café soluble, dissous
    dans 2 cuil. à soupe d'eau chaude,
    refroidi

NAPPAGE AU CHOCOLAT BLANC
115 g de chocolat blanc, concassé
4 cuil. à soupe de beurre, ramolli
3 cuil. à soupe de lait
175 g de sucre glace

Préchauffer le four à 180 °C (th. 6). Graisser et chemiser le fond d'un moule de 28 x 18 cm. Tamiser la farine, la levure, et le cacao dans une jatte et ajouter le beurre, le sucre, les œufs et le café. Battre jusqu'à obtention d'une consistance homogène, puis répartir dans le moule et lisser la surface.

Cuire 35 à 40 minutes au four préchauffé, jusqu'à ce que le brownie ait levé et soit ferme.

Laisser reposer dans le moule 10 minutes, puis démouler sur une grille et ôter le papier sulfurisé. Laisser refroidir complètement.

Pour le nappage, mettre le chocolat, le beurre et le lait dans une casserole et chauffer à feu doux sans cesser de remuer jusqu'à ce que le chocolat ait fondu. Retirer la casserole du feu et y tamiser le sucre glace. Battre jusqu'à obtention d'une consistance homogène, puis napper le brownie. Saupoudrer de cacao tamisé et couper en carrés.

551 Brownies et leur nappage au café

Remplacer le nappage au chocolat blanc par un nappage au café. Faire fondre 4 cuil. à soupe de beurre dans une petite casserole avec 3 cuil. à soupe de lait, puis ajouter 4 cuil. à café de café soluble. Tamiser 225 g de sucre glace dans une jatte incorporer la préparation au café. Laisser tiédir jusqu'à épaississement, puis napper le brownie et laisser prendre avant de couper en carrés.

552 Brownies à la russe

115 g de beurre, un peu plus
    pour graisser
115 g de chocolat noir, haché
½ cuil. à café de grains de poivre
    concassés
4 œufs, légèrement battus
250 g de sucre
½ cuil. à café d'extrait de vanille
3 cuil. à soupe de liqueur de café
2 cuil. à soupe de vodka

125 g de farine
¼ de cuil. à café de levure chimique
55 g de noix concassées, un peu plus
    pour décorer
cacao en poudre amer, pour saupoudrer

GARNITURE
2 cuil. à soupe de liqueur de café
200 g de crème aigre

Préchauffer le four à 180 °C (th. 6). Graisser et chemiser le fond d'un moule de 30 x 20 cm. Mettre le chocolat, le beurre et les grains de poivre dans une petite casserole et chauffer à feu doux jusqu'à ce que le chocolat et le beurre aient fondu. Laisser tiédir.

Mettre les œufs, le sucre et l'extrait de vanille dans une jatte, bien battre le tout et incorporer la préparation à base de chocolat, la liqueur de café et la vodka. Tamiser la farine et la levure dans la jatte et mélanger. Ajouter les noix et répartir la préparation dans le moule. Cuire 20 à 25 minutes au four préchauffé, jusqu'à ce que le brownie soit ferme au toucher. Laisser reposer quelques minutes, puis couper en pavés ou en rectangles, et dresser sur des assiettes à dessert.

Pour la garniture, incorporer la liqueur à la crème aigre, et garnir les brownies. Saupoudrer d'un peu de cacao, décorer de noix et servir immédiatement.

115 g de beurre, plus extra pour graisser
85 g de farine
½ cuil. à café de levure chimique
55 g de cacao en poudre amer
2 œufs, légèrement battus
175 g de sucre
1 cuil. à café d'extrait de vanille
½ cuil. à café d'extrait d'amande

140 g de cerises noires dénoyautées,
    coupées en quartiers
copeaux de chocolat et cerises fraîches
    entières, pour décorer

CRÈME À LA CERISE
150 ml de crème fraîche épaisse
1 cuil. à soupe de kirsch

Préchauffer le four à 180 °C (th. 6). Graisser un moule de 28 x 18 cm. Tamiser la farine et la levure. Mettre le beurre dans une grande casserole et chauffer à feu moyen sans cesser de remuer jusqu'à ce qu'il ait fondu. Retirer du feu, ajouter le cacao et remuer jusqu'à obtention d'une consistance homogène. Incorporer les œufs, le sucre, l'extrait de vanille et l'extrait d'amande, puis la farine et la levure tamisées ainsi que les cerises. Répartir la préparation dans le moule.

Cuire 25 à 30 minutes au four préchauffé, jusqu'à ce que le brownie soit juste ferme au toucher. Laisser tiédir, puis couper en carrés et démouler.

Pour la crème à la cerise, fouetter la crème fraîche avec le kirsch, en garnir les brownies et décorer de copeaux de chocolat et de cerises.

554 *Brownies chocolat-framboise*

Remplacer les cerises par des framboises. Pour servir, fouetter la crème fraîche avec 1 cuil. à soupe de crème de framboise et servir garni de framboises fraîches.

555 *Brownies chocolat-myrtille*

Remplacer les cerises par des myrtilles. Pour servir, fouetter la crème fraîche avec 1 cuil. à soupe de crème de myrtille et servir garni de myrtilles fraîches.

115 g de beurre, un peu plus
pour graisser
115 g de chocolat noir,
brisé en morceaux
300 g de sucre
1 pincée de sel
1 cuil. à café d'extrait de vanille
2 gros œufs
125 g de farine
2 cuil. à soupe de cacao
en poudre amer
100 g de pépites de chocolat blanc

SAUCE AU CARAMEL
4 cuil. à soupe de beurre
200 g de sucre
150 ml de lait
250 ml de crème fraîche épaisse
225 g de golden syrup
200 g de chocolat noir,
brisé en morceaux

Préchauffer le four à 180 °C (th. 6). Graisser et chemiser le fond d'un moule carré de 18 cm. Mettre le beurre et le chocolat dans une casserole et chauffer à feu doux sans cesser de remuer jusqu'à ce qu'ils aient fondu. Retirer du feu, mélanger et laisser tiédir. Incorporer le sucre, le sel et l'extrait de vanille, puis ajouter les œufs un à un en battant bien après chaque ajout.

Tamiser la farine et le cacao dans la préparation et bien battre le tout. Ajouter les pépites de chocolat, puis répartir la préparation dans le moule.

Cuire 35 à 40 minutes au four préchauffé, jusqu'à ce que la pointe d'un couteau piquée au centre ressorte sèche. Laisser tiédir.

Mettre le beurre, le sucre, le lait, la crème fraîche et le golden syrup dans une petite casserole et chauffer

à feu doux jusqu'à ce que le sucre soit dissous. Porter à ébullition et cuire 10 minutes sans cesser de

remuer. Retirer du feu et incorporer le chocolat. Couper le brownie en carrés et servir nappé de sauce.

557 *Brownies aux deux caramels*

Remplacer les pépites de chocolat blanc par du caramel dur concassé.

115 g de beurre, un peu plus
pour graisser
140 g de farine levante, un peu plus
pour saupoudrer
4 cuil. à soupe de cacao en poudre amer
200 g de sucre blond
2 œufs, légèrement battus
115 g de canneberges fraîches
GARNITURE

150 ml de crème aigre
1 cuil. à soupe de sucre
1 cuil. à soupe de farine levante
1 jaune d'œuf
½ cuil. à café d'extrait de vanille

Préchauffer le four à 180 °C (th. 6). Graisser et fariner légèrement un moule de 30 x 20 cm. Mettre le beurre, le cacao et le sucre dans une casserole et chauffer à feu doux sans cesser de remuer jusqu'à ce que le tout ait juste fondu. Laisser tiédir légèrement, puis incorporer la farine et les œufs. Battre vigoureusement jusqu'à obtention d'une préparation homogène. Incorporer les canneberges, puis répartir la préparation dans le moule.

Pour la garniture, mettre tous les ingrédients dans une jatte et battre jusqu'à obtention d'une consistance homogène. Répartir la garniture dans le moule et lisser à l'aide d'une spatule. Cuire 35 à 40 minutes au four préchauffé, jusqu'à ce que le brownie ait levé et soit ferme. Laisser reposer dans le moule, puis couper en carrés.

BASE DU BROWNIE	GARNITURE
115 g de beurre, un peu plus	*500 g de fromage frais*
pour graisser	*125 g de sucre*
115 g de farine, un peu plus	*3 œufs*
pour saupoudrer	*1 cuil. à café d'extrait de vanille*
115 g de chocolat noir	*115 g de yaourt nature*
200 g de sucre	*chocolat fondu, pour arroser*
2 œufs, légèrement battus	*fraises fraîches plongées dans du chocolat*
50 ml de lait	*noir fondu, pour décorer*

Préchauffer le four à 180 °C (th. 6). Graisser et fariner légèrement un moule de 23 cm de diamètre. Mettre le beurre et le chocolat dans une casserole et chauffer à feu doux sans cesser de remuer jusqu'à ce qu'ils aient fondu. Retirer du feu et incorporer le sucre. Ajouter les œufs et le lait, et bien battre le tout. Incorporer la farine et mélanger. Répartir la préparation dans le moule.

Cuire 25 minutes au four préchauffé. Sortir le brownie du four et réduire la température du four à 160 °C (th. 5-6).

Pour la garniture, mettre le fromage frais, le sucre, les œufs et l'extrait de vanille dans une jatte et bien battre le tout. Incorporer le yaourt, puis répartir le tout sur le brownie. Cuire encore 45 à 55 minutes, jusqu'à ce que le centre ait presque pris.

Passer la lame d'un couteau contre les parois du moule pour décoller le brownie, puis laisser refroidir avant de démouler.

Mettre au réfrigérateur 4 heures à une nuit avant de couper le brownie en parts. Arroser de chocolat fondu et servir accompagné de fraises fraîches plongées dans du chocolat fondu.

560 *Brownies façon cheesecake à la pêche*

Pour la garniture, replacer l'extrait de vanille par du zeste d'orange finement râpé, et utiliser du yaourt aromatisé à la pêche.

561 *Brownie façon cheesecake chocolaté*

Pour la garniture, omettre le yaourt et incorporer 125 g de chocolat blanc fondu 100 ml de crème fraîche épaisse après avoir ajouté l'extrait de vanille.

*225 g de beurre, ramolli,
un peu plus pour graisser
150 g de chocolat noir,
brisé en morceaux
280 g de farine
100 g de sucre
4 œufs, légèrement battus
75 g de pistaches, hachées
100 g de chocolat blanc,
grossièrement concassé
sucre glace, pour saupoudrer
(facultatif)*

Préchauffer le four à 180 °C (th. 6). Graisser légèrement et chemiser un moule carré de 23 cm de côté.

Mettre le beurre et le chocolat dans une casserole et chauffer à feu doux sans cesser de remuer jusqu'à ce qu'ils aient fondu. Laisser tiédir.

Tamiser la farine dans une jatte et incorporer le sucre.

Incorporer les œufs dans la casserole, puis ajouter le tout dans la jatte et battre vigoureusement. Incorporer les pistaches et le chocolat blanc, puis répartir la préparation dans le moule.

Cuire 30 à 35 minutes au four préchauffé, jusqu'à ce que le brownie soit ferme au toucher. Laisser reposer dans le moule 20 minutes, puis démouler sur une grille et laisser refroidir. Couper en 12 pavés et saupoudrer éventuellement de sucre glace.

563 **Brownies au beurre de cacahuètes**

Remplacer les pistaches par des cacahuètes et le chocolat blanc par du beurre de cacahuètes.

564 **Brownies menthe-chocolat**

Remplacer les pépites de chocolat et les pistaches par 175 g de chocolat à la menthe grossièrement concassé.

565 Brownies allégés à la banane

beurre, pour graisser	150 g de sucre blond
115 g de farine	2 blancs d'œufs
3 cuil. à soupe de cacao en poudre amer	150 g de yaourt nature allégé
2 cuil. à soupe de lait en poudre	graines de 2 gousses de cardamome, pilées
¼ de cuil. à café de levure chimique	copeaux noix de coco déshydratés grillés,
¼ de cuil. à café de sel	pour décorer
2 bananes mûres	

Préchauffer le four à 180 °C (th. 6). Graisser un moule carré de 23 cm de côté. Tamiser la farine, le cacao, le lait en poudre, la levure et le sel dans une jatte et creuser un puits au centre.

Réduire les bananes en purée, ajouter le sucre, les blancs d'œufs, le yaourt et les graines de cardamome, et bien battre le tout. Incorporer le mélange obtenu aux ingrédients secs, puis répartir la préparation obtenue dans le moule.

Cuire 25 à 30 minutes au four préchauffé, jusqu'à ce que le brownie soit juste ferme. Laisser reposer dans le moule, puis couper en carrés et décorer de copeaux de noix de coco grillés.

566 Brownies épicés à la banane

Préparer les brownies avec du yaourt nature allégé, et ajouter 40 g de noix ou de noix de pécan hachées. Remplacer les graines de cardamome par ¼ de cuil. à café de noix muscade fraîchement râpée.

567 Brownies pistache-sirop d'érable

175 g de beurre, un peu plus	GLAÇAGE AU SIROP D'ÉRABLE
pour graisser	115 g de chocolat noir
115 g de chocolat noir	115 g de crème aigre
250 g de sucre	2 cuil. à soupe de sirop d'érable
4 œufs, légèrement battus	
1 cuil. à café d'extrait de vanille	
200 g de farine	
85 g de pistaches, mondées et hachées	

Préchauffer le four à 190 °C (th. 6-7). Graisser légèrement un moule de 30 x 20 cm. Mettre le chocolat et le beurre dans une petite casserole et chauffer à feu très doux jusqu'à ce qu'ils aient fondu. Retirer du feu.

Mettre le sucre, les œufs et l'extrait de vanille dans une jatte et battre jusqu'à ce que le mélange blanchisse. Incorporer le contenu de la casserole, ainsi que la farine et 55 g de pistaches. Répartir la préparation dans le moule et lisser la surface. Cuire 25 à 30 minutes au four préchauffé, jusqu'à ce que le brownie soit ferme et légèrement doré. Laisser reposer dans le moule.

Pour le glaçage, mettre le chocolat dans une jatte résistant à la chaleur et le faire fondre au-dessus d'une casserole d'eau frémissante. Incorporer la crème aigre et le sirop d'érable, et battre jusqu'à obtention d'une consistance homogène et brillante. Répartir le glaçage sur le brownie, puis parsemer des pistaches restantes. Laisser prendre, puis couper en carrés et servir.

568 Brownies pécan-sirop d'érable

Remplacer les pistaches par des noix de pécan et préparer éventuellement le glaçage avec du chocolat au lait.

569 Brownies au moka

55 g de beurre, un peu plus pour graisser
115 g de chocolat noir, brisé en morceaux
175 g de sucre roux
2 œufs
1 cuil. à soupe de café soluble dissous
    dans 1 cuil. à soupe d'eau chaude,
    refroidi
85 g de farine

½ cuil. à café de levure chimique
55 g de noix de pécan,
    concassées

GARNITURE
200 g de sucre glace
1 à 2 cuil. à soupe d'eau
noix de pécan concassées

Préchauffer le four à 180 °C (th. 6). Graisser et chemiser le fond d'un moule carré de 20 cm de côté. Mettre le beurre et le chocolat dans une casserole et chauffer à feu doux sans cesser de remuer jusqu'à ce qu'ils aient fondu. Laisser refroidir.

    Mettre le sucre et les œufs dans une jatte et battre jusqu'à ce que le mélange blanchisse. Incorporer le contenu de la casserole et le café, et bien mélanger le tout. Tamiser la farine et la levure dans la jatte et mélanger délicatement. Incorporer les noix de pécan et répartir la préparation dans le moule. Cuire 25 à 30 minutes au four préchauffé, jusqu'à ce que le brownie soit ferme et que la pointe d'un couteau piquée au centre ressorte sans trace de pâte.

Passer la lame d'un couteau contre les parois du moule pour décoller le brownie. Démouler sur une grille, ôter le papier sulfurisé et laisser refroidir. Couper le brownie en carrés et les dresser dans des assiettes creuses ou des coupelles.

    Délayer le sucre glace dans l'eau de façon à obtenir une consistance homogène, puis en arroser les brownies. Parsemer de noix de pécan et servir immédiatement.

570 Brownies au mochachino et sauce au moka

115 g de beurre, un peu plus pour graisser
115 g de chocolat noir
2 cuil. à soupe de café serré
250 g de sucre
½ cuil. à café de cannelle en poudre
3 œufs, légèrement battus
85 g de farine
55 g de pépites de chocolat au lait

55 g de noix grillées et concassées,
    un peu plus pour décorer

SAUCE AU MOKA
100 ml de crème fraîche épaisse
85 g de chocolat blanc,
    brisé en morceaux
1 cuil. à soupe de café serré

Préchauffer le four à 180 °C (th. 6). Graisser et chemiser un moule carré de 23 cm de côté.

    Mettre le beurre, le chocolat et le café dans une casserole et chauffer à feu doux sans cesser de remuer jusqu'à ce que le tout ait fondu. Laisser tiédir, puis ajouter le sucre, la cannelle et les œufs. Incorporer la farine, les pépites de chocolat et les noix, et répartir la préparation dans le moule.

    Cuire 30 à 35 minutes au four préchauffé, jusqu'à ce que le brownie soit juste ferme et toujours moelleux au centre. Laisser refroidir dans le moule et couper en carrés.

    Pour la sauce, mettre tous les ingrédients dans une casserole et chauffer à feu doux sans cesser de remuer jusqu'à obtention d'une consistance homogène.

    Dresser les brownies sur des assiettes à dessert et napper de sauce chaude. Décorer de cerneaux de noix et servir.

571 Et sauce au cognac

Pour la sauce, remplacer le chocolat blanc par du chocolat noir. Chauffer la crème fraîche épaisse et le chocolat dans une casserole à feu doux et remuer jusqu'à obtention d'une consistance homogène. Retirer du feu et incorporer 1 cuil. à soupe de cognac plutôt que de café.

*225 g de beurre, un peu plus
pour graisser*
*70 g de chocolat noir,
brisé en morceaux*
125 g de farine
¾ de cuil. à café de bicarbonate
¼ de cuil. à café de levure chimique
55 g de noix de pécan
*100 g de sucre roux, un peu plus
pour décorer*
½ cuil. à café d'extrait d'amande
1 œuf
1 cuil. à café de lait

Préchauffer le four à 180 °C (th. 6). Graisser et chemiser un moule de 28 x 18 cm.

Mettre le chocolat dans une jatte résistant à la chaleur et le faire fondre au-dessus d'une casserole d'eau frémissante.

Hacher finement les noix de pécan et les réserver. Mettre le beurre et le sucre dans une jatte et battre jusqu'à ce que le mélange blanchisse, puis incorporer l'extrait d'amande et l'œuf. Retirer le chocolat du feu et l'incorporer à la préparation. Tamiser la farine, le bicarbonate et la levure dans la jatte, mélanger et incorporer le lait et les noix de pécan. Répartir la préparation dans le moule et lisser la surface.

Cuire 30 minutes au four préchauffé, jusqu'à ce que le brownie soit ferme au toucher mais toujours moelleux au centre. Laisser refroidir complètement. Saupoudrer de sucre roux et couper en 20 carrés avant de servir.

573 *Brownies aux noix*

Remplacer les noix de pécan par des noix.

574 *Brownies aux abricots*

Remplacer les noix de pécan par des abricots secs hachés.

172

115 g de beurre, un peu plus
pour graisser
175 g de sucre blond
2 œufs, légèrement battus
200 g de farine
1 cuil. à café de levure chimique
½ cuil. à café de bicarbonate
1½ cuil. à café de quatre-épices
2 pommes, pelées et râpées
85 g de noisettes, hachées

GARNITURE AU CARAMEL
85 g de sucre blond
4 cuil. à soupe de beurre
1 pomme, évidée et coupée
en fines lamelles

Préchauffer le four à 180 °C (th. 6).
Graisser un moule carré de 23 cm
de côté. Pour la garniture, mettre
le sucre et le beurre dans une petite
casserole et chauffer à feu doux sans
cesser de remuer jusqu'à ce que le
tout ait fondu. Verser dans le moule
et répartir les lamelles de pommes
dessus.

Pour le brownie, mettre
le beurre et le sucre dans une jatte
et battre jusqu'à ce que le mélange
blanchisse, puis incorporer les
œufs progressivement. Tamiser
la farine, la levure, le bicarbonate
et le quatre-épices dans la jatte et
bien mélanger. Ajouter les pommes
et les noisettes, puis répartir la
préparation dans le moule.

Cuire 35 à 40 minutes au four
préchauffé, jusqu'à ce que le brownie
soit ferme et doré. Laisser reposer
dans le moule 10 minutes, puis
couper en carrés.

576 *Brownies à l'ananas*

Dans la garniture, remplacer la pomme par 4 tranches d'ananas en boîte.
Dans la préparation, remplacer les pommes par 6 tranches d'ananas en boîte
égouttées et hachées.

577 *Brownies aux poires*

Dans la garniture, remplacer la pomme par une poire pelée, évidée
et émincée. Dans la préparation, remplacer les pommes par des poires.

578 Brownies au chocolat et au gingembre

4 morceaux de gingembre confit en sirop	¼ de cuil. à café de clou de girofle en poudre
225 g de farine	115 g de sucre blond
1½ cuil. à café de gingembre en poudre	115 g de beurre
1 cuil. à café de cannelle en poudre	115 g de golden syrup
¼ de cuil. à café de noix muscade râpée	100 g de pépites de chocolat noir

Préchauffer le four à 150 °C (th. 5). Hacher finement le gingembre. Tamiser la farine, le gingembre en poudre, la cannelle, le clou de girofle et la noix muscade dans une jatte, puis incorporer le gingembre haché et le sucre.

Mettre le beurre et le golden syrup dans une casserole et chauffer à feu doux jusqu'à ce qu'ils aient fondu. Porter à ébullition, puis verser dans la jatte progressivement sans cesser de battre. Continuer à battre jusqu'à ce que la préparation soit tiède. Ajouter les pépites de chocolat et presser la préparation dans un moule de 30 x 20 cm.

Cuire 30 minutes au four préchauffé, jusqu'à ce que le brownie soit doré. Couper en bâtonnets et laisser reposer dans le moule.

579 Brownies chocolat-cerise

Remplacer le gingembre confit par 40 g de cerises confites hachées. Tamiser la farine et les épices dans une jatte en omettant le gingembre en poudre.

580 Brownies façon streusel aux carottes

115 g de beurre, ramolli, un peu plus pour graisser	125 g de carottes, finement râpées
350 g de sucre blond	55 g de noix, hachées
2 œufs, légèrement battus	
1 cuil. à café d'extrait de vanille	STREUSEL
175 g de farine	40 g de noix finement hachées
½ cuil. à café de bicarbonate	40 g de sucre roux
½ cuil. à café de levure chimique	1½ cuil. à soupe de farine
85 g de raisins secs	½ cuil. à café de cannelle en poudre
	1 cuil. à soupe de beurre, fondu

Préchauffer le four à 180 °C (th. 6). Graisser un moule de 30 x 20 cm. Mettre le sucre et le beurre dans une jatte et battre jusqu'à ce que le mélange blanchisse, puis incorporer les œufs et l'extrait de vanille. Tamiser la farine, le bicarbonate et la levure dans la jatte et mélanger. Incorporer les raisins secs, les carottes et les noix, puis répartir la préparation dans le moule.

Mettre tous les ingrédients de la garniture dans une jatte et mélanger de façon à obtenir une préparation friable, puis répartir le mélange dans le moule.

Cuire 45 à 55 minutes au four préchauffé, jusqu'à ce que le brownie soit doré et ferme au toucher. Laisser refroidir dans le moule, puis couper en pavés.

581 Brownies façon streusel aux noisettes

Remplacer les noix par des noisettes grillées et hachées, et la cannelle par de la noix muscade.

175 g de beurre, un peu plus
pour graisser
200 g de chocolat noir,
brisé en morceaux
200 g de sucre cristallisé
4 œufs, légèrement battus
2 cuil. à café d'extrait de vanille
55 g de gingembre confit en sirop,
haché, plus 1 cuil. à soupe
de sirop du bocal
100 g de farine
25 g de gingembre cristallisé,
pour décorer

CRÈME AU PORTO
200 ml de porto
200 ml de crème fraîche épaisse
1 cuil. à soupe de sucre glace
1 cuil. à café d'extrait de vanille

Préchauffer le four à 180 °C (th. 6). Graisser un moule de 20 cm de diamètre. Mettre le chocolat et le beurre dans une casserole et chauffer à feu doux sans cesser de remuer jusqu'à ce qu'ils aient fondu. Retirer du feu et ajouter le sucre.

Ajouter les œufs, l'extrait de vanille et le sirop de gingembre, puis incorporer la farine et le gingembre haché, et répartir la préparation dans le moule. Cuire 30 à 35 minutes au four préchauffé, jusqu'à ce que le brownie soit ferme au toucher.

Pendant ce temps, pour la crème au porto, verser l'alcool dans une casserole et laisser mijoter à feu moyen à doux jusqu'à ce que le porto ait réduit à l'équivalent de 4 cuillerées à soupe. Laisser refroidir. Fouetter la crème fraîche jusqu'à ce qu'elle commence à épaissir, puis incorporer le sucre, le porto et l'extrait de vanille sans cesser de fouetter de sorte que la crème soit bien ferme.

Sortir le brownie du four, laisser reposer 2 à 3 minutes et couper en 8 quartiers. Dresser sur des assiettes à dessert et garnir de crème. Servir décoré de gingembre cristallisé.

583 *Brownies aux noix et aux cerises*

Remplacer le sirop de gingembre par du sirop d'érable, omettre le gingembre confit et ajouter 55 g de noix hachées. Décorer avec 3 cuil. à soupe de cerises confites hachées.

584 *Avec une crème au cognac*

Pour la crème au cognac, fouetter la crème jusqu'à ce qu'elle commence à épaissir, puis incorporer 2 cuil. à soupe de sucre glace et 3 cuil. à soupe de cognac, et continuer à fouetter jusqu'à ce que la crème soit bien ferme.

Brownies au chocolat blanc

115 g de beurre, un peu plus pour graisser
225 g de chocolat blanc
75 g de cerneaux de noix

2 œufs
115 g de sucre blond
115 g de farine levante

Préchauffer le four à 180 °C (th. 6). Graisser légèrement un moule carré de 120 cm de côté. Hacher 175 g de chocolat et toutes les noix. Mettre le chocolat restant et le beurre dans une jatte résistant à la chaleur, et faire fondre au-dessus d'une casserole d'eau frémissante. Mélanger, puis laisser tiédir.

Fouetter les œufs et le sucre dans une jatte, puis incorporer le chocolat et le beurre fondus. Ajouter la farine, le chocolat haché et les noix, et bien mélanger le tout. Répartir la préparation dans le moule et lisser la surface.

Cuire 30 minutes au four préchauffé, jusqu'à ce que le brownie ait pris mais soit encore moelleux au centre. Laisser refroidir dans le moule, puis couper en carrés.

586 Brownies pistaches-chocolat au lait

Remplacer le chocolat blanc par du chocolat au lait, et les noix par des pistaches hachées.

---

587 Brownies à la crème aigre

55 g de beurre, un peu plus pour graisser
115 g de chocolat noir,
    brisé en morceaux
175 g de sucre roux
2 œufs
2 cuil. à soupe de café corsé, froid
85 g de farine
½ cuil. à café de levure chimique
1 pincée de sel

55 g de noix, hachées
minibilles de chocolat,
    pour décorer

NAPPAGE
115 g de chocolat noir,
    brisé en morceaux
150 ml de crème aigre

Préchauffer le four à 180 °C (th. 6). Graisser et chemiser un moule carré de 20 cm de côté. Mettre le beurre et le chocolat dans une casserole et chauffer à feu doux sans cesser de remuer jusqu'à ce qu'ils aient fondu. Laisser refroidir.

Mettre le sucre et les œufs dans une jatte et battre jusqu'à ce que le mélange blanchisse. Incorporer le contenu de la casserole et le café, et bien mélanger. Tamiser la farine, la levure et le sel dans la jatte et mélanger. Ajouter les noix et répartir la préparation dans le moule. Cuire 20 à 25 minutes au four préchauffé, jusqu'à ce que le brownie ait pris. Laisser reposer dans le moule.

Pour le nappage, mettre le chocolat dans une jatte résistant à la chaleur et le faire fondre au-dessus d'une casserole d'eau frémissante. Ajouter la crème aigre et bien battre, puis napper le brownie et laisser prendre. Couper en pavés, démouler et décorer de minibilles de chocolat.

588 Brownies nappés de yaourt

Dans les brownies, remplacer le chocolat noir par du chocolat au lait, et le café par du lait. Dans le nappage, remplacer le chocolat noir par du chocolat au lait et la crème aigre par du yaourt nature entier. Ajouter le yaourt après que le chocolat a fondu et que la casserole a été retirée du feu.

175 g de beurre, un peu plus
pour graisser
3 cuil. à soupe de cacao
en poudre amer
200 g de sucre
2 œufs, légèrement battus
125 g de farine

CRÈME À LA RICOTTA
250 g de ricotta
40 g de sucre
1 œuf

Préchauffer le four à 180 °C (th. 6). Graisser un moule de 28 x 18 cm. Faire fondre le beurre à feu doux dans une casserole. Retirer du feu et incorporer le cacao et le sucre. Ajouter les œufs et la farine, et mélanger. Répartir la préparation dans le moule.

Pour la crème à la ricotta, mettre la ricotta, le sucre et l'œuf dans une jatte et battre le tout. Déposer des cuillerées à café de crème dans le moule et créer un effet marbré à l'aide d'une spatule.

Cuire 40 à 45 minutes au four préchauffé, jusqu'à ce que le brownie soit juste ferme au toucher. Laisser reposer dans le moule, puis couper en pavés.

590 *Brownies marbrés au fromage frais*

Ajouter 40 g de noix hachés et 40 g de pépites de chocolat à la préparation. Dans la garniture, remplacer la ricotta par du fromage frais.

591 *Brownies marbrés chocolat-orange*

Râper finement le zeste d'une orange et presser le jus. Ajouter la moitié du zeste et du jus dans la préparation avec les œufs, et ajouter le reste à la crème à la ricotta.

Super-brownies au moka

100 g de beurre, un peu plus
pour graisser
150 g de chocolat noir
1 cuil. à café de café corsé soluble
1 cuil. à café d'extrait de vanille

100 g de poudre d'amandes
200 g de sucre
4 œufs, blancs et jaunes séparés
sucre glace, pour saupoudrer
(facultatif)

Préchauffer le four à 180 °C (th. 6). Graisser et chemiser le fond d'un moule carré de 20 cm de côté.

Mettre le beurre et le chocolat dans une casserole et chauffer à feu doux sans cesser de remuer jusqu'à ce qu'ils aient fondu. Laisser tiédir, puis incorporer le café et l'extrait de vanille. Ajouter la poudre d'amandes et le sucre, et bien mélanger.

Battre légèrement les jaunes d'œufs et les incorporer dans la jatte.

Monter les blancs d'œufs en neige ferme et incorporer délicatement une cuillerée à soupe à la préparation à l'aide d'une cuillère métallique, puis incorporer les blancs en neige restants.

Cuire 35 à 40 minutes au four préchauffé, jusqu'à ce que le brownie ait levé et soit ferme sur le dessus, mais légèrement coulant au centre. Laisser reposer dans le moule, puis démouler et ôter le papier sulfurisé. Découper le brownie en carrés et servir éventuellement saupoudré de sucre glace.

593 ## Brownies moka-noix de macadamia

Remplacer la poudre d'amandes par de la farine. Incorporer 40 g de noix de macadamia à la préparation avant d'ajouter les blancs en neige.

594 ## Brownies et leur nappage au fudge

225 g de beurre, fondu,
un peu plus pour graisser
100 g de farine, un peu plus
pour saupoudrer
140 g de sucre
3 cuil. à soupe de cacao
en poudre amer
½ cuil. à café de levure chimique
2 œufs, légèrement battus
1 cuil. à café d'extrait de vanille
70 g de cerises confites,
coupées en quartiers
70 g d'amandes mondées, hachées
100 g de chamallows, hachés

NAPPAGE AU FUDGE
200 g de sucre glace
2 cuil. à soupe de cacao en poudre
3 cuil. à soupe de lait concentré
½ cuil. à café d'extrait de vanille

Préchauffer le four à 160 °C (th. 5-6). Graisser et fariner un moule carré de 23 cm de côté. Tamiser la farine, le sucre, le cacao et la levure dans une jatte et creuser un puits au centre. Verser le beurre fondu, les œufs et l'extrait de vanille dans le puits et bien battre le tout. Incorporer les cerises et les amandes, et répartir la préparation dans le moule.

Cuire 35 à 40 minutes au four préchauffé, jusqu'à ce que la surface du brownie soit ferme. Laisser reposer dans le moule.

Pour le nappage, mettre tous les ingrédients dans une jatte et battre jusqu'à obtention d'une consistance homogène. Garnir le brownie froid de nappage et parsemer de chamallows. Laisser prendre, puis couper en carrés.

Brownies au chocolat et au fudge

85 g de beurre, un peu plus pour graisser
200 g de fromage frais allégé
½ cuil. à café d'extrait de vanille
200 g de sucre
2 œufs
3 cuil. à soupe de cacao en poudre amer
100 g de farine levante
50 g de noix de pécan, hachées, plus
    quelques cerneaux pour décorer

NAPPAGE AU FUDGE
55 g de beurre
1 cuil. à soupe de lait
75 g de sucre glace
2 cuil. à soupe de cacao en poudre amer

Préchauffer le four à 180 °C (th. 6). Graisser légèrement et chemiser un moule carré de 20 cm de côté.

Mettre le fromage frais, l'extrait de vanille et 5 cuillerées à café de sucre dans une jatte et battre jusqu'à obtention d'une consistance homogène.

Dans une autre jatte, battre les œufs avec le sucre restant jusqu'à ce que le mélange blanchisse.

Mettre le beurre et le cacao dans une petite casserole et chauffer à feu doux sans cesser de remuer jusqu'à ce que le beurre fonde et que la préparation soit homogène. Ajouter le contenu de la casserole dans la seconde jatte.

Incorporer la farine et les noix de pécan, puis répartir la moitié de la préparation dans le moule et lisser la surface. Étaler le mélange à base de fromage frais dans le moule et couvrir avec la préparation restante. Cuire 40 à 45 minutes au four préchauffé, puis laisser reposer dans le moule.

Pour le nappage, faire fondre le beurre avec le lait dans une casserole. Ajouter le sucre glace et le cacao, puis napper le brownie. Décorer de noix de pécan, laisser prendre et servir coupé en carrés.

596 # Brownies aux noix et au fudge

Dans la préparation, remplacer les noix de pécan par 85 g de noix hachées et décorer en omettant les cerneaux de noix de pécan.

---

597 # Cœurs de brownies blonds aux framboises

115 g de beurre, un peu plus
    pour graisser
125 g de farine, un peu plus
    pour saupoudrer
115 g de chocolat blanc
2 œufs, légèrement battus
140 g de sucre
graines d'une gousse de vanille
8 petits carrés de chocolat noir

SAUCE AUX FRAMBOISES
250 g de framboises, fraîches
    ou surgelées et décongelées
2 cuil. à soupe d'amaretto
1 cuil. à soupe de sucre glace

Préchauffer le four à 180 °C (th. 6). Graisser et fariner 8 moules en forme de cœur d'une contenance de 150 ml. Mettre le chocolat blanc et le beurre dans une casserole et chauffer à feu doux sans cesser de remuer jusqu'à ce qu'ils aient fondu. Retirer du feu.

Battre les œufs avec le sucre et les graines de vanille jusqu'à ce que le mélange blanchisse et épaississe. Incorporer la farine, puis ajouter le contenu de la casserole. Répartir la préparation dans les moules et ajouter un carré de chocolat au centre de chacun, sans presser. Cuire 20 à 25 minutes au four préchauffé, jusqu'à ce que les brownies soient juste fermes. Laisser reposer 5 minutes dans les moules.

Pour la sauce, mettre la moitié des framboises, l'amaretto et le sucre glace dans un robot de cuisine et réduire en purée homogène. Transférer la purée dans un chinois, placer le tout au-dessus d'une jatte et presser pour ôter tous les pépins des framboises.

Passer la lame d'un couteau contre les parois des moules de façon à décoller les brownies, puis démouler et dresser sur des assiettes à dessert. Arroser de sauce, décorer avec les framboises restantes et servir.

---

598 # Avec une sauce aux fraises

Mixer 185 g de fraises équeutées avec 2 cuil. à soupe de liqueur d'orange et 1 cuil. à soupe de sucre glace jusqu'à obtention d'une purée homogène, puis passer au chinois. Servir les brownies garnis de fraises fraîches entières.

Blondies aux noix et à la cannelle

115 g de beurre, un peu plus
    pour graisser
225 g de sucre blond
1 œuf

1 jaune d'œuf
140 g de farine levante
1 cuil. à café de cannelle en poudre
85 g de noix concassées

Préchauffer le four à 180 °C (th. 6). Graisser et chemiser le fond d'un moule carré de 120 cm de côté. Mettre le beurre et le sucre dans une casserole et chauffer à feu doux jusqu'à ce que le beurre ait fondu et que le sucre soit dissous. Cuire encore 1 minute sans cesser de remuer. La préparation ne doit pas bouillir à gros bouillon. Laisser reposer 10 minutes.

Incorporer l'œuf et le jaune d'œuf. Tamiser la farine et la cannelle dans la préparation, ajouter les noix et bien mélanger le tout. Répartir la préparation dans le moule et lisser la surface.

Cuire 20 à 25 minutes au four préchauffé, jusqu'à ce que le blondie soit souple au centre et que la pointe d'un couteau piquée au centre ressorte sans trace de pâte. Laisser reposer dans le moule quelques minutes, puis passer la lame d'un couteau contre les parois du moule pour décoller le blondie. Démouler le blondie sur une grille et ôter le papier sulfurisé. Laisser refroidir complètement, puis couper en carrés.

600 *Blondies à la pomme et à la cannelle*

Remplacer les noix par une pomme, pelée, évidée et finement coupée en dés.

Blondies au caramel

125 g de beurre, ramolli, un peu plus
    pour graisser
200 g de sucre blond
2 gros œufs, légèrement battus
1 cuil. à café d'extrait de vanille
250 g de farine

1 cuil. à café de levure chimique
125 g de caramels mous, concassés
75 g de noix de macadamia,
    grossièrement concassées
sucre glace, pour saupoudrer

Préchauffer le four à 180 °C (th. 6). Graisser et chemiser un moule carré de 20 cm de côté.

Mettre le beurre et le sucre dans une jatte et battre jusqu'à ce que le mélange blanchisse. Incorporer progressivement les œufs et l'extrait de vanille. Tamiser la farine et la levure dans la jatte et mélanger. Ajouter les caramels et les noix de macadamia, et mélanger. Répartir la préparation dans le moule et lisser la surface.

Cuire 40 à 45 minutes au four préchauffé, jusqu'à ce que le gâteau ait levé et soit doré. Laisser reposer dans le moule, puis saupoudrer de sucre glace tamisé et couper en carrés.

Blondies au chocolat et au fromage frais

125 g de beurre, ramolli, un peu plus
    pour graisser
150 g de fromage frais
100 g de pépites de chocolat noir
200 g de sucre blond

2 gros œufs, légèrement battus
½ cuil. à café d'extrait de vanille
250 g de farine
1 cuil. à café de levure chimique

Préchauffer le four à 180 °C (th. 6). Graisser et chemiser un moule carré de 20 cm de côté. Mettre le fromage frais et les pépites de chocolat dans une jatte et fouetter vigoureusement.

Mettre le beurre et le sucre dans une autre jatte et battre jusqu'à ce que le mélange blanchisse. Incorporer progressivement les œufs et l'extrait de vanille. Tamiser la farine et la levure dans la jatte et bien battre le tout. Transférer la moitié de la préparation dans le moule et lisser la surface.

Ajouter quelques cuillerées de fromage frais au chocolat en les espaçant bien, puis les aplatir légèrement. Répéter l'opération avec la préparation et le fromage frais restants, puis remuer le tout en un mouvement de spirale. Cuire 40 à 45 minutes au four préchauffé, jusqu'à ce que le gâteau ait levé et soit doré. Laisser reposer dans le moule, puis couper en carrés.

Blondies au gingembre et aux pépites de chocolat

125 g de beurre, ramolli, un peu plus
    pour graisser
200 g de sucre blond
2 gros œufs, légèrement battus
250 g de farine
1 cuil. à café de levure chimique

1 cuil. à café de gingembre en poudre
4 morceaux de gingembre confit en sirop,
    finement hachés
100 g de pépites de chocolat noir
sucre glace, pour saupoudrer

Préchauffer le four à 180 °C (th. 6). Graisser et chemiser un moule carré de 20 cm de côté.

Mettre le beurre et le sucre dans une grande jatte et battre jusqu'à ce que le mélange blanchisse. Incorporer progressivement les œufs. Tamiser la farine, la levure et le gingembre en poudre dans la préparation et bien battre le tout. Ajouter le gingembre et les pépites de chocolat, et mélanger. Répartir la préparation dans le moule et lisser la surface.

Cuire 40 à 45 minutes au four préchauffé, jusqu'à ce que le gâteau ait levé et soit doré. Laisser reposer dans le moule, puis saupoudrer de sucre glace et couper en carrés.

604 *Blondies aux cerises et à la noix de coco*

125 g de beurre, ramolli, un peu plus
   pour graisser
200 g de sucre blond
2 gros œufs, légèrement battus
1 cuil. à café d'extrait de vanille

250 g de farine
1 cuil. à café de levure chimique
100 g de cerises confites, coupées
   en quartiers
85 g de noix de coco déshydratée râpée

Préchauffer le four à 180 °C (th. 6). Graisser et chemiser un moule carré de 20 cm de côté. Mettre le beurre et le sucre dans une jatte et battre jusqu'à ce que le mélange blanchisse. Incorporer progressivement les œufs et l'extrait de vanille. Tamiser la farine et la levure dans la jatte et bien battre le tout. Ajouter les cerises et 60 g de noix de coco, et mélanger. Répartir la préparation dans le moule et lisser la surface. Garnir de la noix de coco restante.

Cuire 40 à 45 minutes au four préchauffé, jusqu'à ce que le gâteau ait levé et soit doré. Laisser reposer dans le moule, puis couper en carrés.

605 *Blondies aux fraises et aux amandes*

125 g de beurre, ramolli, un peu plus
   pour graisser
200 g de sucre blond
2 gros œufs, légèrement battus
½ cuil. à café d'extrait d'amande

250 g de farine
1 cuil. à café de levure chimique
50 g d'amandes mondées, hachées
100 g de petites fraises fraîches
25 g d'amandes effilées

Préchauffer le four à 180 °C (th. 6). Graisser et chemiser un moule carré de 20 cm de côté. Mettre le beurre et le sucre dans une jatte et battre jusqu'à ce que le mélange blanchisse. Incorporer progressivement les œufs et l'extrait d'amande. Tamiser la farine et la levure dans la jatte et bien battre le tout. Ajouter les amandes hachées et les fraises, et mélanger. Répartir la préparation dans le moule et lisser la surface. Parsemer la préparation d'amandes effilées.

Cuire 40 à 45 minutes au four préchauffé, jusqu'à ce que le gâteau ait levé et soit doré. Laisser reposer dans le moule, puis couper en carrés.

85 g de beurre, un peu plus pour graisser
350 g de chocolat blanc
1 cuil. à café d'extrait de vanille
3 œufs, légèrement battus
140 g de sucre blond
115 g de farine levante

85 g de noix de macadamia,
  grossièrement concassées
100 g d'abricots secs moelleux,
  grossièrement concassés

Préchauffer le four à 190 °C (th. 6-7). Graisser et chemiser un moule de 28 x 18 cm.

Hacher la moitié du chocolat. Mettre le chocolat restant et le beurre dans une petite casserole et chauffer à feu très doux sans cesser de remuer jusqu'à ce qu'ils aient fondu. Retirer du feu et incorporer l'extrait de vanille.

Mettre les œufs et le sucre dans une jatte et battre jusqu'à ce que le mélange blanchisse. Incorporer le contenu de la casserole, puis la farine, les noix de macadamia, les abricots et le chocolat haché. Répartir la préparation dans le moule et lisser la surface.

Cuire 25 à 30 minutes au four préchauffé, jusqu'à ce que le gâteau ait levé et soit doré. Laisser reposer dans le moule, puis en triangles.

607 *Blondies aux pruneaux*

Remplacer les abricots par des pruneaux dénoyautés et concassés, les noix de macadamia par des noisettes hachées.

608 *Blondies aux dattes*

Remplacer les abricots par des dattes sèches dénoyautées et concassées, et les noix de macadamia par des noix concassées.

609 *Blondies aux figues*

Remplacer les abricots par des figues sèches hachées et les noix de macadamia par des amandes hachées.

610 *Blondies aux pommes et aux noix*

125 g de beurre, ramolli, un peu plus
    pour graisser
200 g de sucre blond
2 gros œufs, légèrement battus
1 cuil. à café d'extrait de vanille
250 g de farine

1 cuil. à café de levure chimique
1 petite pomme à cuire, pelée, évidée
    et finement hachée
100 g de cerneaux de noix, concassés
sucre glace, pour saupoudrer

Préchauffer le four à 180 °C (th. 6). Graisser et chemiser un moule carré de 20 cm de côté. Mettre le beurre et le sucre dans une jatte et battre jusqu'à ce que le mélange blanchisse. Incorporer progressivement les œufs et l'extrait de vanille. Tamiser la farine et la levure dans la jatte et battre le tout. Ajouter les pommes et les noix, et mélanger. Répartir la préparation dans le moule et lisser la surface.

Cuire 40 à 45 minutes au four préchauffé, jusqu'à ce que le gâteau ait levé et soit doré. Laisser reposer dans le moule, puis saupoudrer de sucre glace et couper en carrés.

611 *Blondies aux canneberges*

125 g de beurre, ramolli, un peu plus
    pour graisser
200 g de sucre blond
2 gros œufs, légèrement battus
1 cuil. à café d'extrait de vanille

250 g de farine
1 cuil. à café de levure chimique
100 g de canneberges sèches ou surgelées
sucre glace, pour saupoudrer

Préchauffer le four à 180 °C (th. 6). Graisser et chemiser un moule carré de 20 cm de côté.

Mettre le beurre et le sucre dans une jatte et battre jusqu'à ce que le mélange blanchisse. Incorporer progressivement les œufs et l'extrait de vanille.

Tamiser la farine et la levure dans la jatte et bien battre le tout. Ajouter les canneberges et mélanger. Répartir la préparation dans le moule et lisser la surface. Cuire 40 à 45 minutes au four préchauffé, jusqu'à ce que le gâteau ait levé et soit doré.

Laisser refroidir dans le moule, puis saupoudrer de sucre glace tamisé et couper en carrés avant de servir.

612 *Blondies aux fruits rouges*

N'utiliser que 50 g de canneberges et ajouter 50 g de myrtilles déshydratées à la préparation.

613 *Blondies canneberge-chocolat*

N'utiliser que 75 g de canneberges et ajouter 75 g de pépites de chocolat blanc à la préparation.

115 g de beurre, un peu plus
  pour graisser
200 g de flocons d'avoine
115 g de noisettes, hachées

55 g de farine
2 cuil. à soupe de golden syrup
85 g de sucre blond

Préchauffer le four à 180 °C (th. 6). Graisser un moule carré de 23 cm de côté. Mettre les flocons d'avoine, les noisettes et la farine dans une jatte et mélanger.

Mettre le beurre, le golden syrup et le sucre dans une casserole et chauffer à feu doux sans cesser de remuer jusqu'à ce qu'ils aient fondu. Verser le tout dans la jatte et bien mélanger. Répartir la préparation dans le moule et lisser la surface. Cuire 20 à 25 minutes au four préchauffé, jusqu'à ce que le gâteau soit doré et ferme au toucher. Couper en 16 barres et laisser reposer dans le moule jusqu'à ce qu'elles refroidissent.

615 *Flapjacks enrobés de chocolat*

Faire fondre au bain-marie 185 g de chocolat noir ou au lait cassé en morceaux. Chemiser une plaque de papier sulfurisé. Plonger les barres dans le chocolat fondu de sorte qu'elles en soient enrobées à demi et les poser sur la plaque. Laisser prendre avant de servir.

115 g de beurre, un peu plus pour
  graisser
200 g de flocons d'avoine
55 g de noisettes, légèrement grillées
  et hachées

55 g de farine
85 g de sucre blond
2 cuil. à soupe de golden syrup
55 g de pépites de chocolat noir

Préchauffer le four à 180 °C (th. 6). Graisser un moule carré de 23 cm de côté. Mettre les flocons d'avoine, les noisettes et la farine dans une jatte et mélanger.

Mettre le beurre, le sucre et le golden syrup dans une grande casserole et chauffer à feu doux jusqu'à ce que le sucre soit dissous. Verser le contenu de la casserole dans la jatte et bien mélanger. Incorporer les pépites de chocolat, puis répartir la préparation dans le moule.

Cuire 20 à 25 minutes au four préchauffé, jusqu'à ce que les flapjacks soient dorés et fermes au toucher. Découper en 12 triangles et mais laisser refroidir complètement dans le moule.

huile de tournesol, pour graisser
175 g de beurre ou de margarine
85 g de sucre roux
55 g de miel

140 g d'abricots secs, hachés
2 cuil. à café de graines de sésame
225 g de flocons d'avoine

Préchauffer le four à 180 °C (th. 6). Huiler légèrement un moule de 26 x 17 cm. Mettre le beurre, le sucre et le miel dans une petite casserole et chauffer à feu doux jusqu'à ce que les ingrédients aient fondu et se soient mélangés. Incorporer les abricots, les graines de sésame et les flocons d'avoine. Répartir la préparation dans le moule et lisser la surface.

Cuire 20 à 25 minutes au four préchauffé, jusqu'à ce que les flapjacks soient dorés. Couper en pavés mais laisser refroidir complètement dans le moule.

618 *Flapjacks aux dattes*

Remplacer les abricots par des dattes hachées et omettre les graines de sésame.

619 *Flapjacks aux canneberges*

Remplacer les abricots par des canneberges séchées hachées et les graines de sésame par des graines de tournesol.

620 *Flapjacks aux figues*

Remplacer les abricots par des figues sèches hachées, et les graines de sésame par 25 g d'amandes ou de noix hachées.

huile de tournesol, pour graisser
140 g de flocons d'avoine
115 g de sucre roux

85 g de raisins secs
115 g de beurre, fondu

Préchauffer le four à 190 °C (th. 6-7). Graisser légèrement un moule de 28 x 18 cm. Mettre les flocons d'avoine, le sucre, les raisins secs et le beurre dans une jatte et bien mélanger. Répartir la préparation dans le moule et presser fermement avec le dos d'une cuillère.

Cuire 15 à 20 minutes au four préchauffé, jusqu'à ce que les flapjacks soient dorés. Découper en 14 pavés, puis laisser reposer dans le moule 10 minutes. Transférer sur une grille et laisser refroidir complètement.

622 *Flapjacks aux pépites de chocolat* POUR 12 FLAPJACKS

115 g de beurre, un peu plus pour graisser
60 g de sucre
1 cuil. à soupe de golden syrup

350 g de flocons d'avoine
85 g de pépites de chocolat noir
85 g de raisins secs

Préchauffer le four à 180 °C (th. 6). Graisser légèrement un moule carré de 20 cm de côté. Mettre le beurre, le sucre et le golden syrup dans une casserole et cuire à feu doux sans cesser de remuer jusqu'à ce que le beurre et le sucre aient fondu et que le tout soit bien mélangé.

Retirer la casserole du feu et incorporer les flocons d'avoine de sorte qu'ils soient bien enrobés. Ajouter les pépites de chocolat et les raisins secs, et bien mélanger le tout. Répartir la préparation obtenue dans le moule et lisser la surface.

Cuire 30 minutes au four préchauffé. Laisser reposer quelques instants, puis découper en carrés et laisser tiédir. Transférer sur une grille et laisser refroidir complètement.

beurre, pour graisser
100 g d'amandes mondées
100 g de noisettes mondées
50 g de figues sèches moelleuses
50 g de cerneaux de noix
100 g de zestes d'agrumes confits hachés
50 g de farine
50 g de cacao en poudre amer

⅛ de cuil. à café de poivre blanc
¼ de cuil. à café de macis en poudre
¼ de cuil. à café de clou de girofle en poudre
¼ de cuil. à café de coriandre en poudre
1 cuil. à café de cannelle en poudre
100 g de sucre
100 g de miel liquide
sucre glace, pour saupoudrer

Préchauffer le four à 160 °C (th. 5-6). Graisser un moule de 20 cm de diamètre à fond amovible et chemiser le fond de papier de riz. Étaler les amandes et les noisettes sur une plaque de four et cuire 5 à 10 minutes au four préchauffé, jusqu'à ce qu'elles soient légèrement dorées. Laisser refroidir.

À l'aide d'une paire de ciseaux de cuisine, hacher finement les figues et les mettre dans une jatte. Concasser les amandes et les noisettes, et les ajouter dans la jatte avec les zestes confits.

Tamiser la farine, le cacao, le poivre, le macis, le clou de girofle, la coriandre et la cannelle dans la jatte et bien mélanger.

Mettre le sucre et le miel dans une casserole et chauffer à feu doux jusqu'à ce que le sucre soit dissous. Porter à ébullition et laisser bouillir sans remuer jusqu'à ce qu'un peu de la préparation plongée dans un bol d'eau froide forme une bille souple entre les doigts. Un thermomètre à sucre doit indiquer 116 °C. Retirer immédiatement la casserole du feu et incorporer rapidement le contenu de la jatte. Répartir la préparation dans le moule, presser avec le dos d'une cuillère humide et lisser la surface.

Cuire 30 à 40 minutes au four préchauffé, jusqu'à ce que le panforte soit ferme. Laisser refroidir dans le moule, puis saupoudrer de sucre tamisé et servir coupé en fines parts.

624 *Touron*

POUR 16 PAVÉS

175 g de beurre, un peu plus pour graisser
175 g de biscuits petits-beurres
200 g de chocolat noir, brisé en morceaux
50 g d'amandes mondées, hachées
50 g de noisettes mondées, hachées

50 g de noix, hachées
200 g de sucre
3 cuil. à soupe d'eau
1 gros œuf, légèrement battu
2 cuil. à soupe de cognac

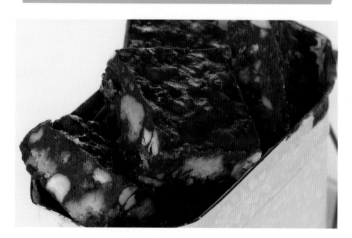

Graisser et chemiser un moule carré de 23 cm de côté. Mettre les biscuits dans un sac en plastique et les émietter en passant un rouleau à pâtisserie sur le sac.

Mettre le beurre et le chocolat dans une casserole et chauffer à feu doux sans cesser de remuer jusqu'à ce qu'ils aient fondu. Retirer du feu et mélanger jusqu'à obtention d'une consistance homogène. Ajouter les amandes, les noisettes et les noix, et bien mélanger.

Mettre le sucre dans une autre casserole, ajouter l'eau et chauffer à feu doux sans cesser de remuer jusqu'à ce que le sucre soit dissous. Porter à ébullition et laisser bouillir jusqu'à obtention d'un caramel doré. Verser immédiatement le caramel dans la première casserole et bien mélanger.

Ajouter l'œuf et le cognac à la préparation, puis incorporer les biscuits et mélanger jusqu'à ce que la préparation soit homogène. Répartir la préparation dans le moule, presser avec le dos d'une cuillère mouillée et lisser la surface. Laisser refroidir, puis mettre au réfrigérateur au moins 2 heures, jusqu'à ce que le touron ait pris.

Démouler et couper en 16 pavés à l'aide d'un couteau tranchant chaud.

Barres canadiennes namaimo

100 g de beurre, un peu plus pour
    graisser
200 g de biscuits petits-beurres
50 g de sucre
4 cuil. à soupe de cacao en poudre
1 gros œuf
70 g de noix de macadamia, hachées
90 g de noix de coco déshydratée râpée

GARNITURE
90 g de beurre
300 g de sucre glace
2 cuil. à soupe de lait
200 g de chocolat noir,
    brisé en morceaux

Graisser et chemiser un moule carré de 23 cm de côté. Mettre les biscuits dans un sac en plastique et les réduire en miettes en passant un rouleau à pâtisserie sur le sac. Transférer les biscuits dans une jatte.

Mettre le beurre, le sucre, le cacao et l'œuf dans une jatte résistant à la chaleur et fouetter au-dessus d'une casserole d'eau frémissante jusqu'à ce que la préparation épaississe légèrement. Retirer du feu.

Ajouter les noix de pécan et la noix de coco aux biscuits et mélanger. Incorporer la préparation à base de chocolat, puis répartir le tout dans le moule et presser avec le dos d'une cuillère. Réfrigérer 1 heure.

Pour la garniture, battre 75 g de beurre en crème dans une jatte, puis tamiser le sucre glace dans la jatte. Ajouter le lait et battre jusqu'à obtention d'une consistance homogène. Répartir le mélange dans le moule. Mettre le chocolat et le beurre restant dans une jatte résistant à la chaleur et les faire fondre au-dessus d'une casserole d'eau frémissante. Retirer du feu et mélanger jusqu'à obtention d'une consistance homogène. Laisser reposer 5 minutes, puis répartir la préparation dans le moule et lisser. Laisser prendre 1 heure.

Dès que le chocolat a pris, mettre le moule au réfrigérateur au moins 3 heures. Avant de servir, démouler et couper en 16 barres à l'aide d'un couteau tranchant chaud.

Barres croustillantes à la pistache

25 g de beurre, un peu plus
    pour graisser
175 g de chocolat noir, brisé
    en morceaux
350 g de farine levante, un peu plus
    pour saupoudrer
1½ cuil. à café de levure chimique
85 g de sucre

70 g de polenta
zeste finement râpé d'un citron
2 cuil. à café d'amaretto
1 œuf, légèrement battu
115 g de pistaches, concassées
2 cuil. à soupe de sucre glace,
    pour saupoudrer

Préchauffer le four à 160 °C (th. 5-6). Graisser une plaque de four. Mettre le beurre et le chocolat dans une casserole et chauffer à feu doux sans cesser de remuer jusqu'à ce qu'ils aient fondu, puis laisser tiédir.

Tamiser la farine et la levure dans une jatte et ajouter le sucre, la polenta, le zeste de citron, l'amaretto, l'œuf et les pistaches. Incorporer le chocolat et le beurre fondus et mélanger jusqu'à obtention d'une pâte souple.

Les mains farinées, diviser la pâte en deux et façonner chaque portion en un cylindre de 28 cm de longueur. Mettre les cylindres sur la plaque et les aplatir avec la paume des mains de sorte qu'ils aient 2 cm d'épaisseur.

Cuire 20 minutes au four préchauffé, jusqu'à ce que les cylindres soient fermes au toucher. Laisser refroidir mais ne pas éteindre le four. Placer les cylindres cuits sur une planche à découper et les détailler en tranches fines en biais. Remettre les tranches sur la plaque et cuire encore 10 minutes, jusqu'à ce qu'elles soient croustillantes. Transférer les barres sur une grille et laisser refroidir, puis servir saupoudré de sucre glace.

Barres chocolatées riches

85 g de beurre, un peu plus
pour graisser
115 g de chocolat noir,
brisé en morceaux
55 g de sucre
3 gros œufs, blanc et jaune séparés
55 g de farine levante
25 g de poudre d'amandes

DÉCORATION
15 g de beurre
4 cuil. à soupe de lait
3 cuil. à soupe de cacao en poudre
amer
225 g de sucre glace
1 portion de crème au beurre
(page 10)
pièces en chocolat
petits bonbons dorés
billes de sucre argentées

Préchauffer le four à 180 °C (th. 6). Graisser et chemiser un moule carré de 18 cm de côté. Mettre le chocolat dans une jatte résistant à la chaleur et le faire fondre au-dessus d'une casserole d'eau frémissante. Laisser refroidir.

Mettre le beurre et le sucre dans une grande jatte et battre jusqu'à ce que le mélange blanchisse, puis ajouter le chocolat fondu. Incorporer les jaunes d'œufs un à un.

Monter les blancs d'œufs en neige ferme, puis incorporer la moitié de la neige à la préparation précédente. Ajouter la farine et la poudre d'amandes, et incorporer la neige restante. Répartir le tout dans le moule et cuire 25 minutes au four préchauffé, jusqu'à ce que le gâteau soit souple au toucher. Laisser reposer 5 minutes, puis transférer sur une grille et laisser refroidir complètement. Couper en 10 barres, puis remettre les barres sur une grille et placer le tout sur du papier sulfurisé.

Pour décorer, faire fondre le chocolat avec le lait dans une casserole, puis incorporer le cacao. Ajouter le sucre glace et fouetter jusqu'à obtention d'une consistance homogène. Laisser tiédir, puis garnir les barres de nappage et laisser prendre.

Garnir les barres de lignes de crème au beurre et y coller des pièces en chocolat, des bonbons dorés et des billes de sucre argentées. Veiller à ôter le papier des pièces avant de les manger.

Barres chocolatées à la menthe

55 g de beurre, un peu plus
pour graisser
55 g de sucre
115 g de farine
175 g de sucre glace
1 à 2 cuil. à soupe d'eau chaude
½ cuil. à café d'extrait de menthe
2 cuil. à café de colorant vert
(facultatif)
175 g de chocolat noir,
brisé en morceaux

Préchauffer le four à 180 °C (th. 6). Graisser et chemiser un moule de 30 x 20 cm. Mettre le beurre et le sucre dans une jatte et battre jusqu'à ce que le mélange blanchisse. Incorporer la farine de façon à lier la préparation.

Pétrir la pâte jusqu'à ce qu'elle soit souple, puis la presser dans le moule et la piquer à l'aide d'une fourchette. Cuire 10 à 15 minutes au four préchauffé, jusqu'à ce que le biscuit soit légèrement doré et juste ferme au toucher. Laisser reposer dans le moule.

Tamiser le sucre glace dans une jatte et ajouter progressivement l'eau, l'extrait de menthe et le colorant. Garnir le biscuit du glaçage ainsi obtenu et laisser prendre.

Mettre le chocolat dans une jatte résistant à la chaleur et le faire fondre au-dessus d'une casserole d'eau frémissante. Napper le glaçage de chocolat fondu et laisser prendre. Couper en barres et servir.

125 g de beurre, un peu plus
    pour graisser
200 g de sucre
2 œufs, légèrement battus
zeste finement râpé d'une orange
3 cuil. à soupe de jus d'orange
150 ml de crème aigre
140 g de farine levante
85 g de noix de coco déshydratée râpée

copeaux de noix de coco grillés,
    pour décorer

NAPPAGE
1 blanc d'œuf
200 g de sucre glace
85 g de noix de coco déshydratée
    râpée
1 cuil. à soupe de jus d'orange

Préchauffer le four à 180 °C (th. 6). Graisser un moule carré de 23 cm de côté et chemiser le fond de papier sulfurisé. Mettre le beurre et le sucre dans une jatte et battre jusqu'à ce que le mélange blanchisse, puis incorporer progressivement les œufs. Ajouter le zeste d'orange, le jus d'orange et la crème aigre. Incorporer la farine et la noix de coco, puis répartir la préparation dans le moule et lisser la surface.

Cuire 35 à 40 minutes au four préchauffé, jusqu'à ce que le gâteau ait levé et soit ferme au toucher. Laisser reposer dans le moule 10 minutes, puis démouler et laisser refroidir sur une grille.

Pour le nappage, battre légèrement le blanc d'œuf dans une jatte. Incorporer le sucre glace et la noix de coco râpée, et ajouter juste assez de jus d'orange pour obtenir une pâte épaisse. Garnir le gâteau de nappage, parsemer de copeaux de noix de coco et laisser prendre avant de couper en petits pavés.

630 *Petits pavés coco-cerise*

Omettre le zeste d'orange et remplacer le jus d'orange par du lait. Ajouter 40 g de cerises confites coupées en quartiers à la préparation avec la noix de coco.

631 *Petits pavés coco-citron vert*

Remplacer le jus et le zeste d'orange par du jus et du zeste de citron vert.

632 *Barres chocolatées aux chamallows*

175 g de chocolat noir ou au lait
55 g de beurre
100 g de petits sablés,
    émiettés

85 g de minichamallows
85 g de noix ou de noix de pécan

Chemiser un moule carré de 18 cm de côté de papier sulfurisé. Briser le chocolat en carrés et le mettre dans une jatte résistant à la chaleur, puis le faire fondre au-dessus d'une casserole d'eau frémissante. Ajouter le beurre et mélanger jusqu'à ce que le beurre ait fondu. Laisser tiédir. Incorporer les miettes de biscuits, les chamallows et les noix.

Répartir la préparation obtenue dans le moule et presser avec le dos d'une cuillère. Mettre au réfrigérateur au moins 2 heures, jusqu'à ce que la préparation soit bien ferme. Démouler délicatement et couper en 8 barres.

633 *Barres croustillantes aux fruits secs*

115 g de beurre, un peu plus
    pour graisser
4 cuil. à soupe de miel
2 cuil. à soupe de sucre
250 g de flocons d'avoine

25 g de canneberges séchées
25 g de dattes séchées dénoyautées,
    hachées
25 g de noisettes, hachées
70 g d'amandes effilées

Préchauffer le four à 190 °C (th. 6-7). Graisser un moule carré de 20 cm de côté. Mettre le beurre, le miel et le sucre dans une casserole et chauffer à feu doux sans cesser de remuer jusqu'à ce que le beurre ait fondu et que le sucre soit dissous. Ajouter les ingrédients restants et bien mélanger. Répartir la préparation dans le moule et presser.

Cuire 20 à 30 minutes au four préchauffé, jusqu'à ce que le biscuit soit doré. Laisser refroidir complètement dans le moule, puis couper en 16 barres et servir.

Carrés au chocolat et au caramel

75 g de beurre ou de margarine,
   un peu plus pour graisser
60 g de sucre blond
125 g de farine
40 g de flocons d'avoine

GARNITURE AU CARAMEL
175 g de beurre
115 g de sucre blond
225 ml de lait concentré

COUVERTURE
100 g de chocolat noir,
   brisé en morceaux
25 g de chocolat blanc, brisé
   en morceaux (facultatif)

Préchauffer le four à 180 °C (th. 6). Graisser un moule carré de 20 cm de côté. Mettre le beurre et le sucre dans une jatte et battre jusqu'à ce que le mélange blanchisse. Incorporer la farine et les flocons d'avoine, puis pétrir la préparation et la presser dans le fond du moule. Cuire au four préchauffé 25 minutes, jusqu'à ce que le biscuit soit légèrement doré et juste ferme. Laisser reposer dans le moule.

Pour la garniture, mettre tous les ingrédients dans une casserole et chauffer à feu doux sans cesser de remuer jusqu'à ce que le sucre soit dissous. Porter à ébullition à feu doux et laisser bouillir 3 à 4 minutes sans cesser de remuer, jusqu'à épaississement. Verser la garniture sur le biscuit et laisser prendre.

Mettre le chocolat noir dans une jatte résistant à la chaleur et le faire fondre au-dessus d'une casserole d'eau frémissante, puis en recouvrir la garniture au caramel. Mettre le chocolat blanc dans une jatte résistant à la chaleur et le faire fondre au-dessus d'une casserole d'eau frémissante, puis arroser le chocolat noir de filets de chocolat blanc. Passer un pique à cocktail sur les filets de chocolat blanc de façon à obtenir un motif décoratif et laisser prendre. Couper en carrés avant de servir.

Carrés aux noix de macadamia

115 g de beurre, un peu plus
   pour graisser
115 g de noix de macadamia
280 g de farine
175 g de sucre blond

GARNITURE
115 g de beurre
100 g de sucre blond
200 g de pépites de chocolat au lait

Préchauffer le four à 180 °C (th. 6). Graisser un moule de 30 x 20 cm. Concasser les noix de macadamia. Pour le biscuit, mettre la farine, le sucre et le beurre dans une jatte et mélanger avec les doigts de façon à obtenir une consistance de fine chapelure. Presser la préparation dans le moule et répartir les noix de macadamia dessus.

Pour la garniture, mettre le beurre et le sucre dans une casserole et porter à ébullition à feu doux sans cesser de remuer. Laisser bouillir 1 minute sans cesser de remuer, puis verser la préparation sur les noix de macadamia.

Cuire 20 minutes au four préchauffé, jusqu'à ce que le caramel soit bouillonnant. Sortir le moule du four et parsemer immédiatement de pépites de chocolat. Laisser reposer 2 à 3 minutes, jusqu'à ce que les pépites de chocolat commencent à fondre, puis dessiner des volutes dans le chocolat fondu avec la lame d'un couteau. Laisser reposer dans le moule, puis couper en carrés et servir.

225 g de beurre, un peu plus
   pour graisser
300 g de chocolat au lait
350 g de farine
1 cuil. à café de levure chimique
350 g de sucre blond

175 g de flocons d'avoine
70 g d'un mélange de fruits à coque
1 œuf, légèrement battu
400 g de lait concentré
70 g de beurre de cacahuètes
   avec des éclats

Préchauffer le four à 180 °C (th. 6). Graisser un moule de 30 x 20 cm.
Hacher finement le chocolat. Tamiser la farine et la levure dans une jatte
et incorporer le beurre avec les doigts de façon à obtenir une consistance
de chapelure. Ajouter le sucre, les flocons d'avoine et les fruits à coque.
Transférer un quart de la préparation dans une jatte et ajouter le chocolat
haché. Réserver.

Incorporer l'œuf aux trois quarts de préparation restants, puis
presser le tout dans le moule. Cuire 15 minutes au four préchauffé.

Pendant ce temps, mélanger le lait concentré et le beurre de cacahuètes.
Répartir le mélange dans le moule, puis parsemer du quart de préparation
réservé et presser légèrement. Cuire au four encore 20 minutes, jusqu'à
ce que le biscuit soit doré. Laisser reposer dans le moule, puis couper
en carrés.

100 g de beurre, un peu plus
   pour graisser
200 g de chocolat noir,
   brisé en morceaux
200 g de sucre

2 gros œufs, légèrement battus
200 g de noix de coco déshydratée
   râpée
100 g de raisins secs
100 g de cerises confites

Graisser et chemiser un moule carré de 23 cm de côté. Mettre le chocolat
dans une jatte résistant à la chaleur et le faire fondre au-dessus d'une
casserole d'eau frémissante. Retirer du feu, mélanger et verser dans le
moule, puis laisser prendre 1 heure.

Préchauffer le four à 180 °C (th. 6). Mettre le beurre et le sucre dans
une jatte et battre jusqu'à ce que le mélange blanchisse. Incorporer
progressivement les œufs, puis ajouter la noix de coco, les raisins secs
et les cerises confites, et mélanger. Répartir la préparation dans le moule
sur le chocolat.

Cuire 30 à 35 minutes au four préchauffé, jusqu'à ce que le gâteau soit
doré. Laisser reposer dans le moule, puis démouler et couper en 16 petits
pavés avant de servir.

Petits pavés aux noix de pécan

115 g de beurre, un peu plus
    pour graisser
175 g de farine
130 g de sucre blond

2 gros œufs
50 g de noix de pécan, concassées
175 g de golden syrup
½ cuil. à café d'extrait de vanille

Préchauffer le four à 190 °C (th. 6-7). Graisser et chemiser un moule carré de 23 cm de côté, puis graisser le papier. Faire fondre 2 cuillerées à soupe de beurre dans une casserole à feu doux et laisser tiédir. Couper le beurre restant en dés.

Mettre la farine dans une jatte et incorporer les dés de beurre avec les doigts de façon à obtenir une consistance de fine chapelure. Ajouter 40 g de sucre, puis répartir la préparation dans le moule et presser fermement avec le dos d'une cuillère. Cuire 20 minutes au four préchauffé.

Pendant ce temps, place les œufs dans une jatte et battre légèrement. Ajouter le sucre restant, les noix de pécan, le beurre fondu, le golden syrup et l'extrait de vanille, et bien mélanger le tout. Répartir le mélange dans le moule et cuire encore 15 à 20 minutes, jusqu'à ce que le gâteau soit doré et ferme au toucher. Démouler et laisser refroidir, puis couper en 10 petits pavés.

639   Petits pavés chocolat-noix de pécan

Ajouter 40 g de pépites de chocolat noir à la préparation avec les noix de pécan.

Petits moelleux aux amandes

115 g de beurre, un peu plus
    pour graisser
60 g de poudre d'amandes
140 g de lait en poudre

200 g de sucre cristallisé
½ cuil. à café de pistils de safran
3 œufs, légèrement battus
1 cuil. à soupe d'amandes effilées

Préchauffer le four à 160 °C (th. 5-6). Graisser un moule carré de 20 cm de côté. Mettre la poudre d'amandes, le lait en poudre, le sucre et le safran dans une jatte et bien mélanger le tout.

Mettre le beurre dans une petite casserole et le faire fondre à feu doux. Verser le beurre dans la jatte et mélanger de sorte que tous les ingrédients soient bien enrobés, puis incorporer les œufs.

Répartir la préparation dans le moule, lisser la surface et parsemer d'amandes effilées. Cuire 45 minutes au four préchauffé, jusqu'à ce que la pointe d'un couteau piquée au centre du gâteau ressorte sans trace de pâte.

Couper en triangles et servir chaud ou froid.

641   Petits moelleux aux noisettes

Remplacer la poudre d'amandes par de la poudre de noisettes. Parsemer le tout d'amandes grillées concassées plutôt que d'amandes effilées.

225 g de farine
1 cuil. à café de levure chimique
100 g de sucre blanc
85 g de sucre blond
225 g de beurre

150 g de flocons d'avoine
225 g de confiture de fraises
100 g de pépites de chocolat noir
25 g d'amandes effilées

643 *Petits pavés chocolat-abricot*

Remplacer la confiture de fraises par de la confiture d'abricots.

644 *Petits pavés framboise-amande*

Ajouter 1 cuil. à café d'extrait d'amande avec le beurre. Remplacer la confiture de fraises par de la confiture de framboises. Omettre les pépites de chocolat et doubler la quantité d'amandes effilées.

Préchauffer le four à 190 °C (th. 6-7). Chemiser un moule de 30 x 20 cm. Tamiser la farine et la levure dans une jatte, ajouter les sucres et mélanger. Incorporer le beurre avec les doigts de façon à obtenir une consistance de chapelure, puis ajouter les flocons d'avoine. Presser les trois quarts de la préparation dans le fond du moule et cuire 10 minutes au four préchauffé.

Répartir la confiture de fraises dans le moule et parsemer de pépites de chocolat. Ajouter les amandes effilées au quart de préparation restant et en parsemer les pépites de chocolat. Presser légèrement et cuire encore 20 à 25 minutes, jusqu'à ce que le gâteau soit doré. Laisser reposer dans le moule, puis couper en petits pavés pour servir.

85 g de beurre, un peu plus
    pour graisser
200 g de biscuits au chocolat
400 g de fromage frais
125 g de sucre
175 ml de crème aigre

3 gros œufs
½ cuil. à café d'extrait de vanille
50 g de farine
75 g de chocolat noir,
    brisé en morceaux

Préchauffer le four à 160 °C (th. 5-6). Graisser et chemiser un moule carré de 23 cm de côté. Mettre les biscuits dans un sac en plastique et les réduire en miettes à l'aide d'un rouleau à pâtisserie. Mettre le beurre dans une casserole et le faire fondre à feu doux. Retirer du feu, ajouter les biscuits et mélanger. Répartir le mélange dans le moule et presser fermement avec le dos d'une cuillère. Réserver au réfrigérateur.

Pendant ce temps, mettre le fromage frais, le sucre, la crème aigre, les œufs et l'extrait de vanille dans une jatte et fouetter vigoureusement le tout. Ajouter la farine et fouetter de nouveau. Répartir la préparation dans le moule.

Cuire 40 minutes au four préchauffé, jusqu'à ce que la garniture ait pris sans avoir doré. Laisser refroidir dans le moule, puis mettre au réfrigérateur au moins 3 heures.

Au moment de servir, démouler le cheesecake. Mettre le chocolat dans une jatte résistant à la chaleur et le faire fondre au-dessus d'une casserole d'eau frémissante. Retirer du feu et mélanger jusqu'à obtention d'une consistance homogène. Arroser le cheesecake de chocolat fondu à l'aide d'une petite cuillère de façon à obtenir une jolie décoration. Laisser prendre 1 heure. Juste avant de servir, couper le cheesecake en petits pavés à l'aide d'un couteau tranchant chaud.

350 g de biscuits petits-beurres
125 g de chocolat noir, brisé
    en morceaux
225 g de beurre
2 cuil. à soupe de sucre

2 cuil. à soupe de cacao en poudre amer
2 cuil. à soupe de miel
55 g de minichamallows
100 g de pépites de chocolat blanc

Mettre les biscuits dans un sac en plastique et les réduire en miettes en pressant à l'aide d'un rouleau à pâtisserie. Mettre le chocolat, le beurre, le sucre, le cacao et le miel dans une casserole et chauffer à feu doux jusqu'à ce que le tout ait fondu. Retirer du feu et laisser tiédir.

Incorporer les miettes de biscuits dans la casserole, puis ajouter les chamallows et bien mélanger. Ajouter les pépites de chocolat. Répartir la préparation dans un moule carré de 20 cm de côté et lisser légèrement la surface. Laisser prendre 2 à 3 heures au réfrigérateur. Servir coupé en barres.

175 g de chocolat noir,
    brisé en carrés
4 cuil. à soupe de beurre
2 cuil. à soupe de golden syrup

115 g de biscuits petits-beurres,
    émiettés
175 g d'un mélange de fruits secs
55 g de cerises confites

Mettre le chocolat dans une jatte résistant à la chaleur et le faire fondre au-dessus d'une casserole d'eau frémissante. Ajouter le beurre et le golden syrup, et bien mélanger. Retirer du feu et incorporer les biscuits, les fruits secs et les cerises confites.

Chemiser de papier sulfurisé un moule carré de 18 cm de côté et y verser la préparation. Presser fermement avec le dos d'une cuillère et mettre 2 heures au réfrigérateur, jusqu'à ce que la préparation soit bien ferme. Couper en 14 barres et servir.

648 *Barres chocolatées aux noix de pécan*

Faire fondre le chocolat, le beurre et le golden syrup comme ci-contre. Incorporer les biscuits et ajouter 115 g de raisins secs et 115 g de noix de pécan. Laisser prendre au réfrigérateur

115 g de beurre, un peu plus
    pour graisser
175 g de farine
55 g de sucre

GARNITURE
175 g de beurre
115 g de sucre
3 cuil. à soupe de golden syrup
400 g de lait concentré
200 g de chocolat noir,
    brisé en morceaux

Préchauffer le four à 180 °C (th. 6). Graisser et chemiser le fond d'un moule carré de 23 cm de côté. Mettre le beurre, la farine et le sucre dans un robot de cuisine et mixer jusqu'à obtention d'une pâte. Presser la pâte dans le moule et lisser la surface. Cuire 20 à 25 minutes au four préchauffé, jusqu'à ce que le biscuit soit doré.

Pendant ce temps, pour la garniture, mettre le beurre, le sucre, le golden syrup et le lait concentré dans une casserole et chauffer à feu doux jusqu'à ce que le sucre soit dissous. Porter à ébullition, puis réduire le feu et laisser mijoter 6 à 8 minutes sans cesser de remuer, jusqu'à ce que la préparation soit très épaisse. Verser sur le biscuit et laisser prendre au réfrigérateur.

Mettre le chocolat dans une jatte résistant à la chaleur et le faire fondre au-dessus d'une casserole d'eau frémissante. Le laisser refroidir, puis le verser sur le caramel. Laisser prendre au réfrigérateur, puis couper en 12 petits pavés et servir.

100 g de beurre
25 g de cacao en poudre amer
200 g de biscuits petits-beurres, émiettés
85 g de raisins secs ou de canneberges
    séchées

1 œuf, légèrement battu
125 g de chocolat au lait,
    brisé en carrés

Chemiser un moule carré de 24 cm de côté avec du papier sulfurisé ou du papier d'aluminium. Mettre le beurre dans une casserole et le faire fondre à feu doux. Incorporer le cacao, puis retirer du feu et ajouter les biscuits et les raisins secs. Bien mélanger le tout.

Ajouter l'œuf et mélanger de nouveau, puis répartir la préparation dans le moule et presser avec le dos d'une cuillère.

Mettre le chocolat dans une jatte résistant à la chaleur et le faire fondre au-dessus d'une casserole d'eau frémissante. Étaler le chocolat dans le moule et laisser prendre à l'abri de la chaleur. Couper en biscuits et servir.

Note : cette recette contient des œufs crus.

Muffins

Muffins aux myrtilles

6 cuil. à soupe d'huile de tournesol
   ou 85 g de beurre, fondu et refroidi,
   un peu plus pour graisser
280 g de farine
1 cuil. à soupe de levure chimique
1 pincée de sel
115 g de sucre blond

150 g de myrtilles surgelées
2 œufs
250 ml de lait
1 cuil. à café d'extrait de vanille
zeste finement râpé d'un citron

Préchauffer le four à 200 °C (th. 6-7). Graisser un moule à muffins à 12 alvéoles. Tamiser la farine, la levure et le sel dans une jatte, puis ajouter le sucre et les myrtilles.

Mettre les œufs dans une autre jatte et battre légèrement, puis incorporer le lait, l'huile, l'extrait de vanille et le zeste de citron. Creuser un puits au centre de la première jatte et y verser le contenu de la seconde jatte. Mélanger très légèrement le tout. Répartir la préparation dans les alvéoles du moule.

Cuire 20 minutes au four préchauffé, jusqu'à ce que les muffins aient levé et soient dorés et fermes au toucher. Laisser reposer 5 minutes dans le moule, puis servir chaud ou transférer sur une grille et laisser refroidir complètement.

652 *Avec un nappage au chocolat blanc*

Incorporer 3 cuil. à soupe de beurre à 50 g de farine avec les doigts de façon à obtenir une consistance de chapelure, puis ajouter 2 cuil. à soupe de sucre, 2 cuil. à soupe de myrtilles séchées et 50 g de chocolat blanc râpé. Parsemer les muffins du mélange obtenu avant d'enfourner.

Muffins aux pommes et aux mûres

6 cuil. à soupe d'huile de tournesol
   ou 85 g de beurre, fondu et refroidi,
   un peu plus pour graisser
280 g de farine
1 cuil. à soupe de levure chimique
1 pincée de sel
115 g de sucre blond

1 grosse pomme
2 œufs
250 ml de babeurre
1 cuil. à café d'extrait de vanille
150 g de mûres surgelées
40 g de sucre roux

Préchauffer le four à 200 °C (th. 6-7). Graisser un moule à muffins à 12 alvéoles. Tamiser la farine, la levure et le sel dans une jatte, puis ajouter le sucre blond. Peler, évider et hacher finement la pomme, puis l'ajouter dans la jatte et bien mélanger.

Mettre les œufs dans une autre jatte et battre légèrement, puis ajouter le babeurre, l'huile et l'extrait de vanille. Creuser un puits au centre de la première jatte, y verser le contenu de la seconde jatte et ajouter les mûres. Mélanger très légèrement le tout. Répartir la préparation dans les alvéoles du moule et saupoudrer les muffins de sucre roux.

Cuire 20 minutes au four préchauffé, jusqu'à ce que les muffins aient levé et soient dorés et fermes au toucher. Laisser reposer 5 minutes dans le moule, puis servir chaud ou transférer sur une grille et laisser refroidir complètement.

654 *Muffins aux fruits des bois*

Omettre la pomme et remplacer les mûres par 200 g de fruits des bois frais.

Muffins à la pomme façon streusel

280 g de farine
1 cuil. à soupe de levure chimique
½ cuil. à café de cannelle en poudre
1 pincée de sel
115 g de sucre blond
1 grosse pomme
2 œufs
250 ml de lait

6 cuil. à soupe d'huile de tournesol
  ou 85 g de beurre, fondu et refroidi

STREUSEL
50 g de farine
¼ de cuil. à café de cannelle en poudre
2½ cuil. à soupe de beurre, coupé en dés
2 cuil. à soupe de sucre blond

Préchauffer le four à 200 °C (th. 6-7). Chemiser un moule à muffins à 12 alvéoles avec des caissettes en papier.

Pour le streusel, mettre la farine et la cannelle dans une jatte, puis incorporer le beurre avec les doigts de façon à obtenir une consistance de fine chapelure. Ajouter le sucre, mélanger et réserver.

Pour les muffins, tamiser la farine, la levure, la cannelle et le sel dans une jatte, puis ajouter le sucre. Peler, évider et hacher finement la pomme, puis l'ajouter dans la jatte et mélanger. Mettre les œufs dans une autre jatte et battre légèrement, puis incorporer le lait et l'huile.

Creuser un puits au centre de la première jatte et y verser le contenu de la seconde jatte.

Mélanger très légèrement le tout. Répartir la préparation dans les caissettes et parsemer de streusel.

Cuire 20 minutes au four préchauffé, jusqu'à ce que les muffins aient levé et soient dorés et fermes au toucher. Laisser reposer 5 minutes dans le moule, puis servir chaud ou transférer sur une grille et laisser refroidir complètement.

656 Avec une sauce au cognac

Incorporer 1 cuil. à soupe de cognac avec 2 cuil. à soupe de pommes séchées finement hachées à 85 de beurre ramolli et servir en accompagnement.

Muffins aux bananes et aux abricots

6 cuil. à soupe d'huile de tournesol
  ou 85 g de beurre, fondu et refroidi,
  un peu plus pour graisser
280 g de farine
1 cuil. à soupe de levure chimique
1 pincée de sel

115 g de sucre
55 g d'abricots secs moelleux,
  finement hachés
2 bananes
150 ml de lait
2 œufs

Préchauffer le four à 200 °C (th. 6-7). Graisser un moule à muffins à 12 alvéoles. Tamiser la farine, la levure et le sel dans une jatte. Ajouter le sucre et les abricots.

Réduire les bananes en purée et les mettre dans un bol, puis ajouter assez de lait pour obtenir une purée de 250 ml.

Mettre les œufs dans une autre jatte et battre légèrement, puis ajouter le contenu du bol et l'huile. Creuser un puits au centre de la première jatte et y verser le contenu de la seconde jatte. Mélanger très légèrement le tout. Répartir la préparation dans les alvéoles du moule.

Cuire 20 minutes au four préchauffé, jusqu'à ce que les muffins aient levé et soient dorés et fermes au toucher. Laisser reposer 5 minutes dans le moule, puis servir chaud ou transférer sur une grille et laisser refroidir complètement.

658 Muffins à la banane

Omettre les abricots et ajouter 200 g de bananes séchées moelleuses hachées.

Muffins à la pomme et à la cannelle

200 g de farine complète
75 g de flocons d'avoine
2 cuil. à café de levure chimique
125 g de sucre blond
2 gros œufs

225 ml de lait demi-écrémé
100 ml d'huile d'arachide
1 cuil. à café d'extrait de vanille
1 cuil. à café de cannelle en poudre
1 grosse pomme à cuire

Préchauffer le four à 180 °C (th. 6). Chemiser un moule à muffins à 12 alvéoles avec des caissettes en papier.

Tamiser la farine, les flocons d'avoine et la levure dans une jatte, puis ajouter les particules restées dans le tamis. Incorporer le sucre. Mettre les œufs, le lait et l'huile dans une autre jatte et battre vigoureusement. Ajouter le mélange dans la première jatte avec l'extrait de vanille et la cannelle, et mélanger très légèrement le tout.

Peler, évider et râper la pomme et l'incorporer dans la jatte, puis répartir la préparation dans les caissettes.

Cuire 20 à 25 minutes au four préchauffé, jusqu'à ce que les muffins aient levé et soient dorés. Laisser reposer dans le moule quelques minutes, puis servir chaud ou transférer sur une grille et laisser refroidir complètement.

Muffins au babeurre et aux fruits rouges

6 cuil. à soupe d'huile
de tournesol ou 85 g de beurre,
fondu et refroidi,
un peu plus pour graisser
150 g de fruits rouges surgelés,
myrtilles, framboises, mûres
et fraises, par exemple
280 g de farine
1 cuil. à soupe de levure chimique
1 pincée de sel
115 g de sucre
2 œufs
250 ml de babeurre
1 cuil. à café d'extrait de vanille
sucre glace, pour saupoudrer

Préchauffer le four à 200 °C (th. 6-7). Graisser un moule à muffins à 12 alvéoles. Couper les fruits rouges les plus gros en dés. Tamiser la farine, la levure et le sel dans une jatte et ajouter le sucre.

Mettre les œufs dans une autre jatte et battre légèrement, puis incorporer le babeurre, l'huile et l'extrait de vanille. Creuser un puits au centre de la première jatte, y verser le contenu de la seconde jatte et ajouter les fruits rouges. Mélanger très légèrement et répartir la préparation dans les alvéoles du moule.

Cuire 20 minutes au four préchauffé, jusqu'à ce que les muffins aient levé et soient dorés et fermes au toucher. Laisser reposer 5 minutes dans le moule, puis servir chaud ou transférer sur une grille et laisser refroidir complètement. Saupoudrer de sucre glace avant de servir.

661 *Muffins babeurre-canneberges*

Remplacer les fruits rouges par 150 g de canneberges surgelées et ajouter ½ cuil. à café de zeste d'orange finement râpé.

6 cuil. à soupe d'huile de tournesol
   ou 85 g de beurre, fondu et refroidi,
   un peu plus pour graisser
2 oranges
125 ml de lait
225 g de farine
55 g de cacao en poudre amer
1 cuil. à soupe de levure chimique
1 pincée de sel
115 g de sucre blond

100 g de pépites de chocolat noir
2 œufs
lanières de zeste d'orange, pour décorer

NAPPAGE
55 g de chocolat noir, brisé en morceaux
2 cuil. à soupe de beurre
2 cuil. à soupe d'eau
175 g de sucre glace

Préchauffer le four à 200 °C (th. 6-7). Graisser un moule à muffins à 12 alvéoles. Râper le zeste des oranges et en presser le jus. Ajouter assez de lait au jus pour obtenir 250 ml, puis ajouter le zeste d'orange. Tamiser la farine, le cacao, la levure et le sel dans une jatte. Incorporer le sucre et les pépites de chocolat.

Mettre les œufs dans une autre jatte et battre légèrement, puis ajouter l'huile et le mélange de jus d'orange et de lait. Creuser un puits au centre de la première jatte et y verser le contenu de la seconde jatte. Mélanger très légèrement et répartir la préparation dans les alvéoles du moule.

Cuire 20 minutes au four préchauffé, jusqu'à ce que les muffins aient bien levé et soient fermes au toucher. Laisser reposer 5 minutes dans le moule, puis transférer sur une grille et laisser refroidir complètement.

Pour le nappage, mettre le chocolat dans une jatte résistant à la chaleur, ajouter le beurre et l'eau, et faire fondre le tout au-dessus d'une casserole d'eau frémissante. Retirer du feu, tamiser le sucre glace dans la jatte et battre jusqu'à obtention d'une consistance homogène. Napper les muffins de nappage et décorer de lanières de zeste d'orange.

663 *Avec un nappage au chocolat blanc*

Remplacer le chocolat noir par 55 g de chocolat blanc et décorer de chocolat noir à l'orange râpé.

400 g de pêches en bocal au naturel
280 g de farine
1 cuil. à soupe de levure chimique
1 pincée de sel
115 g de sucre
2 œufs

175 ml de babeurre
6 cuil. à soupe d'huile de tournesol
   ou 85 g de beurre, fondu et refroidi
3 cuil. à soupe de cognac
zeste finement râpé d'une orange

Préchauffer le four à 200 °C (th. 6-7). Chemiser un moule à muffins à 12 alvéoles avec des caissettes en papier. Égoutter et hacher les pêches. Tamiser la farine, la levure et le sel dans une jatte et ajouter le sucre.

Mettre les œufs dans une autre jatte et battre légèrement, puis ajouter le babeurre, l'huile, le cognac et le zeste d'orange. Creuser un puits au centre de la première jatte, y verser le contenu de la seconde jatte et ajouter les pêches. Mélanger très légèrement le tout et répartir la préparation dans les caissettes.

Cuire 20 minutes au four préchauffé, jusqu'à ce que les muffins aient levé et soient dorés et fermes au toucher. Laisser reposer 5 minutes dans le moule, puis servir chaud ou transférer sur une grille et laisser refroidir complètement.

665 *Muffins aux poires et à l'eau-de-vie*

Remplacer les pêches par 400 g de poires en bocal, égouttées et hachées, et le cognac par de l'eau-de-vie de poire.

666 Muffins à l'abricot et au cognac

100 g d'abricots secs, hachés
3 cuil. à soupe de cognac
280 g de farine
1 cuil. à soupe de levure chimique
1 pincée de sel
115 g de sucre

2 œufs
175 ml de babeurre
6 cuil. à soupe d'huile de tournesol
    ou 85 g de beurre, fondu et refroidi

Mettre les abricots dans un bol, ajouter de cognac et laisser tremper 1 heure. Préchauffer le four à 200 °C (th. 6-7). Chemiser un moule à muffins à 12 alvéoles avec des caissettes en papier. Mettre les abricots et le cognac dans un robot de cuisine et réduire en purée épaisse. Tamiser la farine, la levure et le sel dans une jatte et ajouter le sucre.

Mettre les œufs dans une autre jatte et battre légèrement, puis ajouter la purée d'abricots, le babeurre et l'huile. Creuser un puits au centre de la première jatte et y verser le contenu de la seconde jatte. Mélanger très légèrement le tout et répartir la préparation dans les caissettes. Cuire 20 minutes au four préchauffé, jusqu'à ce que les muffins aient levé et soient dorés et fermes au toucher. Laisser reposer dans le moule 5 minutes, puis servir chaud ou transférer sur une grille et laisser refroidir complètement.

667 Avec un glaçage au cognac

Tamiser 200 g de sucre glace dans une jatte et délayer dans 1 cuil. à soupe de cognac. Arroser les muffins et laisser prendre.

668 Muffins au rhum à la mode des Caraïbes

200 g de raisins secs
3 cuil. à soupe de rhum
6 cuil. à soupe d'huile de tournesol
    ou 85 g de beurre, fondu et refroidi,
    un peu plus pour graisser
280 g de farine

1 cuil. à soupe de levure chimique
1 pincée de sel
115 g de sucre roux
2 œufs
200 ml de lait

Mettre les raisins secs dans un bol, ajouter le rhum et laisser tremper 1 heure. Préchauffer le four à 200 °C (th. 6-7). Graisser un moule à muffins à 12 alvéoles. Tamiser la farine, la levure et le sel dans une jatte et ajouter le sucre.

Mettre les œufs dans une autre jatte et battre légèrement, puis ajouter le lait et l'huile. Creuser un puits au centre de la première jatte, y verser le contenu de la seconde jatte et ajouter les raisins. Mélanger très légèrement le tout et répartir la préparation dans les alvéoles du moule.

Cuire 20 minutes au four préchauffé, jusqu'à ce que les muffins aient levé et soient dorés et fermes au toucher. Laisser reposer 5 minutes dans le moule, puis servir chaud ou transférer sur une grille et laisser refroidir complètement.

669 Avec un glaçage à la noix de coco

Tamiser 200 g de sucre glace dans une jatte délayer dans 1 à 2 cuil. à soupe de crème de coco. Napper les muffins froids et laisser prendre.

Muffins à la cerise et à la noix de coco

280 g de farine
1 cuil. à soupe de levure chimique
1 pincée de sel
115 g de sucre
40 g de noix de coco râpée déshydratée
125 g de cerises confites, coupées
        en quartiers

2 œufs
250 ml de lait de coco
6 cuil. à soupe d'huile de tournesol
    ou 85 g de beurre, fondu et refroidi
1 cuil. à café d'extrait de vanille
12 cerises fraîches avec leur queue

Préchauffer le four à 200 °C (th. 6-7). Chemiser un moule à muffins à 12 alvéoles avec des caissettes en papier. Tamiser la farine, la levure et le sel dans une jatte et ajouter le sucre, la noix de coco et les cerises confites.

Mettre les œufs dans une autre jatte et battre légèrement, puis ajouter le lait de coco, l'huile et l'extrait de vanille. Creuser un puits au centre de la première jatte et y verser le contenu de la seconde jatte. Mélanger très légèrement le tout. Répartir la préparation dans les caissettes et garnir chaque muffin d'une cerise fraîche entière.

Cuire 20 minutes au four préchauffé, jusqu'à ce que les muffins aient levé et soient dorés et fermes au toucher. Laisser reposer 5 minutes dans le moule, puis servir chaud ou transférer sur une grille et laisser refroidir complètement.

671   Avec une garniture à la noix de coco

Omettre les cerises entières. Mettre 85 g de noix de coco déshydratée, 3 cuil. à soupe de sucre roux et 85 g de cerises confites dans un robot de cuisine et hacher le tout. Parsemer les muffins du mélange avant de servir.

Muffins aux agrumes

280 g de farine
1 cuil. à soupe de levure chimique
½ cuil. à café de bicarbonate
1 pincée de sel
115 g de sucre
2 œufs
250 ml de yaourt nature
6 cuil. à soupe d'huile de tournesol
ou 85 g de beurre, fondu et refroidi
zeste finement râpé d'un citron
zeste finement râpé d'un citron vert
zeste finement râpé d'une orange
lanières de zeste d'agrume,
    pour décorer

NAPPAGE
2 cuil. à soupe de beurre
100 g de fromage frais
200 g de sucre glace
1 cuil. à café de jus de citron,
    de citron vert ou d'orange

Préchauffer le four à 200 °C (th. 6-7). Chemiser un moule à muffins à 12 alvéoles avec des caissettes en papier. Tamiser le sel, la farine, la levure et le bicarbonate dans une jatte et ajouter le sucre.

Mettre les œufs dans une autre jatte et battre légèrement, puis ajouter le yaourt, l'huile et les zestes. Creuser un puits au centre de la première jatte et y verser le contenu de la seconde jatte. Mélanger très légèrement le tout et répartir la préparation dans les caissettes.

Cuire 20 minutes au four préchauffé, jusqu'à ce que les muffins aient bien levé et soient dorés. Laisser reposer 5 minutes dans le moule, puis transférer sur une grille et laisser refroidir complètement.

Pour le nappage, mettre le beurre et le fromage frais dans une jatte et battre à l'aide d'un batteur électrique jusqu'à obtention d'une consistance ferme et homogène. Tamiser le sucre glace dans la jatte, puis battre vigoureusement. Incorporer progressivement le jus d'agrume de façon à obtenir la consistance d'une pâte à tartiner.

Garnir les muffins refroidis de nappage, puis décorer de lanières de zeste d'agrume.

673   Muffins aux kiwis

Omettre les zestes d'agrumes et les remplacer par 3 kiwis pelés et hachés.

6 cuil. à soupe d'huile de tournesol
   ou 85 g de beurre, fondu et refroidi,
   un peu plus pour graisser
225 g de farine
1 cuil. à soupe de levure chimique
1 pincée de sel
115 g de sucre blanc
55 g de poudre d'amandes

2 œufs
250 ml de babeurre
½ cuil. à café d'extrait d'amande
150 g de canneberges fraîches
   ou surgelées
40 g de sucre roux
40 d'amandes effilées

Préchauffer le four à 200 °C (th. 6-7). Graisser un moule à muffins à 12 alvéoles. Tamiser la farine, la levure et le sel dans une jatte et ajouter le sucre blanc et la poudre d'amandes.

Mettre les œufs dans une autre jatte et battre légèrement, puis ajouter le babeurre, l'huile et l'extrait d'amande. Creuser un puits au centre de la première jatte, y verser le contenu de la seconde jatte et ajouter les canneberges. Mélanger très légèrement le tout. Répartir la préparation dans les alvéoles du moule, puis saupoudrer de sucre roux et parsemer d'amandes effilées.

Cuire 20 minutes au four préchauffé, jusqu'à ce que les muffins aient levé et soient dorés et fermes au toucher. Laisser reposer 5 minutes dans le moule, puis servir chaud ou transférer sur une grille et laisser refroidir.

675 *Avec une garniture croquante*

Hacher les amandes effilées et les mélanger avec le sucre roux et 4 biscuits amaretti émiettés, puis en saupoudrer les muffins avant de les enfourner.

---

676 *Muffins aux fleurs fraîches* POUR 12 MUFFINS

280 g de farine
1 cuil. à soupe de levure chimique
1 pincée de sel
115 g de sucre
2 œufs
250 ml de babeurre
6 cuil. à soupe d'huile de tournesol
   ou 85 g de beurre, fondu et refroidi
zeste finement râpé d'un citron

GARNITURE
85 g de beurre, ramolli
175 g de sucre glace
12 fleurs comestibles, lavande, violettes,
   roses, capucines ou primevères par
   exemple, pour décorer

Préchauffer le four à 200 °C (th. 6-7). Chemiser un moule à muffins à 12 alvéoles avec des caissettes en papier. Rincer délicatement les fleurs et les laisser sécher sur du papier absorbant.

Tamiser la farine, la levure et le sel dans une jatte et ajouter le sucre. Mettre les œufs dans une autre jatte et battre légèrement, puis ajouter le babeurre, l'huile et le zeste de citron. Creuser un puits au centre de la première jatte et y verser le contenu de la seconde jatte. Mélanger très légèrement le tout et répartir la préparation dans les caissettes.

Cuire 20 minutes au four préchauffé, jusqu'à ce que les muffins aient levé et soient dorés et fermes au toucher. Laisser reposer dans le moule 5 minutes, puis transférer sur une grille et laisser refroidir complètement.

Pour la garniture, battre le beurre en crème dans une jatte, tamiser le sucre glace dans la jatte et battre vigoureusement. Mettre dans une poche à douille munie d'un embout en forme d'étoile, et décorer les muffins. Juste avant de servir, décorer les muffins avec des fleurs.

677 *Muffins aux pétales de rose*

Enduire 12 pétales de roses fraîches avec du blanc d'œuf battu et les saupoudrer de sucre. Laisser sécher sur du papier sulfurisé et utiliser pour décorer.

Muffins aux oranges fraîches

6 cuil. à soupe d'huile de tournesol,
un peu plus pour graisser
5 oranges
140 g de farine complète
125 g de farine

1 cuil. à soupe de levure chimique
115 g de sucre
2 œufs
250 ml de jus d'orange frais

Préchauffer le four à 200 °C (th. 6-7). Graisser un moule à muffins à 12 alvéoles. Râper le zeste de 2 oranges et réserver. Peler toutes les oranges à vif en veillant bien à ôter la peau blanche. Séparer en quartiers, et réserver 6 quartiers. Couper les quartiers réservés en deux et les réserver. Concasser les quartiers restants.

Tamiser les farines et la levure dans une jatte en ajoutant le son resté dans le tamis, puis incorporer le sucre.

Mettre les œufs dans une autre jatte et battre légèrement, puis incorporer le jus d'orange, l'huile et le zeste d'orange réservé.

Creuser un puits au centre de la première jatte, y verser le contenu de la seconde jatte et ajouter les oranges concassées. Mélanger très légèrement et répartir la préparation dans les alvéoles du moule. Déposer les demi-quartiers au centre de chaque muffin.

Cuire 20 minutes au four préchauffé, jusqu'à ce que les muffins aient levé et soient dorés et fermes au toucher. Laisser reposer 5 minutes, puis servir chaud ou transférer sur une grille et laisser refroidir complètement.

679 *Muffins aux pêches fraîches*

Dénoyauter et peler 5 pêches fraîches et les utiliser comme les oranges. Remplacer le jus d'orange par du nectar de pêche.

680 *Muffins aux fraises fraîches et à la crème*

6 cuil. à soupe d'huile de tournesol
ou 85 g de beurre, fondu et refroidi,
un peu plus pour graisser
150 g de fraises
280 g de farine
1 cuil. à soupe de levure chimique
1 pincée de sel
115 g de sucre

2 œufs
250 ml de crème fraîche liquide
1 cuil. à café d'extrait de vanille

GARNITURE
125 ml de crème fraîche épaisse
12 petites fraises fraîches entières,
pour décorer

Préchauffer le four à 200 °C (th. 6-7). Graisser un moule à muffins à 12 alvéoles. Hacher finement les fraises. Tamiser la farine, la levure et le sel dans une jatte et ajouter le sucre et les fraises hachées.

Mettre les œufs dans une autre jatte et battre légèrement, puis ajouter la crème fraîche, l'huile et l'extrait de vanille. Creuser un puits au centre de la première jatte et y verser le contenu de la seconde jatte.

Mélanger très légèrement le tout et répartir la préparation dans les alvéoles du moule.

Cuire 20 minutes au four préchauffé, jusqu'à ce que les muffins aient levé et soient dorés et fermes au toucher. Laisser reposer 5 minutes dans le moule, puis transférer sur une grille et laisser refroidir complètement.

Mettre la crème fraîche épaisse dans un bol et la fouetter vigoureusement. Une fois les muffins refroidis, garnir de crème à la fraise et décorer le tout avec une fraise fraîche entière.

681 *Avec une sauce au vin sucré*

Équeuter et émincer les fraises, y verser 2 cuil. à soupe de vin blanc sucré et laisser macérer 10 minutes avant de répartir les lamelles de fraises sur les muffins.

Muffins au chocolat et à la crème fraîche

225 g de farine
55 g de cacao en poudre amer
1 cuil. à soupe de levure chimique
1 pincée de sel
115 g de sucre blond
150 g de pépites de chocolat blanc

2 œufs
250 ml de crème fraîche épaisse
6 cuil. à soupe d'huile de tournesol
ou 85 g de beurre, fondu et refroidi

Préchauffer le four à 200 °C (th. 6-7). Chemiser un moule à muffins à 12 alvéoles avec des caissettes en papier. Tamiser la farine, le cacao, la levure et le sel dans une jatte et ajouter le sucre et les pépites de chocolat blanc.

Mettre les œufs dans une autre jatte et battre légèrement, puis ajouter la crème fraîche et l'huile. Creuser un puits au centre de la première jatte et y verser le contenu de la seconde jatte. Mélanger très légèrement le tout et répartir la préparation dans les caissettes.

Cuire 20 minutes au four préchauffé, jusqu'à ce que les muffins aient bien levé et soient fermes au toucher. Laisser reposer 5 minutes dans le moule, puis servir chaud ou transférer sur une grille et laisser refroidir complètement.

683 Muffins au chocolat et au caramel

Ajouter 55 g de caramels enrobés de chocolat à la préparation.

684 Muffins au fromage frais

215 g de fromage frais
50 g de sucre glace
280 g de farine
1 cuil. à soupe de levure chimique
1 pincée de sel
115 g de sucre roux
2 œufs

200 ml de crème aigre
6 cuil. à soupe d'huile de tournesol
ou 85 g de beurre, fondu et refroidi
zeste finement râpé d'un citron
2 cuil. à café de jus de citron

Préchauffer le four à 200 °C (th. 6-7). Chemiser un moule à muffins à 12 alvéoles avec des caissettes en papier. Mettre 100 g de fromage frais dans un bol et incorporer 15 g de sucre glace tamisé.

Tamiser la farine, la levure et le sel dans une jatte et ajouter le sucre roux. Mettre les œufs dans une autre jatte et battre légèrement, puis ajouter la crème aigre, l'huile et le zeste de citron. Creuser un puits au centre de la première jatte et y verser le contenu de la seconde jatte. Mélanger très légèrement le tout. Répartir la moitié de la préparation dans les caissettes, ajouter une cuillerée de fromage frais sucré dans chaque caissette et couvrir avec la préparation restante.

Cuire 20 minutes au four préchauffé, jusqu'à ce que les muffins aient levé et soient dorés et fermes au toucher. Laisser reposer 5 minutes dans le moule, puis transférer sur une grille et laisser refroidir complètement.

Pour le nappage, battre le fromage frais restant avec le sucre glace restant, puis ajouter le jus de citron et battre de nouveau. Garnir les muffins de nappage et mettre au réfrigérateur jusqu'au moment de servir.

685 Muffins au café et à la crème

6 cuil. à soupe d'huile de tournesol
   ou 85 g de beurre, fondu et refroidi,
   un peu plus pour graisser
2 cuil. à soupe de café soluble
2 cuil. à soupe d'eau bouillante
280 g de farine
1 cuil. à soupe de levure chimique
1 pincée de sel
115 g de sucre roux

2 œufs
200 ml de crème fraîche épaisse

GARNITURE
300 ml de crème fouettée
cacao en poudre amer, pour saupoudrer
12 grains de café enrobés de chocolat,
   pour décorer

Préchauffer le four à 200 °C (th. 6-7). Graisser un moule à muffins à 12 alvéoles. Dissoudre le café dans l'eau bouillante et laisser refroidir.

Pendant ce temps, tamiser la farine, la levure et le sel dans une jatte et ajouter le sucre. Mettre les œufs dans une autre jatte et battre légèrement, puis incorporer la crème fraîche épaisse, l'huile et le café. Creuser un puits au centre de la première jatte et y verser le contenu de la seconde jatte. Mélanger très légèrement le tout et répartir la préparation dans les alvéoles du moule.

Cuire 20 minutes au four préchauffé, jusqu'à ce que les muffins aient levé et soient dorés et fermes au toucher. Laisser reposer dans le moule 5 minutes, puis transférer sur une grille et laisser refroidir complètement.

Juste avant de servir, fouetter la crème jusqu'à ce qu'elle soit bien ferme, puis en décorer les muffins. Saupoudrer de cacao et garnir de grains de café enrobés de chocolat.

686 Nappés d'une crème au moka

Mélanger ½ cuil. à café de cacao, ½ cuil. à café de café soluble et 1 cuil. à soupe de liqueur de café, puis incorporer ce mélange à la crème fouettée.

687 Muffins au chocolat pour les gourmands

6 cuil. à soupe d'huile de tournesol
   ou 85 g de beurre, fondu et refroidi,
   un peu plus pour graisser
225 g de farine
55 g de cacao en poudre amer
1 cuil. à soupe de levure chimique
1 pincée de sel
115 g de sucre blond
2 œufs

250 ml de crème fraîche liquide
85 g de chocolat noir,
   brisé en morceaux

SAUCE
200 g de chocolat noir
2 cuil. à soupe de beurre
50 ml de crème fraîche liquide

Préchauffer le four à 200 °C (th. 6-7). Graisser un moule à muffins à 12 alvéoles. Tamiser la farine, le cacao, la levure et le sel dans une jatte et ajouter le sucre.

Mettre les œufs dans une autre jatte et battre légèrement, puis ajouter la crème fraîche et l'huile. Creuser un puits au centre de la première jatte et y verser le contenu de la seconde jatte. Mélanger très légèrement le tout. Répartir la moitié de la préparation dans les alvéoles du moule, poser un morceau de chocolat au centre de chaque alvéole et couvrir avec la préparation restante.

Cuire 20 minutes au four préchauffé, jusqu'à ce que les muffins aient bien levé et soient fermes au toucher.

Pendant ce temps, pour la sauce, mettre le chocolat et le beurre dans une jatte résistant à la chaleur et faire fondre au-dessus d'une casserole d'eau frémissante, puis ajouter la crème fraîche et mélanger. Retirer du feu et remuer jusqu'à obtention d'une consistance homogène.

Laisser les muffins reposer 5 minutes, puis les démouler et les déposer sur des assiettes à dessert. Servir chaud nappé de sauce au chocolat.

688 Avec une cerise au kirsch

Mettre 12 cerises noires dénoyautées dans un bol, arroser avec 2 cuil. à soupe de kirsch et mélanger, puis laisser macérer 15 minutes. Garnir chaque muffin d'une cerise avant de le napper de sauce au chocolat.

Muffins digestifs à la liqueur

2 cuil. à soupe de café soluble
2 cuil. à soupe d'eau bouillante
280 g de farine
1 cuil. à soupe de levure chimique
1 pincée de sel
115 g de sucre blond
2 œufs

100 ml de lait
6 cuil. à soupe d'huile de tournesol
     ou 85 g de beurre, fondu et refroidi
6 cuil. à soupe de liqueur de café
40 g de sucre roux

Préchauffer le four à 200 °C (th. 6-7). Chemiser un moule à muffins à 12 alvéoles avec des caissettes en papier. Dissoudre le café dans l'eau bouillante et laisser refroidir.

Pendant ce temps, tamiser la farine, la levure et le sel dans une jatte et ajouter le sucre blond. Mettre les œufs dans une autre jatte et battre légèrement, puis incorporer le lait, l'huile, le café et la liqueur. Creuser un puits au centre de la première jatte et y verser le contenu de la seconde jatte. Mélanger très légèrement le tout et répartir la préparation dans les caissettes, puis saupoudrer les muffins de sucre roux.

Cuire 20 minutes au four préchauffé, jusqu'à ce que les muffins aient levé et soient dorés et fermes au toucher. Laisser reposer 5 minutes dans le moule, puis servir chaud ou transférer sur une grille et laisser refroidir complètement.

690 # Avec un glaçage au café

Tamiser 200 g de sucre glace dans une jatte. Dissoudre 1 cuil. à café de café soluble dans 1 cuil. à soupe d'eau bouillante, et incorporer au sucre glace de façon à obtenir un glaçage fluide. Napper les muffins froids et laisser prendre.

Muffins au moka

225 g de farine
1 cuil. à soupe de levure chimique
2 cuil. à soupe de cacao en poudre amer
1 pincée de sel
115 g de beurre, fondu
150 g de sucre roux
1 gros œuf, légèrement battu
125 ml de lait
1 cuil. à café d'extrait d'amande
2 cuil. à soupe de café serré

1 cuil. à soupe de café soluble
55 g de pépites de chocolat noir
25 g de raisins secs

GARNITURE AU CACAO
3 cuil. à soupe de sucre roux
1 cuil. à soupe de cacao en poudre amer
1 cuil. à café de quatre-épices

Préchauffer le four à 190 °C (th. 6-7). Chemiser un moule à muffins à 12 alvéoles avec des caissettes en papier. Tamiser la farine, la levure, le cacao et le sel dans une jatte.

Mettre le beurre et le sucre roux dans une autre jatte et battre jusqu'à ce que le mélange blanchisse, puis incorporer l'œuf. Ajouter le lait, l'extrait d'amande, le café, le café soluble, les pépites de chocolat et les raisins secs et mélanger légèrement.

Ajouter le contenu dans la seconde jatte dans la première et mélanger très légèrement. Répartir la préparation dans les caissettes.

Pour la garniture, mettre le sucre roux dans une jatte, ajouter le cacao et le quatre-épices, et bien mélanger. Parsemer les muffins du mélange obtenu.

Cuire 20 minutes au four préchauffé, jusqu'à ce que les muffins aient bien levé et soient dorés. Laisser reposer 5 minutes dans le moule, puis servir chaud ou transférer sur une grille et laisser refroidir complètement.

692 # Muffins au moka et leur cœur fondant

Omettre les raisins secs de la pâte. Verser la moitié de la pâte dans les caissettes et répartir 100 g de pépites de chocolat noir. Couvrir avec la pâte restante et cuire comme indiqué ci-dessus.

Muffins épicés au chocolat POUR 12 MUFFINS

100 g de beurre, ramolli
150 g de sucre blanc
115 g de sucre blond
2 gros œufs
150 ml de crème aigre
5 cuil. à soupe de lait

250 g de farine
1 cuil. à café de bicarbonate
2 cuil. à soupe de cacao en poudre amer
1 cuil. à café de quatre-épices
200 g de pépites de chocolat noir

Préchauffer le four à 190 °C (th. 6-7). Chemiser un moule à muffins
à 12 alvéoles avec des caissettes en papier. Mettre le beurre et les sucres
dans une jatte et battre jusqu'à ce que le mélange blanchisse, puis
incorporer les œufs, la crème aigre et le lait.

Tamiser la farine, le bicarbonate, le cacao et le quatre-épices
dans la jatte et mélanger. Ajouter les pépites de chocolat et répartir
la préparation dans les caissettes.

Cuire 25 à 30 minutes au four préchauffé. Laisser reposer dans
le moule 10 minutes, puis transférer sur une grille et laisser refroidir
complètement.

Muffins à la rhubarbe et au gingembre POUR 12 MUFFINS

250 g de rhubarbe
125 g de beurre, fondu et refroidi
100 ml de lait
2 œufs, légèrement battus
200 g de farine

2 cuil. à café de levure chimique
125 g de sucre
3 cuil. à soupe de raisins
3 morceaux de gingembre confit,
  haché

Préchauffer le four à 190 °C (th. 6-7). Chemiser un moule à muffins
à 12 alvéoles avec des caissettes en papier. Couper la rhubarbe en tronçons
de 1 cm. Verser le beurre fondu et le lait dans une jatte et incorporer
les œufs. Tamiser la farine et la levure dans la jatte, ajouter le sucre
et mélanger. Incorporer délicatement la rhubarbe, les raisins secs et le
gingembre confit. Répartir la préparation dans les caissettes.

Cuire 15 à 20 minutes au four préchauffé, jusqu'à ce que les muffins
aient levé et soient dorés et très souples au toucher. Laisser reposer
5 minutes dans le moule, puis servir chaud.

695 *Avec un nappage au yaourt*

Incorporer 1 cuil. à soupe de sirop de gingembre à 150 de yaourt nature
au lait entier, et en napper les muffins.

696 Muffins au gingembre et au chocolat noir

POUR 12 MUFFINS

6 cuil. à soupe d'huile de tournesol
ou 85 g de beurre, fondu et refroidi,
un peu plus pour graisser
225 g de farine
55 g de cacao en poudre amer
1 cuil. à soupe de levure chimique
1 cuil. à soupe de gingembre en poudre
1 pincée de sel

115 g de sucre roux
3 morceaux de gingembre confit
au sirop, finement hachés,
plus 2 cuil. à soupe de sirop
2 œufs
220 ml de lait

Préchauffer le four à 200 °C (th. 6-7). Graisser un moule à muffins à 12 alvéoles. Tamiser la farine, le cacao, la levure, gingembre en poudre et le sel dans une jatte. Incorporer le sucre et le gingembre haché.

Mettre les œufs dans une autre jatte et battre légèrement, puis ajouter le lait, l'huile et le sirop de gingembre. Creuser un puits au centre de la première jatte et y verser le contenu de la seconde jatte. Mélanger très légèrement le tout et répartir la préparation dans les alvéoles du moule.

Cuire 20 minutes au four préchauffé, jusqu'à ce que les muffins aient bien levé et soient fermes au toucher. Laisser reposer 5 minutes dans le moule, puis servir chaud ou transférer sur une grille et laisser refroidir complètement.

697 Avec un nappage au babeurre

Battre 100 g de fromage frais avec 3 cuil. à soupe de babeurre, 200 g de sucre glace et ½ cuil. à café de gingembre en poudre, puis napper les muffins froids du mélange obtenu et les arroser de sirop.

698 Muffins aux germes de blé

POUR 12 MUFFINS

6 cuil. à soupe d'huile de tournesol,
un peu plus pour graisser
125 g de farine
1 cuil. à soupe de levure chimique
4 cuil. à café de gingembre en poudre
115 g de sucre roux

140 g de germes de blé
3 morceaux de gingembre confit
au sirop, finement hachés
2 œufs
250 ml de lait écrémé

Préchauffer le four à 200 °C (th. 6-7). Graisser un moule à muffins à 12 alvéoles. Tamiser la farine, la levure et le gingembre en poudre dans une jatte. Incorporer le sucre, les germes de blé et le gingembre confit.

Mettre les œufs dans une autre jatte et battre légèrement, puis ajouter le lait et l'huile. Creuser un puits au centre de la première jatte et y verser le contenu de la seconde jatte. Mélanger très légèrement le tout et répartir la préparation dans les alvéoles du moule.

Cuire 20 minutes au four préchauffé, jusqu'à ce que les muffins aient levé et soient dorés et fermes au toucher. Laisser reposer 5 minutes dans le moule puis servir chaud ou transférer sur une grille et laisser refroidir complètement.

699 Avec une garniture croustillante

Émietter 200 g de biscuits au gingembre et les mélanger avec 2 cuil. à soupe de sucre roux non raffiné, puis en parsemer les muffins avant de les enfourner.

225 g de farine
1 cuil. à café de bicarbonate
¼ de cuil. à café de sel
1 cuil. à café de quatre-épices
115 g de sucre
3 gros blancs d'œufs

3 cuil. à soupe de margarine
allégée
150 ml de yaourt allégé nature
ou à la myrtille
1 cuil. à café d'extrait de vanille
85 g de myrtilles fraîches

Préchauffer le four à 190 °C (th. 6-7). Chemiser un moule à muffins à 12 alvéoles avec des caissettes en papier. Tamiser la farine, le bicarbonate, le sel et la moitié du quatre-épices dans une jatte. Ajouter 6 cuillerées à soupe de sucre et bien mélanger.

Mettre les blancs d'œufs dans une autre jatte et battre légèrement. Ajouter la margarine, le yaourt et l'extrait de vanille, bien mélanger et incorporer les myrtilles. Ajouter le mélange obtenu dans la première jatte et mélanger très légèrement le tout. Répartir la préparation dans les caissettes. Mélanger le sucre et le quatre-épices restants, puis en saupoudrer les muffins.

Cuire 25 minutes au four préchauffé, jusqu'à ce que les muffins aient levé et soient dorés et fermes au toucher. Laisser reposer 5 minutes dans le moule, puis servir chaud ou transférer sur une grille et laisser refroidir complètement.

701 *Muffins allégés aux cerises*

Remplacer les myrtilles par des cerises fraîches dénoyautées et coupées en deux. Utiliser éventuellement du yaourt allégé à la cerise.

702 *Muffins allégés*

POUR 12 MUFFINS

280 g de farine
1 cuil. à soupe de levure chimique
½ cuil. à café de bicarbonate
115 g de sucre
2 blancs d'œufs

250 ml de yaourt nature
3 cuil. à soupe d'huile de tournesol
1 cuil. à café d'extrait de vanille

Préchauffer le four à 200 °C (th. 6-7). Chemiser un moule à muffins à 12 alvéoles avec des caissettes en papier. Tamiser la farine, la levure et le bicarbonate dans une jatte et ajouter le sucre.

Mettre les blancs d'œufs dans une autre jatte et battre légèrement, puis ajouter le yaourt, l'huile et l'extrait de vanille. Creuser un puits au centre de la première jatte et y verser le contenu de la seconde jatte. Mélanger très légèrement et répartir la préparation dans les caissettes.

Cuire 20 minutes au four préchauffé, jusqu'à ce que les muffins aient levé et soient dorés et fermes au toucher. Laisser reposer 5 minutes dans le moule, puis servir chaud.

703 Muffins riches en fibres

140 g de céréales au son riches en fibres
250 ml de lait écrémé
125 g de farine
1 cuil. à soupe de levure chimique
1 cuil. à café de cannelle en poudre
½ cuil. à café de noix muscade râpée

115 g de sucre
100 g de raisins secs
2 œufs
6 cuil. à soupe d'huile de tournesol

Préchauffer le four à 200 °C (th. 6-7). Chemiser un moule à muffins à 12 alvéoles avec des caissettes en papier. Mettre les céréales et le lait dans un bol et laisser tremper 5 minutes, jusqu'à ce que les céréales soient tendres.

Pendant ce temps, tamiser la farine, la levure, la cannelle et la noix muscade dans une grande jatte et ajouter le sucre et les raisins.

Mettre les œufs dans une autre jatte et battre légèrement, puis ajouter l'huile. Creuser un puits au centre de la première jatte et y verser le contenu de la seconde jatte et ajouter les céréales. Mélanger très légèrement le tout et répartir la préparation dans les caissettes.

Cuire 20 minutes au four préchauffé, jusqu'à ce que les muffins aient levé et soient dorés et fermes au toucher. Laisser reposer 5 minutes dans le moule, puis servir chaud ou transférer sur une grille et laisser refroidir complètement.

704 Muffins aux graines riches en fibres

Ajouter 3 cuil. à soupe d'un mélange de graines (tournesol, citrouille, sésame, etc.) avec les raisins secs.

705 Muffins aux graines de tournesol

125 g de farine
1 cuil. à soupe de levure chimique
115 g de sucre blond
140 g de flocons d'avoine
100 g de raisins secs
125 g de graines de tournesol

2 œufs
250 ml de lait écrémé
6 cuil. à soupe d'huile de tournesol
1 cuil. à café d'extrait de vanille

Préchauffer le four à 200 °C (th. 6-7). Chemiser un moule à muffins à 12 alvéoles avec des caissettes en papier. Tamiser la farine et la levure dans une jatte et ajouter le sucre, les flocons d'avoine, les raisins secs et 100 g de graines de tournesol.

Mettre les œufs dans une autre jatte et battre légèrement, puis ajouter le lait, l'huile et l'extrait de vanille. Creuser un puits au centre de la première jatte et y verser le contenu de la seconde jatte. Mélanger très légèrement le tout et répartir la préparation dans les caissettes. Parsemer les muffins des graines de tournesol restantes.

Cuire 20 minutes au four préchauffé, jusqu'à ce que les muffins aient levé et soient dorés et fermes au toucher. Laisser reposer 5 minutes dans le moule, puis servir chaud ou transférer sur une grille et laisser refroidir complètement.

706 Avec une garniture au fromage

Battre 150 g de fromage frais avec 30 g de fromage râpé et ½ cuil. à café de Tabasco, et napper les muffins du mélange obtenu.

707 Muffins au müesli

125 g de farine
1 cuil. à soupe de levure chimique
280 g de müesli non sucré
115 g de sucre blond

2 œufs
250 ml de babeurre
6 cuil. à soupe d'huile de tournesol

Préchauffer le four à 200 °C (th. 6-7). Chemiser un moule à muffins à 12 alvéoles avec des caissettes en papier. Tamiser la farine et la levure dans une jatte et ajouter le müesli et le sucre.

Mettre les œufs dans une autre jatte et battre légèrement, puis ajouter le babeurre et l'huile. Creuser un puits au centre de la première jatte et y verser le contenu de la seconde jatte. Mélanger très légèrement le tout et répartir la préparation dans les caissettes.

Cuire 20 minutes au four préchauffé, jusqu'à ce que les muffins aient levé et soient dorés et fermes au toucher. Laisser reposer 5 minutes dans le moule, puis servir chaud ou transférer sur une grille et laisser refroidir complètement.

708 Muffins au müesli et aux pommes

Ajouter 50 g de pommes séchées hachées à la préparation et parsemer les muffins de pommes séchées hachées avant de les enfourner.

709 Muffins aux graines de citrouille et à la banane

6 cuil. à soupe d'huile de tournesol,
    un peu plus pour graisser
125 g de farine
1 cuil. à soupe de levure chimique
115 g de sucre
140 g de germes de blé

85 g de graines de citrouille
2 bananes
150 ml de lait écrémé
2 œufs

Préchauffer le four à 200 °C (th. 6-7). Graisser un moule à muffins à 12 alvéoles. Tamiser la farine et la levure dans une jatte et ajouter le sucre, les germes de blé et 50 g de graines de citrouille. Réduire les bananes en purée et les mettre dans un verre doseur, puis ajouter assez de lait pour obtenir 250 ml.

Mettre les œufs dans une autre jatte et battre légèrement, puis ajouter l'huile et le mélange de bananes et de lait. Creuser un puits au centre de la première jatte et y verser le contenu de la seconde jatte. Mélanger très légèrement le tout et répartir la préparation dans les alvéoles du moule. Répartir les graines de citrouille restantes sur les muffins.

Cuire 20 minutes au four préchauffé, jusqu'à ce que les muffins aient levé et soient dorés et fermes au toucher. Laisser reposer 5 minutes dans le moule, puis servir chaud ou transférer sur une grille et laisser refroidir complètement.

710 Avec une garniture croustillante

Hacher 2 cuil. à soupe de graines de citrouille avec 85 g de chips de banane, et ajouter 2 cuil. à soupe de sucre roux. En parsemer les muffins avant d'enfourner.

50 g de raisins secs
3 cuil. à soupe de jus d'orange
140 g de farine
140 g de farine complète
1 cuil. à soupe de levure chimique
115 g de sucre
2 bananes

100 ml de lait écrémé
2 œufs
6 cuil. à soupe d'huile de tournesol
zeste finement râpé d'une orange

Mettre les raisins secs dans un bol, ajouter le jus d'orange et laisser macérer 1 heure. Préchauffer le four à 200 °C (th. 6-7). Chemiser un moule à muffins à 12 alvéoles avec des caissettes en papier.

Tamiser les farines et la levure dans une jatte en incorporant le son resté dans le tamis et ajouter le sucre.

Réduire les bananes en purée, les mettre dans un verre doseur et ajouter assez de lait pour obtenir 200 ml. Mettre les œufs dans une autre jatte et battre légèrement, puis ajouter l'huile, les raisins secs, le zeste d'orange et le mélange de banane et de lait. Creuser un puits au centre de la première jatte et y verser le contenu de la seconde jatte. Mélanger très légèrement le tout et répartir la préparation dans les caissettes.

Cuire 20 minutes au four préchauffé, jusqu'à ce que les muffins aient levé et soient dorés et fermes au toucher. Laisser reposer 5 minutes dans le moule, puis servir chaud ou laisser refroidir sur une grille.

712 *Avec une garniture à la banane*

Réduire en purée une banane avec ½ cuil. à café de jus de citron. Battre 150 g de fromage frais avec 2 cuil. à soupe de sucre glace et incorporer les bananes. Garnir les muffins du mélange obtenu.

---

713 *Muffins au yaourt et aux fruits secs*

POUR 12 MUFFINS

140 g de farine complète
125 g de farine
1 cuil. à soupe de levure chimique
½ cuil. à café de bicarbonate
4 cuil. à café de quatre-épices
115 g de sucre

100 g de mélange de fruits secs
2 œufs
250 ml de yaourt nature allégé
6 cuil. à soupe d'huile de tournesol

Préchauffer le four à 200 °C (th. 6-7). Chemiser un moule à muffins à 12 alvéoles avec des caissettes en papier. Tamiser les farines, la levure, le bicarbonate et le quatre-épices dans une jatte en incorporant le son resté dans le tamis et ajouter le sucre et les fruits secs.

Mettre les œufs dans une autre jatte et battre légèrement, puis ajouter le yaourt et l'huile. Creuser un puits au centre de la première jatte et y verser le contenu de la seconde jatte. Mélanger très légèrement le tout et répartir la préparation dans les caissettes.

Cuire 20 minutes au four préchauffé, jusqu'à ce que les muffins aient levé et soient dorés et fermes au toucher. Laisser reposer 5 minutes dans le moule, puis servir chaud ou transférer sur une grille et laisser refroidir complètement.

714 *Muffins au yaourt et à la vanille*

Omettre les fruits secs, utiliser du yaourt à la vanille et ajouter les graines d'une gousse de vanille.

Muffins à la polenta et aux flocons d'avoine

POUR 12 MUFFINS

6 cuil. à soupe d'huile de tournesol,
    un peu plus pour graisser
75 de farine complète
75 g de farine blanche
1 cuil. à soupe de levure chimique
115 g de sucre roux

60 g de polenta
70 g de flocons d'avoine
2 œufs
250 ml de babeurre
1 cuil. à café d'extrait de vanille

Préchauffer le four à 200 °C (th. 6-7). Graisser un moule à muffins à 12 alvéoles. Tamiser les farines et la levure dans une jatte en incorporant le son resté dans le tamis et ajouter le sucre, la polenta et les flocons d'avoine.

Mettre les œufs dans une autre jatte et battre légèrement, puis ajouter le babeurre, l'huile et l'extrait de vanille. Creuser un puits au centre de la première jatte et y verser le contenu de la seconde jatte. Mélanger très légèrement et répartir la préparation dans les alvéoles du moule.

Cuire 20 minutes au four préchauffé, jusqu'à ce que les muffins aient levé et soient dorés et fermes au toucher. Laisser reposer 5 minutes dans le moule, puis servir chaud ou transférer sur une grille et laisser refroidir complètement.

716   Avec du fromage de chèvre

Hacher 3 cuil. à soupe de fines herbes fraîches (cerfeuil, aneth, ciboulette, persil, etc.) et les incorporer à 200 g de fromage frais. Napper les muffins et servir.

717   Muffins au maïs

POUR 12 MUFFINS

6 cuil. à soupe d'huile de tournesol
    ou 85 g de beurre, fondu et refroidi,
    un peu plus pour graisser
175 g de farine
1 cuil. à soupe de levure chimique
1 pincée de sel

poivre noir du moulin
115 g de polenta
2 œufs
250 ml de lait
175 g de maïs surgelé

Préchauffer le four à 200 °C (th. 6-7). Graisser un moule à muffins à 12 alvéoles. Tamiser la farine, la levure, le sel et le poivre dans une jatte et ajouter la polenta.

Mettre les œufs dans une autre jatte et battre légèrement, puis ajouter le lait et l'huile. Creuser un puits au centre de la première jatte, y verser le contenu de la seconde jatte, et ajouter le maïs. Mélanger très légèrement le tout et répartir la préparation dans les alvéoles du moule.

Cuire 20 minutes au four préchauffé, jusqu'à ce que les muffins aient levé et soient dorés et fermes au toucher. Laisser reposer 5 minutes dans le moule, puis servir chaud ou transférer sur une grille et laisser refroidir complètement.

718 · Muffins canneberge-flocons d'avoine

6 cuil. à soupe d'huile de tournesol,
   un peu plus pour graisser
125 g de farine
1 cuil. à soupe de levure chimique
115 g de sucre roux
140 g de flocons d'avoine

85 g de canneberges séchées
2 œufs
250 ml de babeurre
1 cuil. à café d'extrait de vanille

Préchauffer le four à 200 °C (th. 6-7). Graisser un moule à muffins à 12 alvéoles. Tamiser la farine et la levure dans une jatte et ajouter le sucre, les flocons d'avoine et les canneberges.

Mettre les œufs dans une autre jatte et battre légèrement, puis ajouter le babeurre, l'huile et l'extrait de vanille. Creuser un puits au centre de la première jatte et y verser le contenu de la seconde jatte. Mélanger très légèrement et répartir la préparation dans les alvéoles du moule.

Cuire 20 minutes au four préchauffé, jusqu'à ce que les muffins aient levé et soient dorés et fermes au toucher. Laisser reposer 5 minutes dans le moule, puis servir chaud ou transférer sur une grille et laisser refroidir complètement.

719 · Avec des canneberges fraîches

Remplacer les canneberges séchées par 125 g de canneberges fraîches. Parsemer les muffins de 3 cuil. à soupe de flocons d'avoine avant la cuisson.

720 · Muffins au son et aux raisins secs

6 cuil. à soupe d'huile de tournesol,
   un peu plus pour graisser
125 g de farine
1 cuil. à soupe de levure chimique
140 g de son de blé
115 g de sucre

150 g de raisins secs
2 œufs
250 g de lait écrémé
1 cuil. à café d'extrait de vanille

Préchauffer le four à 200 °C (th. 6-7). Graisser un moule à muffins à 12 alvéoles. Tamiser la farine et la levure dans une jatte et ajouter le son, le sucre et les raisins secs.

Mettre les œufs dans une autre jatte et battre légèrement, puis ajouter le lait, l'huile et l'extrait de vanille. Creuser un puits au centre de la première jatte et y verser le contenu de la seconde jatte. Mélanger très légèrement le tout et répartir la préparation dans les alvéoles du moule.

Cuire 20 minutes au four préchauffé, jusqu'à ce que les muffins aient levé et soient dorés et fermes au toucher. Laisser reposer 5 minutes dans le moule, puis servir chaud ou transférer sur une grille et laisser refroidir complètement.

721 · Muffins au son et aux raisins blonds

Remplacer les raisins secs par 2 cuil. à soupe de raisins secs blonds hachés.

125 g de farine
1 cuil. à soupe de levure chimique
115 g de sucre blond
140 g de flocons d'avoine
150 g de pruneaux dénoyautés, hachés

2 œufs
250 ml de babeurre
6 cuil. à soupe d'huile de tournesol
1 cuil. à café d'extrait de vanille

Préchauffer le four à 200 °C (th. 6-7). Chemiser un moule à muffins à 12 alvéoles avec des caissettes en papier. Tamiser la farine et la levure dans une jatte et ajouter le sucre, les flocons d'avoine et les pruneaux.

Mettre les œufs dans une autre jatte et battre légèrement, puis ajouter le babeurre, l'huile et l'extrait de vanille. Creuser un puits au centre de la première jatte et y verser le contenu de la seconde jatte. Mélanger très légèrement et répartir la préparation dans les caissettes.

Cuire 20 minutes au four préchauffé, jusqu'à ce que les muffins aient levé et soient dorés et fermes au toucher. Laisser reposer 5 minutes dans le moule, puis servir chaud ou transférer sur une grille et laisser refroidir complètement.

723 *Muffins aux abricots secs*

Remplacer les pruneaux par 150 g d'abricots secs moelleux et parsemer les muffins de 3 cuil. à soupe de graines de tournesol avant d'enfourner.

---

724 *Muffins au granola*

POUR 12 MUFFINS

6 cuil. à soupe d'huile de tournesol, un peu plus pour graisser
140 g de farine complète
140 g de farine
1 cuil. à soupe de levure chimique
115 g de sucre blond
2 œufs
250 ml de lait écrémé

GRANOLA
75 g de flocons d'avoine
25 g d'amandes mondées, hachées
2 cuil. à soupe de graines de tournesol
25 g de raisins secs
2 cuil. à soupe de sucre blond

Pour le granola, mettre les flocons d'avoine dans une poêle et les faire griller à sec à feu doux 1 minute. Ajouter les amandes, les graines de tournesol et les raisins secs et faire griller encore 6 à 8 minutes, jusqu'à ce que le tout soit doré. Ajouter le sucre et faire revenir encore 1 minute, jusqu'à ce qu'il soit dissous. Retirer du feu et bien mélanger.

Préchauffer le four à 200 °C (th. 6-7). Graisser un moule à muffins à 12 alvéoles. Tamiser les farines et la levure dans une jatte en incorporant le son resté dans le tamis et ajouter le sucre et le granola.

Mettre les œufs dans une autre jatte et battre légèrement, puis ajouter le lait et l'huile. Creuser un puits au centre de la première jatte et y verser le contenu de la seconde jatte. Mélanger très légèrement le tout et répartir la préparation dans les alvéoles du moule.

Cuire 20 minutes au four préchauffé, jusqu'à ce que les muffins aient levé et soient dorés et fermes au toucher. Laisser reposer dans le moule 5 minutes, puis servir chaud ou transférer sur une grille et laisser refroidir complètement.

725 *Muffins pomme-noix de pécan*

Dans le granola, remplacer les raisins secs par 55 g d'abricots secs hachés et les amandes par 30 g de noix de pécan hachées.

726 Muffins au chocolat malté

6 cuil. à soupe d'huile de tournesol
ou 85 g de beurre, fondu
et refroidi, un peu plus
pour graisser
150 g de billes de chocolat malté
225 g de farine
55 g de cacao en poudre amer
1 cuil. à soupe de levure chimique
1 pincée de sel
115 g de sucre blond
2 œufs
250 ml de babeurre

NAPPAGE
55 g de chocolat noir, brisé
en morceaux
115 g de beurre, ramolli
225 g de sucre glace

Préchauffer le four à 200 °C (th. 6-7). Graisser un moule à muffins à 12 alvéoles. Réserver 12 billes de chocolat malté pour la garniture et piler les billes restantes. Tamiser la farine, le cacao, la levure et le sel dans une jatte et ajouter le sucre et les billes pilées.

Mettre les œufs dans une autre jatte et battre légèrement, puis ajouter le babeurre et l'huile. Creuser un puits au centre de la première jatte et y verser le contenu de la seconde jatte. Mélanger très légèrement le tout et répartir la préparation dans les alvéoles du moule.

Cuire 20 minutes au four préchauffé, jusqu'à ce que les muffins aient bien levé et soient fermes au toucher. Laisser reposer 5 minutes dans le moule, puis transférer sur une grille et laisser refroidir complètement.

Pour le nappage, mettre le chocolat dans une jatte résistant à la chaleur et le faire fondre au-dessus d'une casserole d'eau frémissante. Retirer du feu. Battre le beurre en crème dans une jatte, tamiser le sucre glace dans la jatte et bien battre le tout. Ajouter le chocolat fondu et battre de nouveau. Garnir les muffins de nappage et décorer de billes de chocolat malté.

727 Muffins au miel

6 cuil. à soupe d'huile de tournesol,
un peu plus pour graisser
140 g de farine complète
125 g de farine blanche
1 cuil. à soupe de levure chimique
½ cuil. à café de bicarbonate
½ cuil. à café de quatre-épices
115 g de sucre blond
100 g de raisins secs
2 œufs
200 ml de yaourt nature allégé
8 cuil. à soupe de miel

Préchauffer le four à 200 °C (th. 6-7). Graisser un moule à muffins à 12 alvéoles. Tamiser les farines, la levure, le bicarbonate et le quatre-épices dans une jatte en incorporant le son resté dans le tamis et ajouter le sucre et les raisins secs.

Mettre les œufs dans une autre jatte et battre légèrement, puis ajouter le yaourt, l'huile et 4 cuillerées à soupe de miel. Creuser un puits au centre de la première jatte et y verser le contenu de la seconde jatte. Mélanger très légèrement et répartir la préparation dans les alvéoles du moule.

Cuire 20 minutes au four préchauffé, jusqu'à ce que les muffins aient levé et soient dorés et fermes au toucher. Laisser reposer 5 minutes dans le moule, puis arroser chaque muffin d'une cuillerée à café de miel. Servir chaud ou transférer sur une grille et laisser refroidir complètement.

728 Avec une garniture à la ricotta

Battre 150 g de ricotta avec 2 cuil. à soupe de miel et en napper les muffins.

Muffins façon gâteau de carottes

6 cuil. à soupe d'huile de tournesol,
un peu plus pour graisser
280 g de farine
1 cuil. à soupe de levure chimique
1 cuil. à café de quatre-épices
1 pincée de sel
115 g de sucre roux
200 g de carottes râpées
50 g de noix ou de noix de pécan,
concassées
50 g de raisins secs
2 œufs
175 ml de lait
zeste finement râpé et jus
d'une orange
zestes d'orange, pour décorer

NAPPAGE
75 g de fromage frais
3 cuil. à soupe de beurre
35 g de sucre glace

Préchauffer le four à 200 °C (th. 6-7). Graisser un moule à muffins à 12 alvéoles. Tamiser la farine, la levure, le quatre-épices et le sel dans une jatte et ajouter le sucre roux, les carottes, les noix et les raisins secs.

Mettre les œufs dans une autre jatte et battre légèrement, puis ajouter le lait, l'huile, le zeste d'orange et le jus d'orange. Creuser un puits au centre de la première jatte et y verser le contenu de la seconde jatte. Mélanger légèrement le tout et répartir la préparation dans les alvéoles du moule.

Cuire 20 minutes au four préchauffé, jusqu'à ce que les muffins aient levé et soient dorés et fermes au toucher. Laisser reposer dans le moule 5 minutes, puis transférer sur une grille et laisser refroidir.

Pour le nappage, battre le beurre en crème avec le fromage frais. Garnir les muffins refroidis du mélange obtenu, puis décorer de zestes d'orange. Réserver au réfrigérateur jusqu'au moment de servir.

730 Avec des décorations en carottes

Couper 6 abricots secs en deux et les rouler dans la longueur pour obtenir des formes de carottes. Déposer les « carottes » sur les muffins et ajouter des morceaux d'angélique pour figurer les frondes des carottes.

Muffins aux caramels durs

150 g de bonbons au caramel durs
280 g de farine
1 cuil. à soupe de levure chimique
1 pincée de sel
115 g de sucre roux

2 œufs
250 ml de crème fraîche épaisse
6 cuil. à soupe d'huile de tournesol
ou 85 g de beurre, fondu et refroidi

Préchauffer le four à 200 °C (th. 6-7). Chemiser un moule à muffins à 12 alvéoles avec des caissettes en papier. Mettre les caramels dans un sac en plastique et piler finement à l'aide d'un rouleau à pâtisserie ou d'un maillet à viande.

Tamiser la farine, la levure, et le sel dans une jatte et ajouter le sucre et les caramels.

Mettre les œufs dans une autre jatte et battre légèrement, puis ajouter la crème fraîche et l'huile. Creuser un puits au centre de la première jatte et y verser le contenu de la seconde jatte et mélanger très légèrement le tout et répartir la préparation dans les caissettes.

Cuire 20 minutes au four préchauffé, jusqu'à ce que les muffins aient levé et soient dorés et fermes au toucher. Laisser reposer 5 minutes dans le moule, puis servir chaud ou transférer sur une grille et laisser refroidir complètement.

732 Avec une garniture aux caramels

Fouetter 200 ml de crème fraîche épaisse avec ½ cuil. à café d'extrait de vanille. En napper les muffins et parsemer de 85 g de caramels durs.

Muffins au beurre de cacahuètes

280 g de farine
1 cuil. à soupe de levure chimique
1 pincée de sel
115 g de sucre roux
2 œufs
175 ml de lait

6 cuil. à soupe d'huile de tournesol
ou 85 g de beurre, fondu et refroidi
175 g de beurre de cacahuètes
avec des éclats

GARNITURE AUX CACAHUÈTES
50 g de cacahuètes grillées non salées
40 g de sucre roux

Préchauffer le four à 200 °C (th. 6-7). Chemiser un moule à muffins à 12 alvéoles avec des caissettes en papier. Pour la garniture, hacher finement les cacahuètes, ajouter le sucre et mélanger. Réserver.

Tamiser la farine, la levure et le sel dans une jatte et ajouter le sucre.

Mettre les œufs dans une autre jatte et battre légèrement, puis incorporer le lait, l'huile et le beurre de cacahuètes. Creuser un puits au centre de la première jatte et y verser le contenu de la seconde jatte. Mélanger très légèrement le tout et répartir la préparation dans les caissettes. Parsemer les muffins de garniture.

Cuire 20 minutes au four préchauffé, jusqu'à ce que les muffins aient levé et soient dorés et fermes au toucher. Laisser reposer 5 minutes dans le moule, puis servir chaud ou transférer sur une grille et laisser refroidir complètement.

734 *Avec un nappage aux cacahuètes*

Omettre la garniture et cuire comme indiqué ci-contre. Battre 1 cuil. à soupe de beurre de cacahuètes avec des éclats avec 100 g de fromage frais et 100 g de sucre glace. Napper les muffins du mélange obtenu et parsemer de 100 g de cacahuètes hachées.

Muffins aux deux chocolats

100 g de beurre, ramolli
115 g de sucre blanc
100 g de sucre roux
2 œufs
150 ml de crème aigre

5 cuil. à soupe de lait
250 g de farine
1 cuil. à café de bicarbonate
2 cuil. à soupe de cacao en poudre
190 g de pépites de chocolat noir

Préchauffer le four à 190 °C (th. 6-7). Chemiser un moule à muffins à 12 alvéoles avec des caissettes en papier. Mettre le beurre et les sucres dans une jatte et battre jusqu'à ce que le mélange blanchisse, puis ajouter les œufs, la crème aigre et le lait.

Tamiser la farine, le bicarbonate et le cacao dans une autre jatte et incorporer le tout dans la première jatte. Ajouter les pépites de chocolat et bien mélanger. Répartir la préparation dans les caissettes.

Cuire 25 à 30 minutes au four préchauffé. Laisser reposer dans le moule 10 minutes, puis transférer sur une grille et laisser refroidir complètement.

Muffins au café et aux noisettes

6 cuil. à soupe d'huile de tournesol
ou 85 g de beurre, fondu et refroidi,
un peu plus pour graisser
2 cuil. à soupe de café soluble
2 cuil. à soupe d'eau bouillante
150 g de noisettes
280 g de farine

1 cuil. à soupe de levure chimique
1 pincée de sel
115 g de sucre blond
2 œufs
200 ml de babeurre

Préchauffer le four à 200 °C (th. 6-7). Graisser un moule à muffins à 12 alvéoles. Dissoudre le café soluble dans l'eau bouillante et laisser refroidir.

Pendant ce temps, hacher finement 100 g des noisettes et concasser les noisettes restantes. Tamiser la farine, la levure et le sel dans une jatte et ajouter le sucre et les noisettes finement hachées.

Mettre les œufs dans une autre jatte et battre légèrement, puis ajouter le babeurre, l'huile et le café. Creuser un puits au centre de la première jatte et y verser le contenu de la seconde jatte. Mélanger très légèrement le tout et répartir la préparation dans les alvéoles du moule. Parsemer les muffins avec les noisettes concassées.

Cuire 20 minutes au four préchauffé, jusqu'à ce que les muffins aient levé et soient dorés et fermes au toucher. Laisser reposer 5 minutes dans le moule, puis servir chaud ou transférer sur une grille et laisser refroidir complètement.

737 Avec une crème à la noisette

Fouetter 200 ml de crème fraîche épaisse jusqu'à ce qu'elle soit épaisse. Ajouter 1 cuil. à soupe de liqueur de noisette, fouetter de nouveau et napper les muffins refroidis.

Muffins au yaourt et aux pépites de chocolat

85 g de beurre, un peu plus
pour graisser
200 g de sucre
2 gros œufs
150 ml de yaourt nature

5 cuil. à soupe de lait
280 g de farine
1 cuil. à café de bicarbonate
175 g de pépites de chocolat noir

Préchauffer le four à 200 °C (th. 6-7). Graisser un moule à muffins à 12 alvéoles. Mettre le beurre et le sucre dans une jatte et battre jusqu'à ce que le mélange blanchisse, puis ajouter les œufs, le yaourt et le lait.

Tamiser la farine et le bicarbonate dans la préparation et mélanger. Incorporer les pépites de chocolat, puis répartir la préparation dans les alvéoles du moule.

Cuire 25 minutes au four préchauffé, jusqu'à ce que la pointe d'un couteau piquée au centre des muffins ressorte sans trace de pâte. Laisser reposer 5 minutes dans le moule, puis transférer sur une grille et laisser refroidir complètement.

739 Muffins framboise-chocolat blanc

Remplacer the pépites de chocolat noir par 125 g de pépites de chocolat blanc et ajouter 85 de framboises fraîches.

Muffins façon brownies aux noix de pécan

115 g de noix de pécan
100 g de farine
200 g de sucre
¼ de cuil. à café de sel
1 cuil. à soupe de levure chimique

225 g de beurre
115 g de chocolat noir
4 œufs, légèrement battus
1 cuil. à café d'extrait
de vanille

Préchauffer le four à 200 °C (th. 6-7). Chemiser un moule à muffins à 12 alvéoles avec des caissettes en papier. Réserver 12 cerneaux de noix de pécan et hacher grossièrement les noix de pécan restantes.

Tamiser la farine, le sucre, le sel et la levure dans une jatte et creuser un puits au centre. Faire fondre le beurre et le chocolat dans une petite casserole à feu doux en remuant souvent, puis verser dans le puits.

Ajouter les œufs et l'extrait de vanille et mélanger très légèrement. Ajouter les noix de pécan hachées, répartir la pâte dans les caissettes et garnir chaque muffin d'un cerneau de noix de pécan.

Cuire 20 à 25 minutes au four préchauffé, jusqu'à ce que les muffins aient bien levé et soient fermes au toucher. Laisser reposer 5 minutes dans le moule, puis servir chaud ou transférer sur une grille et laisser refroidir complètement.

741 Avec une garniture à la vanille

Battre 150 g de beurre en crème avec les graines d'une gousse de vanille et ajouter 90 g de sucre roux. Napper les muffins et garnir d'un cerneau de noix de pécan comme indiqué ci-contre.

Muffins façon doughnut à la confiture

6 cuil. à soupe d'huile de tournesol
ou 85 g de beurre, fondu et refroidi,
un peu plus pour graisser
280 g de farine
1 cuil. à soupe de levure chimique
1 pincée de sel
115 g de sucre
2 œufs

200 ml de lait
1 cuil. à café d'extrait de vanille
4 cuil. à soupe de confiture de fraises
ou de framboises

GARNITURE
150 g de sucre cristallisé
115 g de beurre, fondu

Préchauffer le four à 200 °C (th. 6-7). Graisser un moule à muffins à 12 alvéoles. Tamiser la farine, la levure et le sel dans une grande jatte et ajouter le sucre.

Mettre les œufs dans une autre jatte et battre légèrement, puis ajouter le lait, l'huile et l'extrait de vanille. Creuser un puits au centre de la première jatte et y verser le contenu de la seconde jatte. Mélanger très légèrement.

Répartir la moitié de la préparation dans les alvéoles du moule et déposer une cuillerée à café de confiture au centre. Couvrir avec la préparation restante. Cuire 20 minutes au four préchauffé, jusqu'à ce que les muffins aient bien levé et qu'ils soient dorés et fermes au toucher. Laisser reposer dans le moule 5 minutes.

Pour la garniture, étaler le sucre dans une assiette, puis plonger le sommet des muffins dans le beurre fondu et les passer dans le sucre. Servir chaud ou laisser refroidir sur une grille.

743 Muffins façon doughnut à la crème

Remplacer la confiture par 4 à 5 cuil. à soupe de crème à la vanille prête à l'emploi.

Muffins aux trois pépites de chocolat

6 cuil. à soupe d'huile de tournesol
ou 85 g de beurre, fondu et refroidi,
un peu plus pour graisser
280 g de farine
1 cuil. à soupe de levure chimique
1 pincée de sel
115 g de sucre blond

50 g de pépites de chocolat noir
50 g de pépites de chocolat au lait
50 g de pépites de chocolat blanc
2 œufs
250 ml de crème aigre
1 cuil. à café d'extrait de vanille

Préchauffer le four à 200 °C (th. 6-7). Graisser un moule à muffins à 12 alvéoles. Tamiser la farine, la levure et le sel dans une grande jatte et ajouter le sucre et les pépites de chocolat.

Mettre les œufs dans une autre jatte et battre légèrement, puis ajouter la crème aigre, l'huile et l'extrait de vanille. Creuser un puits au centre de la première jatte et y verser le contenu de la seconde jatte. Mélanger très légèrement et répartir la préparation dans les alvéoles du moule.

Cuire 20 minutes au four préchauffé, jusqu'à ce que les muffins aient levé et soient dorés et fermes au toucher. Laisser reposer 5 minutes dans le moule, puis servir chaud ou transférer sur une grille et laisser refroidir complètement.

Muffins au massepain

175 g de massepain
280 g de farine
1 cuil. à soupe de levure chimique
1 pincée de sel
115 g de sucre
2 œufs

200 ml de lait
6 cuil. à soupe d'huile de tournesol
ou 85 g de beurre, fondu et refroidi
1 cuil. à café d'extrait d'amande
12 amandes entières mondées

Préchauffer le four à 200 °C (th. 6-7). Chemiser un moule à muffins à 12 alvéoles avec des caissettes en papier. Couper le massepain en 12 portions.

Façonner chaque portion en boule, puis aplatir avec la paume des mains en veillant à ce que les disques obtenus ne soient pas plus larges que les alvéoles du moule.

Tamiser la farine, la levure et le sel dans une jatte et ajouter le sucre. Mettre les œufs dans une autre jatte et battre légèrement, puis ajouter le lait, l'huile et l'extrait d'amande.

Creuser un puits au centre de la première jatte et y verser le contenu de la seconde jatte. Mélanger très légèrement le tout. Répartir la moitié de la préparation dans les caissettes en papier.

Mettre un disque de massepain dans chaque alvéole, puis couvrir avec la préparation restante. Garnir chaque muffin d'une amande. Cuire 20 minutes au four préchauffé, jusqu'à ce que les muffins aient levé et soient dorés et fermes au toucher. Laisser reposer 5 minutes, puis servir chaud ou transférer sur une grille et laisser refroidir complètement.

Muffins aux fraises et à l'amaretto

Ajouter 1 cuil. à soupe d'amaretto et 12 fraises hachées à la préparation et procéder comme indiqué ci-dessus.

Muffins au sirop d'érable

280 g de farine
1 cuil. à soupe de levure chimique
1 pincée de sel
115 g de sucre
100 g de noix de pécan,
*   grossièrement haché*
2 œufs

175 ml de babeurre
75 ml de sirop d'érable, un peu plus
*   pour enduire*
6 cuil. à soupe d'huile de tournesol
*   ou 85 g de beurre, fondu et refroidi*
12 cerneaux de noix de pécan

Préchauffer le four à 200 °C (th. 6-7). Chemiser un moule à muffins à 12 alvéoles avec des caissettes en papier. Tamiser la farine, la levure et le sel dans une jatte et ajouter le sucre et les noix de pécan.

Mettre les œufs dans une autre jatte et battre légèrement, puis ajouter le babeurre, le sirop d'érable et l'huile. Creuser un puits au centre de la première jatte et y verser le contenu de la seconde jatte. Mélanger très légèrement le tout et répartir la préparation dans les caissettes. Garnir chaque muffin d'un cerneau de noix de pécan.

Cuire 20 minutes au four préchauffé, jusqu'à ce que les muffins aient levé et soient dorés et fermes au toucher. Laisser reposer 5 minutes dans le moule, puis enduire de sirop d'érable. Servir chaud ou transférer sur une grille et laisser refroidir complètement.

748 *Avec une garniture croquante*

Omettre les cerneaux de noix de pécan sur les muffins. Hacher 150 g de noix de pécan et ajouter 3 cuil. à soupe de sucre glace et 2 cuil. à soupe de sirop d'érable. Répartir le mélange sur les muffins avant la cuisson.

Muffins citronnés à la polenta

6 cuil. à soupe d'huile de tournesol,
*   un peu plus pour graisser*
4 citrons
3 cuil. à soupe de yaourt nature
*   allégé*
175 g de farine

1 cuil. à soupe de levure chimique
½ cuil. à café de bicarbonate
280 g de polenta
115 g de sucre
2 œufs

Préchauffer le four à 200 °C (th. 6-7). Graisser un moule à muffins à 12 alvéoles. Râper finement le zeste des citrons et en presser le jus. Ajouter assez de yaourt au jus de citron pour obtenir 250 ml, puis ajouter le zeste de citron.

Tamiser la farine, la levure et le bicarbonate dans une jatte et ajouter la polenta et le sucre. Mettre les œufs dans une autre jatte et battre légèrement, puis incorporer l'huile. Creuser un puits au centre de la première jatte, y verser le contenu de la seconde jatte et ajouter le mélange de citron et de yaourt. Mélanger très légèrement le tout et répartir la préparation dans les alvéoles du moule.

Cuire 20 minutes au four préchauffé, jusqu'à ce que les muffins aient levé et soient dorés et fermes au toucher. Laisser reposer 5 minutes dans le moule, puis servir chaud ou laisser refroidir sur une grille.

750 *Avec un nappage au limoncello*

Battre 150 g de mascarpone avec 50 g de sucre glace et 1 cuil. à soupe de limoncello, et napper les muffins du mélange obtenu. Parsemer de zestes de citron confits.

Minimuffins à l'orange et à la cardamome

2 oranges
100 ml de lait
280 g de farine
1 cuil. à soupe de levure chimique
1 pincée de sel
115 g de sucre

6 gousses de cardamomes,
    graines prélevées et pilées
2 œufs
6 cuil. à soupe d'huile de tournesol
    ou 85 g de beurre, fondu et refroidi

Préchauffer le four à 200 °C (th. 6-7). Chemiser deux moules à minimuffins à 24 alvéoles avec des caissettes en papier. Râper finement le zeste des oranges et en presser le jus. Ajouter assez le lait au jus d'orange pour obtenir 250 ml, puis incorporer le zeste d'orange.

Tamiser la farine, la levure et le sel dans une jatte et ajouter le sucre et les graines de cardamome. Mettre les œufs dans une autre et battre légèrement, puis incorporer l'huile et le mélange de jus d'orange et de lait. Creuser un puits au centre de la première jatte et y verser le contenu de la seconde jatte. Mélanger légèrement le tout et répartir la préparation dans les caissettes. Cuire 15 minutes au four préchauffé, jusqu'à ce que les muffins aient levé et soient dorés et fermes au toucher. Laisser reposer dans les moules 5 minutes, puis servir chaud ou transférer sur une grille et laisser refroidir complètement.

752 Avec un nappage au chocolat blanc

Faire fondre 150 g de chocolat blanc au bain-marie et incorporer ½ cuil. à café d'eau de fleur d'oranger, puis napper les muffins refroidis.

Muffins menthe-chocolat

280 g de farine
1 cuil. à soupe de levure chimique
1 pincée de sel
115 g de sucre
150 g de pépites de chocolat noir
2 œufs
250 ml de lait
6 cuil. à soupe d'huile de tournesol
    ou 85 g de beurre, fondu et refroidi
1 cuil. à café d'extrait de menthe
1 ou 2 gouttes de colorant vert
    (facultatif)
sucre glace, pour saupoudrer

Préchauffer le four à 200 °C (th. 6-7). Chemiser un moule à muffins à 12 alvéoles avec des caissettes en papier.

Tamiser la farine, la levure et le sel dans une jatte puis ajouter le sucre et les pépites de chocolat. Mettre les œufs dans une autre jatte et battre légèrement, puis incorporer le lait, l'huile et l'extrait de menthe. Ajouter 1 à 2 gouttes de colorant.

Creuser un puits au centre de la première jatte et y verser le contenu de la seconde jatte. Mélanger très légèrement le tout et répartir la préparation dans les caissettes.

Cuire 20 minutes au four préchauffé, jusqu'à ce que les muffins aient bien levé et soient fermes au toucher. Laisser reposer 5 minutes dans le moule, puis servir chaud ou transférer sur une grille et laisser refroidir complètement. Servir saupoudré de sucre glace.

754 Avec une ganache au chocolat

Verser 175 ml de crème fraîche frémissante sur 175 g de chocolat noir haché et remuer jusqu'à ce qu'il ait fondu. Laisser refroidir, puis mettre au réfrigérateur jusqu'à épaississement. Napper les muffins et servir.

Muffins au gingembre moelleux

6 cuil. à soupe d'huile de tournesol
ou 85 g de beurre, fondu et refroidi,
un peu plus pour graisser
280 g de farine
1 cuil. à soupe de levure chimique
4 cuil. à café de gingembre en poudre
1½ cuil. à café de cannelle en poudre

1 pincée de sel
115 g de sucre blond
3 morceaux de gingembre au sirop,
finement hachés
2 œufs
175 ml de lait
4 cuil. à soupe de golden syrup

Préchauffer le four à 200 °C (th. 6-7). Graisser un moule à muffins à 12 alvéoles. Tamiser la farine, la levure, le gingembre en poudre, le sel et la cannelle dans une jatte et ajouter le sucre et le gingembre confit.

Mettre les œufs dans une autre jatte et battre légèrement, puis ajouter le lait, l'huile et le golden syrup. Creuser un puits au centre de la première jatte et y verser le contenu de la seconde jatte. Mélanger très légèrement le tout et répartir la préparation dans les alvéoles du moule.

Cuire 20 minutes au four préchauffé, jusqu'à ce que les muffins aient levé et soient dorés et fermes au toucher. Laisser reposer 5 minutes dans le moule, puis servir chaud ou transférer sur une grille et laisser refroidir complètement.

756 ### Avec un glaçage au citron

Tamiser 150 g de sucre glace dans une jatte, ajouter 1 cuil. à soupe de jus de citron et bien mélanger. Napper les muffins du glaçage et laisser prendre.

Muffins moelleux orange-amande

2 oranges
100 ml de lait
225 g de farine
1 cuil. à soupe de levure chimique
1 pincée de sel
115 g de sucre blanc
55 g de poudre d'amandes

2 œufs
6 cuil. à soupe d'huile de tournesol
ou 85 g de beurre, fondu et refroidi
½ cuil. à café d'extrait d'amande
40 g de sucre roux

Préchauffer le four à 200 °C (th. 6-7). Chemiser un moule à muffins à 12 alvéoles avec des caissettes en papier. Râper finement le zeste des oranges et en presser le jus. Ajouter assez de lait au jus d'orange pour obtenir 250 ml, puis ajouter le zeste d'orange. Tamiser la farine, la levure et le sel dans une grande jatte et ajouter le sucre blanc et la poudre d'amandes.

Mettre les œufs dans une autre jatte et battre légèrement, puis ajouter l'huile, l'extrait d'amande et le mélange de lait et de jus d'orange. Creuser un puits au centre de la première jatte, y verser le contenu de la seconde jatte et mélanger très légèrement. Répartir la préparation dans les caissettes et saupoudrer de sucre roux.

Cuire 20 minutes au four préchauffé, jusqu'à ce que les muffins aient levé et soient dorés et fermes au toucher. Laisser reposer 5 minutes dans le moule, puis servir chaud ou laisser refroidir sur une grille.

758 ### Avec une garniture aux amandes

Parsemer les muffins de 100 g d'amandes effilées avant de les enfourner.

Muffins aux oranges et au romarin

280 g de farine
1 cuil. à soupe de levure chimique
½ cuil. à café de bicarbonate
1 pincée de sel
115 g de sucre
70 g de noix, concassées
2 œufs
250 ml de yaourt nature
6 cuil. à soupe d'huile de tournesol
ou 85 g de beurre, fondu et refroidi
zeste finement râpé de 2 oranges
1 cuil. à soupe de feuilles
de romarin frais finement haché,
plus quelques brins pour décorer

GLAÇAGE
175 g de sucre glace
3 à 4 cuil. à café de jus d'orange frais
zeste finement râpé d'une demi-orange

Préchauffer le four à 200 °C (th. 6-7). Chemiser un moule à muffins à 12 alvéoles avec des caissettes en papier. Tamiser la farine, la levure, le bicarbonate et le sel dans une grande jatte et ajouter le sucre et les noix.

Mettre les œufs dans une autre jatte, puis ajouter le yaourt, l'huile, le zeste d'orange et le romarin haché. Creuser un puits au centre de la première jatte et y verser le contenu de la seconde jatte. Mélanger très légèrement le tout et répartir la préparation dans les caissettes.

Cuire 20 minutes au four préchauffé, jusqu'à ce que les muffins aient levé et soient dorés et fermes au toucher. Laisser reposer dans le moule 5 minutes, puis transférer sur une grille et laisser refroidir complètement.

Pour le glaçage, tamiser le sucre glace dans une jatte, ajouter le jus d'orange et le zeste d'orange, et mélanger jusqu'à obtention d'un glaçage homogène et épais qui nappe le dos d'une cuillère.

Napper les muffins de glaçage, décorer de brins de romarin et laisser prendre 30 minutes avant de servir.

Muffins marbrés au chocolat

6 cuil. à soupe d'huile de tournesol
ou 85 g de beurre, fondu et refroidi,
un peu plus pour graisser
280 g de farine
1 cuil. à soupe de levure chimique
1 pincée de sel

115 g de sucre
2 œufs
250 ml de lait
1 cuil. à café d'extrait de vanille
2 cuil. à soupe de cacao en poudre amer

Préchauffer le four à 200 °C (th. 6-7). Graisser un moule à muffins à 12 alvéoles. Tamiser la farine, la levure et le sel dans une jatte et ajouter le sucre.

Mettre les œufs dans une autre jatte et battre légèrement, puis ajouter le lait, l'huile et l'extrait de vanille. Creuser un puits au centre de la première jatte et y verser le contenu de la seconde jatte. Mélanger très légèrement le tout.

Diviser la préparation dans deux jattes, puis tamiser le cacao dans l'une des deux et mélanger. Répartir les deux préparations dans les alvéoles du moule à l'aide d'une petite cuillère en alternant la préparation nature et la préparation au chocolat.

Cuire 20 minutes au four préchauffé, jusqu'à ce que les muffins aient levé et soient dorés et fermes au toucher. Laisser reposer 5 minutes dans le moule, puis servir chaud ou transférer sur une grille et laisser refroidir complètement.

Muffins marbrés au café

Remplacer le cacao par du café soluble.

Muffins aux framboises façon crumble

6 cuil. à soupe d'huile de tournesol
ou 85 g de beurre, fondu et refroidi,
un peu plus pour graisser
280 g de farine
1 cuil. à soupe de levure chimique
½ cuil. à café de bicarbonate
1 pincée de sel
115 g de sucre
2 œufs

250 ml de yaourt nature
1 cuil. à café d'extrait de vanille
150 g de framboises surgelées

CRUMBLE
50 g de farine
2½ cuil. à soupe de beurre,
coupé en dés
2 cuil. à soupe de sucre

Préchauffer le four à 200 °C (th. 6-7). Graisser un moule à muffins à 12 alvéoles.

Pour le crumble, mettre la farine dans une jatte et incorporer le beurre avec les doigts de façon à obtenir une consistance de fine chapelure. Ajouter le sucre et réserver.

Pour les muffins, tamiser la farine, la levure, le bicarbonate et le sel dans une jatte et ajouter le sucre. Mettre les œufs dans une autre jatte et battre légèrement, puis ajouter le yaourt, l'huile et l'extrait de vanille. Creuser un puits au centre de la première jatte, y verser le contenu de la seconde jatte, et ajouter les framboises.

Mélanger très légèrement le tout et répartir la préparation dans les alvéoles du moule. Parsemer les muffins de crumble et presser légèrement.

Cuire 20 minutes au four préchauffé, jusqu'à ce que les muffins aient levé et soient dorés et fermes au toucher. Laisser reposer dans le moule 5 minutes, puis servir chaud ou transférer sur une grille et laisser refroidir complètement.

763 Avec une garniture croquante

Ajouter 50 g d'amandes effilées et 6 biscuits amaretti émiettés au crumble avant d'en parsemer les muffins.

Muffins à l'ananas et à la crème aigre

6 cuil. à soupe d'huile de tournesol
ou 85 g de beurre, fondu et
refroidi, un peu plus pour graisser
2 tranches d'ananas en bocal
au naturel, plus 2 cuil. à soupe
de jus de bocal
280 g de farine
1 cuil. à soupe de levure chimique
1 pincée de sel
115 g de sucre
2 œufs
200 ml de crème aigre
1 cuil. à café d'extrait de vanille

Préchauffer le four à 200 °C (th. 6-7). Graisser un moule à muffins à 12 alvéoles. Égoutter et hacher finement l'ananas.

Tamiser la farine, la levure et le sel dans une jatte et ajouter le sucre et l'ananas.

Mettre les œufs dans une autre jatte et battre légèrement, puis ajouter la crème aigre, l'huile, le jus d'ananas et l'extrait de vanille. Creuser un puits au centre de la première jatte et y verser le contenu de la seconde jatte. Mélanger très légèrement le tout et répartir la préparation dans les alvéoles du moule.

Cuire 20 minutes au four préchauffé, jusqu'à ce que les muffins aient levé et soient dorés et fermes au toucher. Laisser reposer 5 minutes dans le moule, puis servir chaud ou transférer sur une grille et laisser refroidir complètement.

765 Avec un nappage à l'ananas

Battre 100 g de fromage frais avec 2 cuil. à soupe de sucre glace et 1 cuil. à soupe de jus d'ananas, puis napper les muffins froids.

766 Muffins épicés à la pomme

6 cuil. à soupe d'huile de tournesol,
    un peu plus pour graisser
125 g de farine
1 cuil. à soupe de levure chimique
1 cuil. à café de quatre-épices
115 g de sucre blond

175 g de flocons d'avoine
1 grosse pomme
2 œufs
125 ml de lait écrémé
125 ml de jus de pomme

Préchauffer le four à 200 °C (th. 6-7). Graisser un moule à muffins à 12 alvéoles. Tamiser la farine, la levure et le quatre-épices dans une jatte et ajouter le sucre et 140 g de flocons d'avoine.

Évider et hacher la pomme sans la peler, puis l'ajouter dans la jatte.

Mettre les œufs dans une autre jatte et battre légèrement, puis ajouter le lait, le jus de pomme et l'huile. Creuser un puits au centre de la première jatte et y verser le contenu de la seconde jatte. Mélanger très légèrement le tout et répartir la préparation dans les alvéoles du moule. Parsemer avec les flocons d'avoine restants.

Cuire 20 minutes au four préchauffé, jusqu'à ce que les muffins aient levé et soient dorés et fermes au toucher. Laisser reposer 5 minutes dans le moule, puis servir chaud ou transférer sur une grille et laisser refroidir complètement.

767 Muffins épicés à la poire

Remplacer la pomme et le jus de pomme par 2 poires évidées et hachées, et du jus de poire. Ajouter ½ cuil. à café de noix muscade râpée.

768 Muffins épicés aux fruits secs

6 cuil. à soupe d'huile de tournesol
    ou 85 g de beurre, fondu et refroidi
280 g de farine
1 cuil. à soupe de levure chimique
1 cuil. à soupe de quatre-épices
1 pincée de sel

115 g de sucre
175 g d'un mélange de fruits secs
    hachés
2 œufs
250 ml de lait

Préchauffer le four à 200 °C (th. 6-7). Chemiser un moule à muffins à 12 alvéoles avec des caissettes en papier. Tamiser la farine, la levure, le quatre-épices et le sel dans une jatte et ajouter le sucre et les fruits secs.

Mettre les œufs dans une autre jatte et battre légèrement, puis ajouter le lait et l'huile. Creuser un puits au centre de la première jatte et y verser le contenu de la seconde jatte. Mélanger très légèrement le tout et répartir la préparation dans les caissettes.

Cuire 20 minutes au four préchauffé, jusqu'à ce que les muffins aient levé et soient dorés et fermes au toucher. Laisser reposer 5 minutes dans le moule, puis servir chaud ou transférer sur une grille et laisser refroidir complètement.

769 Avec une crème au cognac

Fouetter 200 ml de crème fraîche épaisse avec 1 cuil. à soupe de cognac et 1 cuil. à soupe de sucre, puis en napper les muffins refroidis.

770 Muffins au chocolat

225 g de farine
55 g de cacao en poudre amer
1 cuil. à soupe de levure chimique
1 pincée de sel
115 g de sucre blond
2 œufs

200 ml de crème aigre
6 cuil. à soupe d'huile de tournesol
ou 85 g de beurre, fondu et refroidi
3 cuil. à soupe de golden syrup

Préchauffer le four à 200 °C (th. 6-7). Chemiser un moule à muffins à 12 alvéoles avec des caissettes en papier. Tamiser la farine, le cacao, la levure et le sel dans une jatte et ajouter le sucre.

Mettre les œufs dans une autre jatte et battre légèrement, puis ajouter la crème aigre, l'huile et le golden syrup. Creuser un puits au centre de la première jatte et y verser le contenu de la seconde jatte. Mélanger très légèrement le tout et répartir la préparation dans les caissettes.

Cuire 20 minutes au four préchauffé, jusqu'à ce que les muffins aient bien levé et soient fermes au toucher. Laisser reposer 5 minutes dans le moule, puis servir chaud ou transférer sur une grille et laisser refroidir complètement.

771 Avec une garniture au chocolat

Napper les muffins de 200 g de pâte à tartiner au chocolat et aux noisettes.

772 Muffins au caramel et aux dattes

6 cuil. à soupe d'huile de tournesol
ou 85 g de beurre, fondu et refroidi,
un peu plus pour graisser
250 g de dattes dénoyautées, hachées
250 ml d'eau
280 g de farine
1 cuil. à soupe de levure chimique

1 pincée de sel
115 g de sucre roux
2 œufs
4 cuil. à soupe de dulce de leche
en bocal, en garniture

Préchauffer le four à 200 °C (th. 6-7). Graisser un moule à muffins à 12 alvéoles. Mettre les dattes et l'eau dans un robot de cuisine et réduire en purée épaisse. Tamiser la farine, la levure et le sel dans une grande jatte et ajouter le sucre.

Mettre les œufs dans une autre jatte et battre légèrement, puis ajouter la purée de dattes et l'huile. Creuser un puits au centre de la première jatte et y verser le contenu de la seconde jatte. Mélanger très légèrement le tout et répartir la préparation dans les alvéoles du moule.

Cuire 20 minutes au four préchauffé, jusqu'à ce qu'ils soient dorés et fermes au toucher. Laisser reposer 5 minutes dans le moule, puis servir chaud ou transférer sur une grille et laisser refroidir complètement. Garnir chaque muffin d'une cuillerée à café de dulce de leche avant de servir.

Muffins aux abricots et aux amandes

100 g d'abricots secs, hachés
3 cuil. à soupe de jus d'orange frais
50 g d'amandes mondées
280 g de farine
1 cuil. à soupe de levure chimique
1 pincée de sel
115 g de sucre
2 œufs

200 ml de babeurre
6 cuil. à soupe d'huile de tournesol
    ou 85 g de beurre, fondu et refroidi
¼ de cuil. à café d'extrait d'amande
40 g d'amandes effilées

Mettre les abricots dans un bol, ajouter the jus d'orange et laisser tremper 1 heure.

Préchauffer le four à 200 °C (th. 6-7). Chemiser un moule à muffins à 12 alvéoles avec des caissettes en papier. Préchauffer le gril et chemiser une plaque en fonte de papier d'aluminium. Étaler les amandes sur la plaque et les passer au gril en les retournant souvent jusqu'à ce qu'elles soient dorées. Laisser refroidir et concasser.

Tamiser la farine, la levure et le sel dans une jatte et ajouter le sucre et les amandes.

Mettre les œufs dans une autre jatte et battre légèrement, puis ajouter le babeurre, l'huile et l'extrait d'amande. Creuser un puits au centre de la première jatte, y verser le contenu de la seconde jatte et ajouter les abricots.

Mélanger très légèrement le tout et répartir la préparation dans les caissettes. Parsemer les muffins d'amandes effilées.

Cuire 20 minutes au four préchauffé, jusqu'à ce que les muffins aient bien levé et qu'ils soient dorés et fermes au toucher. Laisser reposer 5 minutes, puis servir chaud ou transférer sur une grille et laisser refroidir complètement.

774 Avec un centre aux abricots

Garnir les caissettes avec la moitié de la préparation et ajouter un peu de confiture d'abricots, puis couvrir avec la préparation restante.

Muffins tropicaux aux fruits de la passion

2 bananes
150 ml de lait
280 g de farine
1 cuil. à soupe de levure chimique
1 pincée de sel
115 g de sucre blond
2 œufs

6 cuil. à soupe d'huile de tournesol
    ou 85 g de beurre, fondu et refroidi
1 cuil. à café d'extrait de vanille
2 fruits de la passion
2 cuil. à soupe de miel

Préchauffer le four à 200 °C (th. 6-7). Chemiser un moule à muffins à 12 alvéoles avec des caissettes en papier. Réduire les bananes en purée, les mettre dans un verre doseur et ajouter assez de lait pour obtenir 250 ml.

Tamiser la farine, la levure et le sel dans une jatte et ajouter le sucre.

Mettre les œufs dans une autre jatte et battre légèrement, puis ajouter l'huile, l'extrait de vanille et le mélange de bananes et de lait. Creuser un puits au centre de la première jatte et y verser le contenu de la seconde jatte. Mélanger très légèrement le tout et répartir la préparation dans les caissettes.

Cuire 20 minutes au four préchauffé, jusqu'à ce que les muffins aient levé et soient dorés et fermes au toucher. Laisser reposer 5 minutes dans le moule, puis transférer sur une grille et laisser refroidir complètement.

Pendant ce temps, couper les fruits de la passion en deux et mettre la pulpe dans une petite casserole. Ajouter le miel et réchauffer à feu très doux. Arroser les muffins avec le contenu de la casserole.

Muffins aux noix et à la cannelle

280 g de farine
1 cuil. à soupe de levure chimique
1 cuil. à café de cannelle en poudre
1 pincée de sel
115 g de sucre blond
115 g de noix, concassées

2 œufs
250 ml de lait
6 cuil. à soupe d'huile de tournesol
*   ou 85 g de beurre, fondu et refroidi*
1 cuil. à café d'extrait de vanille

Préchauffer le four à 200 °C (th. 6-7). Chemiser un moule à muffins à 12 alvéoles avec des caissettes en papier. Tamiser la farine, la levure, la cannelle et le sel dans une grande jatte et ajouter le sucre et les noix.

Mettre les œufs dans une autre jatte et battre légèrement, puis ajouter le lait, l'huile et l'extrait de vanille. Creuser un puits au centre de la première jatte et y verser le contenu de la seconde jatte. Mélanger très légèrement le tout et répartir la préparation dans les caissettes.

Cuire 20 minutes au four préchauffé, jusqu'à ce que les muffins aient levé et soient dorés et fermes au toucher. Laisser reposer 5 minutes dans le moule, puis servir chaud ou transférer sur une grille et laisser refroidir complètement.

777 ## Muffins aux noisettes et à la vanille

Remplacer les noix et la cannelle par 100 g de noisettes grillées hachées et les graines d'une gousse de vanille.

Muffins au citron et aux graines de pavot

350 g de farine
1 cuil. à soupe de levure chimique
115 g de sucre
2 cuil. à soupe de graines de pavot

4 cuil. à soupe de beurre
1 gros œuf, légèrement battu
225 ml de lait
zeste finement râpé et jus d'un citron

Préchauffer le four à 190 °C (th. 6-7). Chemiser un moule à muffins à 12 alvéoles avec des caissettes en papier. Tamiser la farine et la levure dans une grande jatte et ajouter le sucre.

Chauffer une poêle à fond épais à feu moyen à vif, ajouter les graines de pavot et les faire griller 30 secondes en secouant la poêle de façon à éviter qu'elles ne brûlent. Les retirer du feu et les ajouter dans la jatte.

Faire fondre le beurre à feu doux dans une casserole. Transférer dans une jatte et beat avec l'œuf, le lait, le zeste de citron et le jus. Creuser un puits au centre de la première jatte et verser le contenu dans la seconde jatte et mélanger jusqu'à obtention d'une pâte souple homogène et collante. Ajouter du lait si la pâte est trop sèche et répartir la préparation dans les caissettes.

Cuire 25 à 30 minutes au four préchauffé, jusqu'à ce que les muffins aient levé et soient dorés et fermes au toucher. Transférer sur une grille et laisser refroidir complètement.

Muffins épicés à la crème

6 cuil. à soupe d'huile de tournesol
ou 85 g de beurre, fondu et refroidi,
un peu plus pour graisser
280 g de farine
1 cuil. à soupe de levure chimique
1 cuil. à café de cannelle en poudre
½ cuil. à café de quatre-épices

½ cuil. à café de noix muscade
fraîchement râpée
1 pincée de sel
115 g de sucre blond
2 œufs
250 ml de crème fraîche épaisse
sucre glace, pour saupoudrer

Préchauffer le four à 200 °C (th. 6-7). Graisser un moule à muffins à 12 alvéoles. Tamiser la farine, la levure, la cannelle, le quatre-épices, la noix muscade et le sel dans une jatte et ajouter le sucre blond.

Mettre les œufs dans une autre jatte et battre légèrement, puis ajouter la crème fraîche et l'huile. Creuser un puits au centre de la première jatte et y verser le contenu de la seconde jatte. Mélanger très légèrement et répartir la préparation dans les alvéoles du moule.

Cuire 20 minutes au four préchauffé, jusqu'à ce que les muffins aient levé et soient dorés et fermes au toucher. Laisser reposer 5 minutes dans le moule, puis servir chaud ou transférer sur une grille et laisser refroidir complètement. Saupoudrer de sucre glace avant de servir.

780 *Avec une garniture au beurre épicé*

Battre 150 g de beurre avec 3 cuil. à soupe de sucre glace et 1 cuil. à café d'un mélange de gingembre et de clou de girofle en poudre, puis en napper les muffins.

Muffins aux trois chocolats

250 g de farine
25 g de cacao en poudre amer
2 cuil. à café de levure chimique
½ cuil. à café de bicarbonate
100 g de pépites de chocolat noir

100 g de pépites de chocolat blanc
115 g de sucre blond
2 œufs, légèrement battus
300 ml de crème aigre
85 g de beurre, fondu

Préchauffer le four à 200 °C (th. 6-7). Chemiser un moule à muffins à 12 alvéoles avec des caissettes en papier. Tamiser la farine, le cacao, la levure et le bicarbonate dans une jatte, puis ajouter les pépites de chocolat noir et blanc, et le sucre.

Mettre les œufs, la crème aigre et le beurre dans une autre jatte et bien mélanger. Creuser un puits au centre de la première jatte et y verser le contenu de la seconde jatte. Mélanger très légèrement et répartir la préparation dans les caissettes.

Cuire 20 minutes au four préchauffé, jusqu'à ce que les muffins aient bien levé et soient fermes au toucher. Laisser reposer 5 minutes dans le moule, puis servir chaud ou transférer sur une grille et laisser refroidir complètement.

782 *Muffins cerise-chocolat*

Remplacer les pépites de chocolat blanc par 85 g de cerises confites hachées.

Muffins de Pâques

6 cuil. à soupe d'huile de tournesol
  ou 85 g de beurre, fondu et refroidi,
  un peu plus pour graisser
225 g de farine
55 g de cacao en poudre amer
1 cuil. à soupe de levure chimique
1 pincée de sel
115 g de sucre blond

2 œufs
250 ml de babeurre

GARNITURE
1 portion de crème au beurre (page 10)
250 g de mini-œufs de Pâque au chocolat
  enrobés de sucre, pour décorer

Préchauffer le four à 200 °C (th. 6-7). Graisser un moule à muffins à 12 alvéoles. Tamiser la farine, le cacao, la levure et le sel dans une jatte et ajouter le sucre blond.

Mettre les œufs dans une autre jatte et battre légèrement, puis ajouter le babeurre et l'huile. Creuser un puits au centre de la première jatte et y verser le contenu de la seconde jatte. Mélanger très légèrement le tout et répartir la préparation dans les alvéoles du moule.

Cuire 20 minutes au four préchauffé, jusqu'à ce que les muffins aient bien levé et soient fermes au toucher. Laisser reposer 5 minutes, puis transférer sur une grille pour laisser refroidir.

Mettre le nappage dans une poche à douille munie d'un embout large en forme d'étoile et en garnir les muffins pour figurer des nids. Déposer les œufs au centre des nids.

Muffins façon simnel

Omettre le nappage et abaisser 100 g de massepain et y découper 12 ronds de 3 cm de diamètre. Enduire chaque muffin de confiture d'abricots et presser les ronds de massepain au centre. Utiliser 85 g de massepain pour rouler 12 billes. Garnir les muffins avec les billes et faire griller le massepain à l'aide d'un chalumeau de cuisine.

Muffins de Thanksgiving

200 g de canneberges séchées
3 cuil. à soupe de jus d'orange
6 cuil. à soupe d'huile de tournesol
  ou 85 g de beurre, fondu et refroidi,
  un peu plus pour graisser
280 g de farine

1 cuil. à soupe de levure chimique
1 pincée de sel
115 g de sucre
2 œufs
200 ml de lait
zeste finement râpé d'une orange

Mettre les canneberges dans un bol, ajouter le jus d'orange et laisser tremper 1 heure. Préchauffer le four à 200 °C (th. 6-7). Graisser un moule à muffins à 12 alvéoles. Tamiser la farine, la levure et le sel dans une jatte et ajouter le sucre.

Mettre les œufs dans une autre jatte et battre légèrement, puis ajouter le lait, l'huile et le zeste d'orange. Creuser un puits au centre de la première jatte, y verser le contenu de la seconde jatte et ajouter les canneberges et jus d'orange. Mélanger très légèrement le tout et répartir la préparation dans les alvéoles du moule.

Cuire 20 minutes au four préchauffé, jusqu'à ce que les muffins aient levé et soient dorés et fermes au toucher. Laisser reposer 5 minutes dans le moule, puis servir chaud ou transférer sur une grille et laisser refroidir complètement.

Muffins canneberge-noix de pécan

Ajouter 85 de noix de pécan hachées à la préparation pour ajouter du croquant.

Muffins d'Halloween à la citrouille

280 g de farine
1 cuil. à soupe de levure chimique
1 cuil. à café de quatre-épices
1 pincée de sel
115 g de sucre roux
2 œufs

200 ml de lait
6 cuil. à soupe d'huile de tournesol
    ou 85 g de beurre, fondu et refroidi
425 g de chair de citrouille en boîte
4 cuil. à soupe de dulce de leche
    en bocal

Préchauffer le four à 200 °C (th. 6-7). Chemiser un moule à muffins à 12 alvéoles avec des caissettes en papier. Tamiser la farine, la levure, le quatre-épices et le sel dans une jatte et ajouter le sucre.

Mettre les œufs dans une autre jatte et battre légèrement, puis ajouter le lait et l'huile. Creuser un puits au centre de la première jatte, y verser le contenu de la seconde jatte et ajouter la chair de citrouille. Mélanger très légèrement et répartir la préparation dans les caissettes.

Cuire 20 minutes au four préchauffé, jusqu'à ce que les muffins aient levé et soient dorés et fermes au toucher. Laisser reposer 5 minutes dans le moule, puis servir chaud ou transférer sur une grille et laisser refroidir complètement. Garnir chaque muffin d'une cuillerée à café de dulce de leche.

788 Avec un nappage au sirop d'érable

Omettre le dulce de leche et préparer un nappage au sirop d'érable : battre 175 g de beurre avec 3 cuil. à soupe de sirop d'érable et 2 cuil. à soupe de sucre glace, puis en napper les muffins refroidis.

Muffins de Noël

280 g de farine
1 cuil. à soupe de levure chimique
1 cuil. à café de quatre-épices
1 pincée de sel
115 g de sucre roux
2 œufs
100 ml de lait
6 cuil. à soupe d'huile de tournesol
    ou 85 g de beurre, fondu et refroidi
200 g d'un mélange de fruits secs
    et de fruits à coque

GARNITURE
450 g de fondant de sucre
sucre glace, pour saupoudrer
2½ cuil. à café de confiture d'abricots
billes de sucre argentées, pour décorer

Préchauffer le four à 200 °C (th. 6-7). Chemiser un moule à muffins à 12 alvéoles avec des caissettes en papier. Tamiser la farine, la levure, le quatre-épices et le sel dans une jatte et ajouter le sucre roux.

Mettre les œufs dans une autre jatte et battre légèrement, puis ajouter le lait et l'huile. Creuser un puits au centre de la première jatte, y verser le contenu de la seconde jatte et ajouter les fruits secs. Mélanger très légèrement et répartir la préparation dans les caissettes.

Cuire 20 minutes au four préchauffé, jusqu'à ce que les muffins aient levé et soient dorés et fermes au toucher. Laisser reposer 5 minutes, puis laisser refroidir sur une grille.

Pétrir le fondant jusqu'à ce qu'il soit souple et l'abaisser sur un plan de travail saupoudré de sucre glace de sorte qu'il ait 5 mm d'épaisseur. Découper des ronds de 7 cm de diamètre à l'aide d'un emporte-pièce cannelé.

Chauffer la confiture d'abricots pour la fluidifier, puis en enduire le dessus des muffins. Déposer les ronds de fondants sur les muffins et décorer de billes de sucre.

790 Muffins aux couleurs de Noël

Tinter 50 g de fondant avec du colorant vert, l'abaisser et y découper des ronds. Les coller sur les muffins et coller des canneberges séchées pour figurer les baies de houx.

791 *Muffins nuptiaux*

280 g de farine
1 cuil. à soupe de levure chimique
1 pincée de sel
115 g de sucre
2 œufs
250 ml de lait
6 cuil. à soupe d'huile de tournesol
    ou 85 g de beurre, fondu et refroidi

1 cuil. à café d'extrait de vanille
12 petites roses en sucre ou des bourgeons
    de roses frais, pour décorer

GLAÇAGE
175 g de sucre glace
3 à 4 cuil. à café d'eau chaude

Préchauffer le four à 200 °C (th. 6-7). Augmenter la quantité d'ingrédients en fonction du nombre d'invités au mariage. Chemiser le nombre approprié de moules à muffins à 12 alvéoles avec des caissettes en papier.

Tamiser la farine, la levure et le sel dans une jatte et ajouter le sucre. Mettre les œufs dans une autre jatte et battre légèrement, puis ajouter le lait, l'huile et l'extrait de vanille. Creuser un puits au centre de la première jatte et y verser le contenu de la seconde jatte. Mélanger très légèrement le tout et répartir la préparation dans les caissettes.

Cuire 20 minutes au four préchauffé, jusqu'à ce que les muffins aient levé et soient dorés et fermes au toucher. Laisser reposer dans le moule 5 minutes, puis transférer sur une grille et laisser refroidir.

Réserver au congélateur avant le mariage.

Le jour du mariage, en cas d'utilisation de roses fraîches, rincer les bourgeons et les sécher sur du papier absorbant. Pour le glaçage, tamiser le sucre glace dans une jatte, ajouter l'eau et mélanger jusqu'à obtention d'une consistance crémeuse qui nappe le dos d'une cuillère. Napper les muffins de glaçage et décorer avec une rose en sucre ou un bourgeon.

792 *Muffins nuptiaux aux baies*

Remplacer les roses par des graines de grenade et des petites fraises sauvages. Servir saupoudré de sucre glace.

793 *Muffins d'anniversaire de mariage*

6 cuil. à soupe d'huile de tournesol
    ou 85 g de beurre, fondu et refroidi,
    un peu plus pour graisser
280 g de farine
1 cuil. à soupe de levure chimique
1 pincée de sel
115 g de sucre
2 œufs

250 ml de babeurre
zeste finement râpé d'un citron

GARNITURE
85 g de beurre, ramolli
175 g de sucre glace
billes de sucre argentées ou dorées,
    pour décorer

Préchauffer le four à 200 °C (th. 6-7). Graisser un moule à muffins à 12 alvéoles. Tamiser la farine, la levure et le sel dans une jatte et ajouter le sucre.

Mettre les œufs dans une autre jatte et battre légèrement, puis ajouter le babeurre, l'huile et le zeste de citron. Creuser un puits au centre de la première jatte et y verser le contenu de la seconde jatte. Mélanger très légèrement le tout et répartir la préparation dans les alvéoles du moule.

Cuire 20 minutes au four préchauffé, jusqu'à ce que les muffins aient levé et soient dorés et fermes au toucher. Laisser reposer dans le moule 5 minutes, puis transférer sur une grille et laisser refroidir.

Pour le nappage, battre le beurre en crème dans un bol, tamiser le sucre glace dans le bol et battre jusqu'à obtention d'une consistance crémeuse.

Mettre le nappage dans une poche à douille munie d'un embout en forme d'étoile et garnir les muffins. Décorer de billes en sucre argentées ou dorées.

794 *Avec des cœurs en massepain*

Tinter 100 g de fondant avec du colorant rouge et l'abaisser finement. Découper des cœurs dans le fondant à l'aide d'un emporte-pièce et décorer chaque muffin par des trois cœurs qui se chevauchent.

795 Muffins de la fête des mères

280 g de farine
1 cuil. à soupe de levure chimique
1 pincée de sel
115 g de sucre
2 œufs
250 ml de lait

6 cuil. à soupe d'huile de tournesol
    ou 85 g de beurre, fondu et refroidi
1 cuil. à café d'extrait d'orange
fraises fraîches, pour servir
sucre glace, pour saupoudrer

Préchauffer le four à 200 °C (th. 6-7). Chemiser un moule à muffins à 12 alvéoles avec des caissettes en papier. Tamiser la farine, la levure et le sel dans une jatte et ajouter le sucre.

Mettre les œufs dans une autre jatte et battre légèrement, puis ajouter le lait, l'huile et l'extrait d'orange. Creuser un puits au centre de la première jatte et y verser le contenu de la seconde jatte. Mélanger très légèrement le tout et répartir la préparation dans les caissettes.

Cuire 20 minutes au four préchauffé, jusqu'à ce que les muffins aient levé et soient dorés et fermes au toucher. Laisser reposer 5 minutes dans le moule. Pendant ce temps, mettre les fraises dans un bol de service. Servir les muffins saupoudrés de sucre glace.

796 Avec du beurre au chocolat malté

Omettre les fraises. Battre en crème 225 g de beurre, puis piler 100 g de billes de chocolat malté et incorporer le beurre. Servir en accompagnement des muffins.

797 Muffins de la Saint Valentin

6 cuil. à soupe d'huile de tournesol
    ou 85 g de beurre, fondu et refroidi,
    un peu plus pour graisser
225 g de farine
55 g de cacao en poudre amer
1 cuil. à soupe de levure chimique
1 pincée de sel
115 g de sucre blond
2 œufs
250 ml de babeurre

CŒURS EN MASSEPAIN
sucre glace, pour saupoudrer
70 g de massepain, tinté avec quelques
    gouttes de colorant rouge

NAPPAGE
55 g de chocolat noir, brisé
    en morceaux
115 g de beurre, ramolli
225 g de sucre glace

Pour les cœurs en massepain, saupoudrer un plan de travail de sucre glace et y abaisser le fondant de sorte qu'il ait 5 mm d'épaisseur. Découper 12 cœurs à l'aide d'un emporte-pièce. Chemiser une plaque de papier sulfurisé, la saupoudrer de sucre glace et y déposer les cœurs. Laisser sécher 3 à 4 heures.

Préchauffer le four à 200 °C (th. 6-7). Graisser un moule à alvéoles en forme de cœur. Tamiser la farine, le cacao, la levure et le sel dans une jatte et ajouter le sucre blond. Mettre les œufs dans une autre jatte et battre légèrement, puis ajouter le babeurre et l'huile. Creuser un puits au centre de la première jatte et y verser le contenu de la seconde jatte. Mélanger très légèrement et répartir la préparation dans les alvéoles.

Cuire 20 minutes au four préchauffé, jusqu'à ce que les muffins aient bien levé et soient fermes au toucher. Laisser reposer 5 minutes, puis transférer sur une grille et laisser refroidir.

Faire fondre le chocolat. Battre le beurre en crème dans un bol, puis incorporer le sucre glace et le chocolat fondu. Garnir les muffins de nappage, puis décorer de cœurs en massepain.

798 Muffins en cœurs blancs

Omettre le cacao de la préparation et cuire comme indiqué ci-dessus. Préparer le nappage avec du chocolat blanc et découper des cœurs de massepain blanc.

Muffins aux chamallows

6 cuil. à soupe d'huile de tournesol
ou 85 g de beurre, fondu et refroidi,
un peu plus pour graisser
100 g minichamallows blancs
225 g de farine
55 g de cacao en poudre amer

1 cuil. à soupe de levure chimique
1 pincée de sel
115 g de sucre blond
2 œufs
250 ml de lait

Préchauffer le four à 200 °C (th. 6-7). Graisser un moule à muffins à 12 alvéoles. Couper les chamallows en deux à l'aide d'une paire de ciseaux de cuisine. Tamiser la farine, le cacao, la levure et le sel dans une jatte et ajouter le sucre et les chamallows.

Mettre les œufs dans une autre jatte et battre légèrement, puis ajouter le lait et l'huile. Creuser un puits au centre de la première jatte et y verser le contenu de la seconde jatte. Mélanger très légèrement le tout et répartir la préparation dans les alvéoles du moule.

Cuire 20 minutes au four préchauffé, jusqu'à ce que les muffins aient bien levé et soient fermes au toucher. Laisser reposer 5 minutes dans le moule, puis servir chaud ou transférer sur une grille et laisser refroidir complètement.

Muffins aux éclats de chocolat

280 g de farine
1 cuil. à soupe de levure chimique
1 pincée de sel
115 g de sucre
175 g de chocolat noir,
brisé en éclats

2 œufs
250 ml de lait
6 cuil. à soupe d'huile de tournesol
ou 85 g de beurre, fondu et refroidi
1 cuil. à café d'extrait de vanille

Préchauffer le four à 200 °C (th. 6-7). Chemiser un moule à muffins à 12 alvéoles avec des caissettes en papier. Tamiser la farine, la levure et le sel dans une jatte et ajouter le sucre et les éclats de chocolat.

Mettre les œufs dans une autre jatte et battre légèrement, puis ajouter le lait, l'huile et l'extrait de vanille. Creuser un puits au centre de la première jatte et y verser le contenu de la seconde jatte. Mélanger très légèrement le tout et répartir la préparation dans les caissettes.

Cuire 20 minutes au four préchauffé, jusqu'à ce que les muffins aient levé et soient dorés et fermes au toucher. Laisser reposer 5 minutes dans le moule, puis servir chaud ou transférer sur une grille et laisser refroidir complètement.

801 *Muffins chocolat-cacahuète*

Utiliser 100 g d'éclats de chocolat et 85 g de cacahuètes concassées.

Muffins de goûter d'anniversaire

280 g de farine
1 cuil. à soupe de levure chimique
½ cuil. à café de sel
115 g de sucre
2 œufs
250 ml de lait
6 cuil. à soupe d'huile de tournesol
  ou 85 g de beurre, fondu et refroidi
1 cuil. à café d'extrait de vanille

GARNITURE
175 g de sucre glace
3 à 4 cuil. à café d'eau chaude
petits bonbons, pour décorer

Préchauffer le four à 200 °C (th. 6-7). Chemiser un moule à muffins à 12 alvéoles avec des caissettes en papier. Tamiser la farine, la levure et le sel dans une jatte et ajouter le sucre.

Mettre les œufs dans une autre jatte et battre légèrement, puis ajouter le lait, l'huile et l'extrait de vanille. Creuser un puits au centre de la première jatte et y verser le contenu de la seconde jatte. Mélanger très légèrement et répartir la préparation dans les caissettes.

Cuire 20 minutes au four préchauffé, jusqu'à ce que les muffins aient levé et soient dorés et fermes au toucher. Laisser reposer dans le moule 5 minutes, puis transférer sur une grille et laisser refroidir complètement.

Pour le glaçage, tamiser le sucre glace dans une jatte, ajouter l'eau et mélanger jusqu'à obtention d'une consistance crémeuse qui nappe le dos d'une cuillère. Arroser les muffins de glaçage, puis ajouter les bonbons de son choix. Laisser prendre 30 minutes avant de servir.

803 *Muffins porte-noms*

Napper les muffins de glaçage, laisser prendre légèrement puis écrire le nom des invités à l'aide d'un tube de glaçage coloré prêt à l'emploi.

Muffins d'anniversaire

6 cuil. à soupe d'huile de tournesol
  ou 85 g de beurre, fondu et refroidi,
  un peu plus pour graisser
280 g de farine
1 cuil. à soupe de levure chimique
1 pincée de sel
115 g de sucre
2 œufs

250 ml de lait
zeste finement râpé d'un citron
12 bougies d'anniversaire,
  pour décorer

NAPPAGE
85 g de beurre, ramolli
175 g de sucre glace

Préchauffer le four à 200 °C (th. 6-7). Graisser un moule à muffins à 12 alvéoles. Tamiser la farine, la levure et le sel dans une grande jatte et ajouter le sucre.

Mettre les œufs dans une autre jatte et battre légèrement, puis ajouter le lait, l'huile et le zeste de citron. Creuser un puits au centre de la première jatte et y verser le contenu de la seconde jatte. Mélanger très légèrement le tout. Répartir la préparation dans les alvéoles du moule.

Cuire 20 minutes au four préchauffé, jusqu'à ce que les muffins aient bien levé et soient dorés. Laisser reposer 5 minutes dans le moule, puis transférer sur une grille et laisser refroidir complètement.

Pour le nappage, battre le beurre en crème dans une grande jatte. Tamiser le sucre glace dans la jatte et bien battre le tout. Garnir les muffins refroidis de nappage, puis ajouter les bougies.

805 *Muffins multicolores d'anniversaire*

Diviser le nappage en quatre et tinter chaque portion avec un colorant différent. Garnir les muffins de nappage et ajouter des bougies assorties.

6 cuil. à soupe d'huile de tournesol
ou 85 g de beurre, fondu et refroidi,
un peu plus pour graisser
225 g de farine
55 g de cacao en poudre amer
1 cuil. à soupe de levure chimique
1 pincée de sel
115 g de sucre
100 g de pépites de chocolat blanc
50 g de minichamallows blanc,
coupés en deux
2 œufs
250 ml de lait

Préchauffer le four à 200 °C (th. 6-7). Graisser un moule à muffins à 12 alvéoles. Tamiser la farine, le cacao, la levure et le sel dans une jatte et ajouter le sucre, les pépites de chocolat et les chamallows.

Mettre les œufs dans une autre jatte et battre légèrement, puis ajouter le lait et l'huile. Creuser un puits au centre de la première jatte et y verser le contenu de la seconde jatte. Mélanger très légèrement le tout et répartir la préparation dans les alvéoles du moule.

Cuire 20 minutes au four préchauffé, jusqu'à ce que les muffins aient levé et soient fermes au toucher. Laisser reposer 5 minutes dans le moule, puis servir chaud ou transférer sur une grille et laisser refroidir complètement.

807 *Muffins aux noix du Brésil*

N'utiliser que 55 g de noix du Brésil et ajouter 85 g de noix du Brésil à la préparation pour donner plus de texture.

Muffins au brie et aux canneberges

6 cuil. à soupe d'huile de tournesol
ou 85 g de beurre, fondu et refroidi,
un peu plus pour graisser
280 g de farine
1 cuil. à soupe de levure chimique
½ cuil. à café de bicarbonate

1 pincée de sel
poivre noir du moulin
150 g de brie, coupé en dés
2 œufs
250 ml de yaourt nature
4 cuil. à soupe de confiture
de canneberges

Préchauffer le four à 200 °C (th. 6-7). Graisser un moule à muffins à 12 alvéoles. Tamiser la farine, la levure, le bicarbonate, le sel et le poivre dans une jatte et ajouter le brie.

Mettre les œufs dans une autre jatte et battre légèrement, puis ajouter le yaourt et l'huile. Creuser un puits au centre de la première jatte et y verser le contenu de la seconde jatte. Mélanger très légèrement. Répartir la moitié de la préparation dans les alvéoles du moule, déposer une cuillerée à café de confiture de canneberges et couvrir avec la préparation restante.

Cuire 20 minutes au four préchauffé, jusqu'à ce que les muffins aient levé et soient dorés et fermes au toucher. Laisser reposer 5 minutes dans le moule, puis servir chaud.

809 # Muffins pesto-fontina

Remplacer le brie par de la fontina et remplacer la confiture de canneberges par du pesto.

Muffins aux oignons caramélisés

7 cuil. à soupe d'huile de tournesol
3 oignons, finement hachés
1 cuil. à soupe de vinaigre de vin rouge
2 cuil. à café de sucre
280 g de farine

1 cuil. à soupe de levure chimique
1 pincée de sel
poivre noir du moulin
2 œufs
250 ml de babeurre

Préchauffer le four à 200 °C (th. 6-7). Chemiser un moule à muffins à 12 alvéoles avec des caissettes en papier. Chauffer 2 cuillerées à soupe de l'huile dans une poêle, ajouter les oignons et cuire 3 minutes, jusqu'à ce qu'ils s'attendrissent. Ajouter le vinaigre et le sucre, et cuire 10 minutes en remuant de temps en temps, jusqu'à ce qu'ils soient dorés. Retirer du feu et laisser refroidir.

Pendant ce temps, tamiser la farine, la levure, le sel et le poivre dans une grande jatte.

Mettre les œufs dans une autre jatte et battre légèrement, puis ajouter le babeurre et l'huile restante. Creuser un puits au centre de la première jatte, y verser le contenu de la seconde jatte et ajouter les oignons en réservant 4 cuillerées à soupe pour la garniture. Mélanger

très légèrement le tout et répartir la préparation dans les caissettes. Répartir les oignons restants sur les muffins et Cuire 20 minutes au four préchauffé, jusqu'à ce que les muffins aient levé et soient dorés et fermes au toucher. Laisser reposer dans le moule 5 minutes, puis servir chaud.

811 # Muffins aux oignons rouges

Remplacer les oignons par des oignons rouges, et le vinaigre de vin rouge par du vinaigre balsamique.

Muffins aux carottes et à la coriandre

6 cuil. à soupe d'huile de tournesol
ou 85 g de beurre, fondu et refroidi,
un peu plus pour graisser
280 g de farine
1 cuil. à soupe de levure chimique
1 pincée de sel
poivre noir du moulin

200 g de carottes râpées
2 œufs
250 ml de babeurre
3 cuil. à soupe de coriandre fraîche
hachée, plus quelques brins pour
garnir

Préchauffer le four à 200 °C (th. 6-7). Graisser un moule à muffins à 12 alvéoles. Tamiser la farine, la levure, le sel et le poivre dans une jatte et ajouter les carottes.

Mettre les œufs dans une autre jatte et battre légèrement, puis ajouter le babeurre, l'huile et la coriandre hachée. Creuser un puits au centre de la première jatte et y verser le contenu de la seconde jatte. Mélanger très légèrement le tout et répartir la préparation dans les alvéoles du moule.

Cuire 20 minutes au four préchauffé, jusqu'à ce que les muffins aient levé et soient dorés et fermes au toucher. Laisser reposer 5 minutes dans le moule, puis servir chaud, garni de brins de coriandre.

813 ## Muffins aux carottes et aux oignons

Ajouter 2 oignons verts finement hachés avec les carottes.

Muffins jambon-fromage

280 g de farine
1 cuil. à soupe de levure chimique
1 pincée de sel
100 g de tranches de jambon,
finement hachées
140 g de fromage râpé

2 œufs
250 ml de lait
6 cuil. à soupe d'huile de tournesol
ou 85 g de beurre, fondu et refroidi
poivre noir du moulin

Préchauffer le four à 200 °C (th. 6-7). Chemiser un moule à muffins à 12 alvéoles avec des caissettes en papier. Tamiser la farine, la levure, le sel et le poivre dans une jatte et ajouter le jambon et 100 g de fromage.

Mettre les œufs dans une autre jatte et battre légèrement, puis ajouter le lait et l'huile. Creuser un puits au centre de la première jatte et y verser le contenu de la seconde jatte. Mélanger très légèrement le tout et répartir la préparation dans les caissettes. Parsemer les muffins avec le fromage râpé restant.

Cuire 20 minutes au four préchauffé, jusqu'à ce que les muffins aient levé et soient dorés et fermes au toucher. Laisser reposer 5 minutes dans le moule, puis servir chaud.

815 ## Muffins aux deux fromages

Omettre le jambon. Couper 175 g de mozzarella en cubes et les répartir au centre des muffins avant la cuisson.

Muffins au poulet et au maïs

7 cuil. à soupe d'huile de tournesol,
  un peu plus pour graisser
1 oignon, finement haché
1 blanc de poulet sans peau de 175 g,
  finement haché
280 g de farine
1 cuil. à soupe de levure chimique

1 pincée de sel
poivre noir du moulin
2 œufs
250 ml de babeurre
75 g de grains de maïs surgelés
paprika en poudre, pour saupoudrer

Préchauffer le four à 200 °C (th. 6-7). Graisser un moule à muffins à 12 alvéoles. Chauffer 1 cuillerée à soupe d'huile dans une poêle, ajouter l'oignon et cuire 2 minutes. Ajouter le poulet et cuire 5 minutes en remuant de temps en temps, jusqu'à ce que le poulet soit tendre. Retirer du feu et laisser refroidir. Pendant ce temps, tamiser la farine, la levure, le sel et le poivre dans une grande jatte.

Mettre les œufs dans une autre jatte et battre légèrement, puis ajouter le babeurre et l'huile restante. Creuser un puits au centre de la première jatte, y verser le contenu de la seconde jatte et ajouter le maïs et la préparation au poulet. Mélanger très légèrement le tout et répartir la préparation dans les alvéoles du moule.

Cuire 20 minutes au four préchauffé, jusqu'à ce que les muffins aient levé et soient dorés et fermes au toucher. Laisser reposer 5 minutes dans le moule, saupoudrer de paprika puis servir chaud.

· · · · · · · · · · · · · · · · · · · ·

817 *Muffins dinde-canneberge*

Remplacer le poulet par 175 g de blanc de dinde, et le maïs par 85 g de canneberges surgelées.

818 # Muffins aux courgettes et au sésame

6 cuil. à soupe d'huile de tournesol
  ou 85 g de beurre, fondu et refroidi,
  un peu plus pour graisser
1 grosse courgette
280 g de farine
1 cuil. à soupe de levure chimique
1 pincée de sel

poivre noir du moulin
2 cuil. à soupe de graines de sésame
½ cuil. à café d'un mélange de fines
  herbes séchées
2 œufs
250 ml de babeurre

Préchauffer le four à 200 °C (th. 6-7). Graisser un moule à muffins à 12 alvéoles. Râper la courgette et égoutter l'excédent de liquide.

Tamiser la farine, la levure, le sel et le poivre dans une grande jatte, ajouter 4 cuillerées à café de graines de sésame et les fines herbes. Mettre les œufs dans une autre jatte et battre légèrement, puis ajouter le babeurre et l'huile. Creuser un puits au centre de la première jatte, y verser le contenu de la seconde jatte et ajouter la courgette. Mélanger très légèrement le tout et répartir la préparation dans les alvéoles du moule. Parsemer les muffins des graines de sésame restantes.

Cuire 20 minutes au four préchauffé, jusqu'à ce que les muffins aient levé et soient dorés et fermes au toucher. Laisser reposer 5 minutes dans le moule, puis servir chaud.

819 *Muffins aux courgettes et à la feta*

Ajouter 150 g de feta émiettée avec la courgette, puis décorer les muffins d'une fine rondelle de courgette avant de parsemer de graines de sésame.

820 Muffins au lard croustillant

POUR 12 MUFFINS

250 g de lard maigre fumé
7 cuil. à soupe d'huile de tournesol
1 oignon, finement haché
280 g de farine
1 cuil. à soupe de levure chimique
1 pincée de sel

poivre noir du moulin
2 œufs
250 ml de babeurre

Préchauffer le four à 200 °C (th. 6-7). Chemiser un moule à muffins à 12 alvéoles avec des caissettes en papier. Réserver 3 tranches de lard pour la garniture et couper chacune en 4 morceaux, puis hacher finement le lard restant.

Chauffer une cuillerée à soupe d'huile dans une poêle, ajouter l'oignon et cuire 2 minutes. Ajouter le lard haché et cuire 5 minutes en remuant de temps en temps, jusqu'à ce qu'il soit croustillant. Laisser refroidir.

Pendant ce temps, tamiser la farine, la levure, le sel et le poivre dans une grande jatte.

Mettre les œufs dans une autre jatte et battre légèrement, puis ajouter le babeurre et l'huile restante. Creuser un puits au centre de la première jatte, y verser le contenu de la seconde jatte et ajouter la préparation à base de lard. Mélanger très légèrement le tout et répartir la préparation dans les caissettes. Déposer un morceau de lard réservé sur chaque muffin.

Cuire 20 minutes au four préchauffé, jusqu'à ce que les muffins aient levé et soient dorés et fermes au toucher. Laisser reposer dans le moule 5 minutes, puis servir chaud.

821 Muffins au lard et aux épinards

Faire fondre 1 cuil. à soupe de beurre dans une poêle, ajouter 85 g de feuilles de pousses d'épinards frais et faire revenir 1 à 2 minutes, jusqu'à ce qu'elles aient flétri. Mettre dans une passoire, presser de façon à exprimer l'excédent d'eau et hacher finement, puis ajouter à la préparation.

822 Muffins au fromage façon crumble

POUR 12 MUFFINS

6 cuil. à soupe d'huile de tournesol
ou 85 g de beurre, fondu et refroidi,
un peu plus pour graisser
280 g de farine
1 cuil. à soupe de levure chimique
1 pincée de sel
poivre noir du moulin
150 g de fromage râpé
4 cuil. à soupe de ciboulette fraîche
hachée

2 œufs
250 ml de babeurre

CRUMBLE
50 g de farine
35 g de beurre, coupé en dés
25 g de fromage râpé
sel et poivre noir du moulin

Préchauffer le four à 200 °C (th. 6-7). Graisser un moule à muffins à 12 alvéoles.

Pour le crumble, mettre la farine dans une jatte et incorporer le beurre avec les doigts de façon à obtenir une consistance de fine chapelure. Ajouter le fromage, puis saler et poivrer à volonté.

Pour les muffins, tamiser la farine, la levure, le sel et le poivre dans une jatte et ajouter le fromage et la ciboulette.

Mettre les œufs dans une autre jatte et battre légèrement, puis ajouter le babeurre et l'huile. Creuser un puits au centre de la première jatte et y verser le contenu de la seconde jatte. Mélanger très légèrement le tout et répartir la préparation dans les alvéoles du moule. Parsemer les muffins de crumble.

Cuire 20 minutes au four préchauffé, jusqu'à ce que les muffins aient levé et soient dorés et fermes au toucher. Laisser reposer dans le moule 5 minutes, puis servir chaud.

823 Muffins façon crumble au parmesan

Remplacer le fromage râpé par 100 g de parmesan fraîchement râpé, et la ciboulette par 2 cuil. à soupe de feuilles de sauge finement ciselées.

Muffins au pesto à l'italienne

280 g de farine
1 cuil. à soupe de levure chimique
1 pincée de sel
poivre noir du moulin
50 g de pignons
2 œufs

150 ml de babeurre
6 cuil. à soupe d'huile de tournesol
  ou 85 g de beurre, fondu et refroidi
6 cuil. à soupe de pesto
2 cuil. à soupe de parmesan
  fraîchement râpé

Préchauffer le four à 200 °C (th. 6-7). Chemiser un moule à muffins à 12 alvéoles avec des caissettes en papier. Tamiser la farine, la levure, le sel et le poivre dans une grande jatte et ajouter les pignons.

Mettre les œufs dans une autre jatte et battre légèrement, puis ajouter le babeurre, l'huile et le pesto. Creuser un puits au centre de la première jatte et y verser le contenu de la seconde jatte. Mélanger très légèrement le tout et répartir la préparation dans les caissettes. Saupoudrer les muffins de parmesan.

Cuire 20 minutes au four préchauffé, jusqu'à ce que les muffins aient levé et soient dorés et fermes au toucher. Laisser reposer 5 minutes dans le moule, puis servir chaud.

825 ### Avec une garniture à la ricotta

Battre 200 g de ricotta avec 1 pincée de sel et un peu de poivre noir du moulin, et transférer dans un bol de service. Arroser d'un peu d'huile d'olive vierge extra et proposer en accompagnement des muffins.

---

826 # Minimuffins au bleu et aux poires

6 cuil. à soupe d'huile de tournesol
  ou 85 g de beurre, fondu et
  refroidi, un peu plus pour graisser
400 g de poires en boîte au naturel,
  égouttées
280 g de farine
1 cuil. à soupe de levure chimique
1 pincée de sel
poivre noir du moulin
100 g de bleu, émietté
2 œufs
250 ml de lait
40 g de cerneaux de noix

Préchauffer le four à 200 °C (th. 6-7). Graisser deux moules à minimuffins à 24 alvéoles. Concasser les poires. Tamiser la farine, la levure, le sel et le poivre dans une jatte et ajouter le bleu et les poires.

Mettre les œufs dans une autre jatte et battre légèrement, puis ajouter le lait et l'huile. Creuser un puits au centre de la première jatte et y verser le contenu de la seconde jatte. Mélanger très légèrement le tout et répartir la préparation dans les alvéoles du moule. Parsemer les minimuffins de cerneaux de noix.

Cuire 15 minutes au four préchauffé, jusqu'à ce que les muffins aient bien levé et soient dorés. Laisser reposer 5 minutes dans le moule, puis servir chaud.

827 ### Minimuffins au bleu et aux oignons

Remplacer les poires par 3 oignons verts finement hachés.

Minimuffins aux crevettes et au persil

6 cuil. à soupe d'huile de tournesol
   ou 85 g de beurre, fondu et refroidi,
   un peu plus pour graisser
250 g de crevettes cuites décortiquées
280 g de farine
1 cuil. à soupe de levure chimique

1 pincée de sel
poivre noir du moulin
2 œufs
250 ml de babeurre
3 cuil. à soupe de persil frais haché

Préchauffer le four à 200 °C (th. 6-7). Graisser deux moules à minimuffins à 24 alvéoles. Détailler les crevettes en dés. Tamiser la farine, la levure, le sel et le poivre dans une jatte et ajouter les crevettes.

Mettre les œufs dans une autre jatte et battre légèrement, puis ajouter le babeurre, l'huile et le persil. Creuser un puits au centre de la première jatte et y verser le contenu de la seconde jatte. Mélanger très légèrement le tout et répartir la préparation dans les alvéoles du moule.

Cuire 15 minutes au four préchauffé, jusqu'à ce que les muffins aient levé et soient dorés et fermes au toucher. Laisser reposer 5 minutes dans le moule, puis servir chaud.

829 *Minimuffins aux crevettes et à l'aneth*

Incorporer 1 cuil. à café de crème de raifort au babeurre et remplacer le persil par 2 cuil. à soupe d'aneth finement haché.

830 *Muffins au parmesan et aux pignons*

280 g de farine
1 cuil. à soupe de levure chimique
1 pincée de sel
poivre noir du moulin
85 g de parmesan fraîchement râpé
60 g de pignons
2 œufs
250 ml de babeurre

6 cuil. à soupe d'huile de tournesol
   ou 85 g de beurre, fondu et refroidi

GARNITURE
2 cuil. à soupe de parmesan fraîchement
   râpé
35 g de pignons

Préchauffer le four à 200 °C (th. 6-7). Chemiser un moule à muffins à 12 alvéoles avec des caissettes en papier. Pour la garniture, mélanger le parmesan et les pignons, et réserver.

Pour les muffins, tamiser la farine, la levure, le sel et le poivre dans une jatte et ajouter le parmesan et les pignons.

Mettre les œufs dans une autre jatte et battre légèrement, puis ajouter le babeurre et l'huile. Creuser un puits au centre de la première jatte et y verser le contenu de la seconde jatte. Mélanger très légèrement le tout et répartir la préparation dans les caissettes. Parsemer les muffins avec la garniture.

Cuire 20 minutes au four préchauffé, jusqu'à ce que les muffins aient levé et soient dorés et fermes au toucher. Laisser reposer 5 minutes et servir.

Muffins au pepperoni et aux tomates séchées

POUR 12 MUFFINS

huile de tournesol, pour graisser
280 g de farine
1 cuil. à soupe de levure chimique
1 pincée de sel
poivre noir du moulin
1 cuil. à café d'origan séché
75 g de tomates séchées au soleil à l'huile, égouttées (huile réservée) et finement hachées
100 g de pepperoni, finement haché
2 œufs
250 ml de babeurre
1 gousse d'ail, pilée

Préchauffer le four à 200 °C (th. 6-7). Graisser un moule à muffins à 12 alvéoles. Tamiser la farine, la levure, le sel et le poivre dans une jatte et ajouter l'origan, les tomates séchées et le pepperoni.

Mettre les œufs dans une autre jatte et battre légèrement, puis ajouter le babeurre, 6 cuillerées à soupe de l'huile des tomates et l'ail. Creuser un puits au centre de la première jatte et y verser le contenu de la seconde jatte. Mélanger très légèrement le tout et répartir la préparation dans les alvéoles du moule.

Cuire 20 minutes au four préchauffé, jusqu'à ce que les muffins aient levé et soient dorés et fermes au toucher. Laisser reposer dans le moule 5 minutes, puis servir chaud.

832 Muffins aux câpres et aux anchois

Omettre le pepperoni et ajouter 3 anchois égouttés et hachés, et 2 cuil. à café de câpres hachées.

Muffins aux petits légumes

POUR 12 MUFFINS

6 cuil. à soupe d'huile de tournesol, un peu plus pour graisser
1 petite courgette
2 carottes
140 g de farine complète
125 g de farine blanche
1 cuil. à soupe de levure chimique
115 g de sucre
50 g de raisins secs
2 œufs
250 ml de babeurre

Préchauffer le four à 200 °C (th. 6-7). Graisser un moule à muffins à 12 alvéoles. Râper la courgette et exprimer l'excédent de jus, puis râper les carottes et les incorporer à la courgette.

Tamiser les farines et la levure dans une jatte en incorporant le son resté dans le tamis et ajouter le sucre et les raisins secs.

Mettre les œufs dans une autre jatte et battre légèrement, puis ajouter le babeurre et l'huile. Creuser un puits au centre de la première jatte, y verser le contenu de la seconde jatte et ajouter les légumes râpés. Mélanger très légèrement le tout et répartir la préparation dans les alvéoles du moule.

Cuire 20 minutes au four préchauffé, jusqu'à ce que les muffins aient levé et soient dorés et fermes au toucher. Laisser reposer 5 minutes dans le moule, puis servir chaud ou transférer sur une grille et laisser refroidir complètement.

834 Muffins aux légumes et au fromage

Omettre les raisins secs et le sucre, et ajouter 2 oignons verts finement hachés et 3 cuil. à soupe de parmesan râpé.

835 — Muffins au saumon fumé et à l'aneth

6 cuil. à soupe d'huile de tournesol
ou 85 g de beurre, fondu et refroidi,
un peu plus pour graisser
280 g de farine
1 cuil. à soupe de levure chimique
1 pincée de sel
poivre noir du moulin

2 œufs
250 ml de babeurre
150 g de saumon fumé, finement haché,
un peu plus pour la garniture
2 cuil. à soupe d'aneth frais haché,
plus quelques brins pour garnir

Préchauffer le four à 200 °C (th. 6-7). Graisser un moule à muffins à 12 alvéoles. Tamiser la farine, la levure, le sel et le poivre dans une jatte.

Mettre les œufs dans une autre jatte et battre légèrement, puis ajouter le babeurre et l'huile. Creuser un puits au centre de la première jatte, y verser le contenu de la seconde jatte et ajouter le saumon et l'aneth. Mélanger très légèrement le tout et répartir la préparation dans les alvéoles du moule.

Cuire 20 minutes au four préchauffé, jusqu'à ce que les muffins aient levé et soient dorés et fermes au toucher. Laisser reposer 5 minutes dans le moule, puis servir chaud. Servir garni de saumon fumé et de brins d'aneth.

836 — Avec une garniture au caviar

Garnir les muffins froids d'une cuillerée de crème aigre, une lanière de saumon fumé et ½ cuil. à café de caviar. Finir la garniture par un brin d'aneth.

837 — Muffins à l'ail et au fromage frais

6 cuil. à soupe d'huile de tournesol
ou 85 g de beurre, fondu et refroidi,
un peu plus pour graisser
280 g de farine
1 cuil. à soupe de levure chimique
½ cuil. à café de bicarbonate

1 pincée de sel
poivre noir du moulin
2 œufs
150 ml de yaourt nature
150 g de fromage frais à l'ail
et aux fines herbes

Préchauffer le four à 200 °C (th. 6-7). Graisser un moule à muffins à 12 alvéoles. Tamiser la farine, la levure, le bicarbonate, le sel et le poivre dans une jatte.

Mettre les œufs dans une autre jatte et battre légèrement, puis ajouter le yaourt, l'huile et le fromage frais. Creuser un puits au centre de la première jatte et y verser le contenu de la seconde jatte. Mélanger très légèrement le tout et répartir la préparation dans les alvéoles du moule.

Cuire 20 minutes au four préchauffé, jusqu'à ce que les muffins aient levé et soient dorés et fermes au toucher. Laisser reposer 5 minutes dans le moule, puis servir chaud.

838 — Muffins aux noix et au bleu

Remplacer le fromage frais par 150 g de bleu crémeux, du gorgonzola par exemple, et ajouter 2 cuil. à soupe de noix hachées.

Muffins épicés au chorizo

280 g de farine
1 cuil. à soupe de levure chimique
1 pincée de sel
1 cuil. à café de paprika en poudre,
    un peu plus pour saupoudrer
100 g de chorizo, sans la peau
    et finement haché

1 petit poivron rouge, évidé, épépiné
    et finement haché
2 œufs
250 ml de babeurre
6 cuil. à soupe d'huile de tournesol
    ou 85 g de beurre, fondu et refroidi
1 gousse d'ail, hachée

Préchauffer le four à 200 °C (th. 6-7). Chemiser un moule à muffins à 12 alvéoles avec des caissettes en papier. Tamiser la farine, la levure, le sel et le paprika dans une jatte et ajouter le chorizo et le poivron.

Mettre les œufs dans une autre jatte et battre légèrement, puis ajouter le babeurre, l'huile et l'ail. Creuser un puits au centre de la première jatte et y verser le contenu de la seconde jatte. Mélanger très légèrement le tout et répartir la préparation dans les caissettes.

Cuire 20 minutes au four préchauffé, jusqu'à ce que les muffins aient levé et soient dorés et fermes au toucher. Laisser reposer 5 minutes dans le moule, saupoudrer de paprika et servir chaud.

840 **Muffins au chorizo et aux olives vertes**

Omettre le poivron rouge et ajouter 15 olives dénoyautées et hachées à la préparation. Garnir chaque muffin d'une olive entière avant d'enfourner.

Muffins aux asperges et à la crème aigre

7 cuil. à soupe d'huile de tournesol,
    un peu plus pour graisser
225 g d'asperges fraîches
280 g de farine
1 cuil. à soupe de levure chimique
1 pincée de sel

poivre noir du moulin
2 œufs
250 ml de crème aigre
40 g de fromage râpé

Préchauffer le four à 200 °C (th. 6-7). Graisser un moule à muffins à 12 alvéoles. Mettre 1 cuillerée à soupe d'huile dans une cocotte, ajouter les asperges et remuer. Cuire 10 minutes au four préchauffé, jusqu'à ce que les asperges soient tendres. Laisser tiédir et concasser.

Tamiser la farine, la levure, le sel et le poivre dans une jatte et ajouter les asperges. Mettre les œufs dans une autre jatte et battre légèrement, puis incorporer la crème aigre et l'huile restante. Creuser un puits au centre de la première jatte et y verser le contenu de la seconde jatte. Mélanger très légèrement le tout et répartir la préparation dans les alvéoles du moule. Parsemer les muffins de fromage râpé.

Cuire 20 minutes au four préchauffé, jusqu'à ce que les muffins aient levé et soient fermes au toucher. Laisser reposer 5 minutes dans le moule et servir chaud.

842 **Avec une garniture aux asperges**

Enduire 12 pointes d'asperges dans de l'huile d'olive et les déposer au centre des muffins avant de les enfourner.

Muffins aux épinards et à la noix muscade

8 cuil. à soupe d'huile de tournesol,
un peu plus pour graisser
250 g d'épinards hachés surgelés,
décongelés
1 oignon, finement haché
1 gousse d'ail, finement hachée
280 g de farine
1 cuil. à soupe de levure chimique

½ cuil. à café de noix muscade
fraîchement râpé
1 pincée de sel
poivre noir du moulin
2 œufs
250 ml de babeurre
35 g de pignons

Préchauffer le four à 200 °C (th. 6-7). Graisser un moule à muffins à 12 alvéoles. Mettre les épinards dans une passoire et presser de façon à exprimer l'excédent d'eau.

Chauffer 2 cuillerées à soupe de l'huile dans une poêle, ajouter l'oignon et cuire 3 minutes, jusqu'à ce qu'il s'attendrisse. Ajouter l'ail et cuire 1 minute. Ajouter les épinards et cuire encore 2 minutes sans cesser de remuer. Retirer du feu et laisser refroidir.

Pendant ce temps, tamiser la farine, la levure, la noix muscade, le sel et le poivre dans une grande jatte.

Mettre les œufs dans une autre jatte et battre légèrement, puis ajouter le babeurre et l'huile restante. Creuser un puits au centre de la première jatte, y verser le contenu de la seconde jatte et ajouter la préparation à base d'épinards. Mélanger très légèrement le tout et répartir le tout dans les alvéoles du moule. Parsemer les muffins de pignons.

Cuire 20 minutes au four préchauffé, jusqu'à ce que les muffins aient levé et soient dorés et fermes au toucher. Laisser reposer 5 minutes dans le moule, puis servir chaud.

Muffins chèvre-oignon vert

6 cuil. à soupe d'huile de tournesol
ou 85 g de beurre, fondu et refroidi,
un peu plus pour graisser
280 g de farine
1 cuil. à soupe de levure chimique
1 pincée de sel

1 botte d'oignons verts, finement
émincés
150 g de fromage de chèvre, émietté
2 œufs
250 ml de babeurre
poivre noir du moulin

Préchauffer le four à 200 °C (th. 6-7). Graisser un moule à muffins à 12 alvéoles. Tamiser la farine, la levure, le sel et le poivre dans une jatte et ajouter les oignons verts et le fromage de chèvre.

Mettre les œufs dans une autre jatte et battre légèrement, puis ajouter le babeurre et l'huile. Creuser un puits au centre de la première jatte et y verser le contenu de la seconde jatte. Mélanger très légèrement le tout et répartir la préparation dans les alvéoles du moule.

Cuire 20 minutes au four préchauffé, jusqu'à ce que les muffins aient levé et soient dorés et fermes au toucher. Laisser reposer 5 minutes dans le moule, puis servir chaud.

845 *Muffins chèvre-poireau*

Omettre les oignons verts. Faire revenir 1 poireau haché dans 2 cuil. à soupe de beurre. Laisser refroidir et ajouter à la préparation avec ½ cuil. à café de poudre de moutarde et une pincée de piment de Cayenne.

huile de tournesol, pour graisser
280 g de farine
1 cuil. à soupe de levure chimique
1 pincée de sel
poivre noir du moulin
100 g de tomates séchées au soleil
    à l'huile, égouttées (huile réservée)
    et finement hachées

2 œufs
250 ml de babeurre
4 cuil. à soupe de feuilles de basilic
    fraîches
1 gousse d'ail, hachée
2 cuil. à soupe de parmesan
    fraîchement râpée

Préchauffer le four à 200 °C (th. 6-7). Graisser un moule à muffins à 12 alvéoles. Tamiser la farine, la levure, le sel et le poivre dans une jatte et ajouter les tomates séchées.

Mettre les œufs dans une autre jatte et battre légèrement, puis ajouter le babeurre, 6 cuillerées à soupe de l'huile des tomates, le basilic et l'ail. Creuser un puits au centre de la première jatte et y verser le contenu de la seconde jatte. Mélanger légèrement le tout et répartir la préparation dans les alvéoles du moule. Saupoudrer les muffins de parmesan.

Cuire 20 minutes au four préchauffé, jusqu'à ce que les muffins aient levé et soient dorés et fermes au toucher. Laisser reposer 5 minutes dans le moule puis servir chaud.

847 *Muffins aux tomates et aux olives*

Ajouter 1 cuil. à soupe de tapenade d'olive noire à la préparation.

6 cuil. à soupe d'huile de tournesol
    ou 85 g de beurre, fondu et refroidi,
    un peu plus pour graisser
90 g d'olives noires
280 g de farine
1 cuil. à soupe de levure chimique
1 pincée de sel

poivre noir du moulin
2 œufs
250 ml de babeurre
400 g de thon en boîte à l'huile d'olive,
    égoutté et émietté

Préchauffer le four à 200 °C (th. 6-7). Graisser un moule à muffins à 12 alvéoles. Réserver 12 olives entières pour la garniture et concasser les olives restantes.

Tamiser la farine, la levure, le sel et le poivre dans une jatte et ajouter les olives concassées. Mettre les œufs dans une autre jatte et battre légèrement, puis incorporer le babeurre et l'huile. Creuser un puits au centre de la première jatte, y verser le contenu de la seconde jatte et ajouter le thon. Mélanger légèrement le tout et répartir la préparation dans les alvéoles du moule. Garnir les muffins d'olives entières.

Cuire 20 minutes au four préchauffé, jusqu'à ce que les muffins aient levé et soient dorés et fermes au toucher. Laisser for 5 minutes, puis servir chaud.

849 *Muffins aux olives et aux câpres*

Ajouter 2 cuil. à café de câpres égouttées et hachées à la préparation.

Gourmandises

Préchauffer le four à 200 °C (th. 6-7) et graisser une plaque de four. Tamiser la farine. Mettre le beurre et l'eau dans une casserole et chauffer à feu doux jusqu'à ce que le beurre ait fondu. Porter à ébullition, puis retirer du feu et ajouter toute la farine en une seule fois. Battre vigoureusement jusqu'à obtention d'une pâte qui se détache des parois de la casserole et qui forme une boule. Laisser refroidir légèrement. Incorporer assez d'œuf pour obtenir une consistance brillante qui nappe la cuillère. Transférer la préparation dans une poche à douille munie d'un embout de 1 cm de diamètre et former des billes de pâte sur la plaque de four.

Cuire 25 minutes au four préchauffé. Retirer les choux du four et les percer à l'aide d'une brochette de sorte que la vapeur puisse s'échapper.

Pour la garniture, fouetter la crème fraîche, le sucre et l'extrait de vanille. Inciser les choux et les farcir de crème fouettée.

Pour la sauce, mettre le chocolat, le beurre et l'eau dans une jatte résistant à la chaleur et faire fondre le tout au-dessus d'une casserole d'eau frémissante. Incorporer le cognac. Empiler les choux dans des assiettes à dessert ou former une grande pyramide sur un plat de service, puis arroser de sauce et servir.

851 *Profiteroles chocolat-banane*

Écraser 1 grosse banane mûre à l'aide d'une fourchette et l'incorporer à la garniture. Farcir les choux et servir immédiatement.

852 *Profiteroles au coulis de fraise*

Mixer 250 g de fraises dans un robot de cuisine, puis les passer au travers d'un chinois de façon à ôter les grains. Incorporer 25 g de sucre glace et 2 cuil. à soupe d'eau-de-vie de framboise ou de fraise. Servir en accompagnement des profiteroles.

853 Feuilletés fourrés à la crème

450 g de pâte feuilletée
farine, pour saupoudrer
1 œuf
1 cuil. à soupe d'eau
4 cuil. à soupe de sucre

250 g de crème fraîche épaisse
ou de crème fouettée
1 cuil. à café d'extrait de vanille
85 g de confiture de fraises
ou de framboises

Préchauffer le four à 220 °C (th. 7-8). Chemiser une plaque de four
de papier sulfurisé. Abaisser la pâte sur un plan de travail fariné
de façon à obtenir un carré de 26 cm de côté. À l'aide d'un couteau
tranchant, égaliser les bords et découper la pâte en 4 carrés de 13 cm
de côté. Couper chaque carré en deux dans la diagonale de façon
à obtenir en 8 triangles et les déposer sur la plaque.

Battre l'œuf avec l'eau et en enduire les triangles en évitant
les bords, puis saupoudrer de la moitié du sucre.

Cuire 15 minutes au four préchauffé, jusqu'à ce que les feuilletés
aient levé et soient croustillants et dorés. Transférer sur une grille
et laisser refroidir complètement.

Fouetter la crème fraîche, le sucre restant et l'extrait de vanille.
Transférer dans une poche à douille munie d'un embout en forme
d'étoile. Couper les triangles en deux dans l'épaisseur et garnir les
parties inférieures de confiture. Ajouter la crème fouettée et remettre
les parties supérieures. Réserver au réfrigérateur avant de servir.

854 Feuilletés à la pomme

*Pendant que les feuilletés cuisent, peler, évider et émincer 4 pommes.
Les mettre dans une casserole avec 2 cuil. à soupe de beurre, 2 cuil. à soupe
de sucre blond et ½ cuil. à café de quatre-épices, et cuire 2 à 3 minutes à feu
doux, jusqu'à ce que les pommes soient tendres. Laisser refroidir. Fouetter la
crème en omettant le sucre et la vanille. Garnir les feuilletés de compote
et couvrir avec la crème fouettée.*

855 Rubans à la cannelle

50 g de beurre, un peu plus pour graisser
½ cuil. à café de cannelle en poudre
1 cuil. à café de sucre
2 cuil. à soupe de sucre glace

6 feuilles de pâte filo (poids total
d'environ 90 g)

Préchauffer le four à 180 °C (th. 6). Graisser une plaque de four.
Mettre le beurre dans une casserole et chauffer à feu doux jusqu'à
ce qu'il ait fondu, puis laisser refroidir.

Mettre la cannelle et les sucres dans une jatte et mélanger. Enduire
une feuille de pâte filo avec du beurre fondu. Couvrir les feuilles
restantes d'un torchon humide. Saupoudrer la feuille d'un peu de sucre
à la cannelle. Couvrir avec une autre feuille de pâte filo et répéter
l'opération avec le beurre fondu, le sucre à la cannelle et les feuilles
restantes – réserver un peu de sucre à la cannelle pour décorer. Couper
l'empilage des feuilles en rubans de 2 cm de largeur, puis nouer chaque
ruban en son centre. Déposer sur la plaque. Cuire 15 à 20 minutes au
four préchauffé, jusqu'à ce que les rubans soient dorés. Laisser refroidir
et saupoudrer avec le sucre à la cannelle réservé.

PÂTE À CHOUX
70 g de beurre, coupé en dés, un peu plus
*   pour graisser*
100 g de farine
150 ml d'eau
2 œufs

CRÈME PÂTISSIÈRE
2 œufs, légèrement battus
4 cuil. à soupe de sucre
2 cuil. à soupe de Maïzena

300 ml de lait
¼ de cuil. à café d'extrait de vanille

NAPPAGE
2 cuil. à soupe de beurre
1 cuil. à soupe de lait
1 cuil. à soupe de cacao en poudre amer
55 g de sucre glace
50 g de chocolat blanc,
*   brisé en morceaux*

Préchauffer le four à 200 °C (th. 6-7). Graisser une plaque de four. Tamiser la farine. Mettre le beurre et l'eau dans une casserole et chauffer à feu doux jusqu'à ce que le beurre ait fondu. Porter à ébullition, puis retirer du feu et ajouter la farine en une seule fois. Battre jusqu'à obtention d'une pâte qui se détache des parois de la casserole et qui forme une boule.

Laisser tiédir, puis incorporer progressivement les œufs de façon à obtenir une consistance homogène et brillante. Transférer dans une poche à douille munie d'un embout de 1 cm de diamètre. Arroser la plaque d'un peu d'eau et y former des éclairs de 7,5 cm de longueur en les espaçant bien.

Cuire 30 à 35 minutes au four préchauffé, jusqu'à ce que les éclairs soient croustillants et dorés. Percer un trou sur le flanc de chaque éclair, puis transférer sur une grille et laisser refroidir. Pendant ce temps, pour préparer la crème pâtissière, mettre les œufs et le sucre dans une jatte et fouetter jusqu'à ce que le mélange blanchisse. Incorporer la Maïzena. Porter le lait au point de frémissement dans une casserole à feu doux, puis l'ajouter à la préparation sans cesser de fouetter. Reverser le tout dans la casserole et cuire à feu doux sans cesser de remuer jusqu'à épaississement. Retirer du feu et ajouter l'extrait de vanille. Couvrir et laisser refroidir.

Pour le nappage, faire fondre le beurre et le lait dans une casserole. Retirer du feu et incorporer le cacao et le sucre glace. Fourrer les éclairs de crème pâtissière et les couvrir de nappage. Faire fondre le chocolat blanc au bain-marie, puis en arroser le nappage et laisser prendre.

857 *Éclairs aux deux chocolats*

Pour préparer une crème pâtissière au chocolat, ajouter 85 g de chocolat noir ou au lait finement haché au lait chaud et mélanger jusqu'à ce que le chocolat ait fondu.

858 *Éclairs au café*

Pour préparer une crème pâtissière au café, incorporer 2 cuil. à soupe de café soluble au lait chaud. Pour préparer un nappage au café, faire fondre le beurre avec le lait et 1 cuil. à soupe de café soluble.

859 Tartelettes chocolat-toffee

375 g d'abaisse de pâte feuilletée
140 g de chocolat noir,
brisé en morceaux
300 ml de crème fraîche épaisse
50 g de sucre
4 jaunes d'œufs
4 cuil. à soupe de sauce
au caramel
crème fouettée, pour servir
cacao en poudre amer,
pour saupoudrer

Chemiser le fond de 12 moules à muffins de ronds de papier sulfurisé. Découper 12 ronds de 5 cm de diamètre dans la pâte feuilletée et détailler la pâte restante en 12 lanières. Abaisser les lanières de sorte qu'elles soient deux fois plus fines et en couvrir les parois des moules. Déposer les ronds au fond des moules et presser pour souder les fonds et les lanières. Piquer les fonds et mettre au réfrigérateur 30 minutes.

Préchauffer le four à 200 °C (th. 6-7). Mettre le chocolat dans une jatte résistant à la chaleur et le faire fondre au-dessus d'une casserole d'eau frémissante. Laisser tiédir, puis incorporer la crème.

Mettre le sucre et les jaunes d'œufs dans une jatte et mélanger, puis incorporer le chocolat fondu. Déposer une cuillerée à café de sauce au caramel dans chaque fond de tartelette, puis ajouter la préparation à base de chocolat.

Cuire 20 à 25 minutes au four préchauffé, jusqu'à ce que les tartelettes aient pris. Laisser refroidir dans les moules, puis démouler délicatement et servir saupoudré de cacao et accompagné de crème fouettée.

860 Tartelettes chocolat-cerise

Remplacer la sauce au caramel par de la confiture de cerises noires.

861 Tartelettes toffee-noix

Incorporer 55 g de noisettes ou de noix de pécan au chocolat fondu avant d'incorporer la crème.

862 Couronne de petits pains

25 g de beurre, coupé en dés,
un peu plus pour graisser
225 g de farine, un peu plus
pour saupoudrer
½ cuil. à café de sel
1 cuil. à soupe de levure
de boulanger déshydratée
125 ml de lait tiède
1 œuf, légèrement battu

GARNITURE
55 g de beurre, ramolli
50 g de sucre blond
2 cuil. à soupe de noisettes hachées
1 cuil. à soupe de gingembre
confit haché
50 g de zestes d'agrumes confits
1 cuil. à soupe de rhum ambré
ou de cognac

GLAÇAGE
200 g de sucre glace
1 à 2 cuil. à soupe de jus de citron

Graisser une plaque de four. Tamiser la farine et le sel dans une jatte, puis ajouter la levure. Incorporer le beurre avec les doigts et ajouter le lait et l'œuf, puis mélanger jusqu'à obtention d'une pâte. Mettre la pâte dans une jatte graissée, couvrir et laisser lever 40 minutes près d'une source de chaleur, jusqu'à ce qu'elle ait doublé de volume. Pétrir la pâte 1 minute, puis l'abaisser sur un plan de travail fariné en un rectangle de 30 x 23 cm.

Pour la garniture, mettre le beurre et le sucre dans une jatte et battre jusqu'à ce que le mélange blanchisse. Incorporer les noisettes, les zestes confits, le gingembre et le rhum, puis étaler le mélange sur le rectangle en laissant 2,5 cm de marge. Enrouler la pâte en partant d'une des longueurs. Couper le rouleau obtenu en tranches de 5 cm d'épaisseur et les déposer à plat sur la plaque en formant un cercle de sorte que les tranches se touchent à peine. Couvrir et laisser reposer 30 minutes près d'une source de chaleur.

Préchauffer le four à 190 °C (th. 6-7). Cuire 20 à 30 minutes au four préchauffé, jusqu'à ce que la couronne soit dorée. Pendant ce temps, délayer le sucre glace dans assez de jus de citron pour obtenir un glaçage fluide.

Laisser la couronne tiédir, puis l'arroser de nappage et laisser prendre avant de servir.

863 Petits pains cerise-amande

Remplacer les noisettes par des amandes hachées et le gingembre et les zestes confits par 55 g de cerises confites hachées.

175 g de beurre, ramolli, un peu plus
    pour graisser
500 g de farine, un peu plus pour
    saupoudrer
½ cuil. à café de sel
1 cuil. à soupe de levure de boulanger
    déshydratée

2 cuil. à soupe de saindoux
1 œuf, légèrement battu
250 ml d'eau tiède
100 g de chocolat noir,
    brisé en 12 carrés
œuf battu, pour dorer

Graisser une plaque de four. Tamiser la farine et le sel dans une jatte et ajouter la levure. Incorporer le saindoux avec les doigts pour obtenir une consistance de chapelure, puis ajouter l'œuf et assez d'eau pour obtenir une pâte souple. Pétrir 10 minutes, jusqu'à ce que la pâte soit élastique.

Sur un plan de travail fariné, abaisser la pâte en un rectangle de 38 x 20 cm et placer un des petits côtés face à soi. Diviser le beurre en 3 portions et répartir une portion sur le tiers gauche du rectangle en laissant une marge. Plier le rectangle en trois en rabattant d'abord le tiers de droite, puis le tiers de gauche. Souder les bords à l'aide d'un rouleau à pâtisserie. Pivoter la pâte d'un quart de tour, et l'abaisser de nouveau de sorte qu'elle retrouve la taille du rectangle initial. Plier en trois comme précédemment (sans ajouter de beurre), puis envelopper de film alimentaire et mettre au réfrigérateur 30 minutes. Répéter toute l'opération deux fois en utilisant le beurre restant, puis encore deux fois sans ajouter de beurre. Mettre au réfrigérateur encore 30 minutes.

Abaisser la pâte en un rectangle de 45 x 30 cm et le couper en deux dans le sens de la longueur. Couper chaque demi-rectangle en 6 autres rectangles et les enduire d'œuf battu. Placer un carré de chocolat à l'extrémité de chaque rectangle et enrouler la pâte autour. Presser les extrémités et déposer les rouleaux sur la plaque, soudure vers le bas. Couvrir et laisser lever 40 minutes près d'une source de chaleur.

Préchauffer le four à 220 °C (th. 7-8). Enduire les petits pains d'œuf battu et les Cuire 20 à 25 minutes au four préchauffé, jusqu'à ce qu'ils soient dorés. Laisser refroidir sur une grille et servir tiède ou froid.

865 *Pains au chocolat et à la noisette*

Déposer 1 cuil. à café de pâte à tartiner au chocolat et à la noisette à la place des carrés de chocolat.

866 *Pains à l'abricot*

Mélanger 85 g d'abricots secs moelleux hachés, 3 cuil. à soupe de poudre d'amandes et 1 cuil. à soupe de sucre, et farcir les petits pains de ce mélange.

500 g de farine, un peu plus
pour saupoudrer
3 cuil. à soupe de sucre
1 cuil. à café de sel
2 cuil. à café de levure
de boulanger déshydraté
300 ml de lait tiède
300 g de beurre, ramolli,
un peu plus pour graisser
1 œuf, légèrement battu avec
1 cuil. à soupe de lait,
pour dorer

Tamiser les ingrédients secs dans une jatte, creuser un puits au centre et y verser le lait. Mélanger jusqu'à obtention d'une pâte souple en ajoutant du lait si elle est trop sèche, puis la pétrir 5 à 10 minutes sur un plan fariné, jusqu'à ce qu'elle soit élastique. La mettre dans une grande jatte beurrée, couvrir et la laisser lever près d'une source de chaleur jusqu'à ce qu'elle ait doublé de volume.

Pendant ce temps, mettre le beurre entre 2 feuilles de papier sulfurisé et l'étaler en un rectangle de 5 mm d'épaisseur. Mettre au réfrigérateur.

Pétrir la pâte 1 minute. Sortir le beurre du réfrigérateur et le laisser se ramollir légèrement. Abaisser la pâte sur un plan fariné en un rectangle de 46 x 15 cm et placer un des petits côtés face à soi.

Mettre le beurre au centre du rectangle de pâte, et rabattre les côtés gauche et droit sur le beurre. Rabattre le tiers supérieur, puis inférieur, vers le centre. Pivoter la pâte d'un quart de tour, et l'abaisser de nouveau de sorte qu'elle retrouve la taille du rectangle initial. Si le beurre se ramollit trop, envelopper la pâte de film alimentaire et la mettre au réfrigérateur. Répéter toute l'opération deux fois.

Couper la pâte en deux et abaisser chaque moitié en un rectangle de 5 mm d'épaisseur.

Pour découper les croissants, utiliser un guide triangulaire en plastique ayant une base de 18 cm et des côtés de 20 cm.

Enduire légèrement les triangles avec le beurre mélangé à l'eau. Enrouler les triangles en partant de la base et les déposer sur la plaque, la pointe vers le dessous de sorte que les croissants ne se déroulent pas à la cuisson. Enduire de nouveau d'œuf battu. Laisser reposer jusqu'à ce que les croissants aient doublé de volume.

Préchauffer le four à 200 °C (th. 6-7) et cuire les croissants 15 à 20 minutes, jusqu'à ce qu'ils soient dorés. Transférer sur une grille, laisser tiédir et servir sans attendre.

868 *Croissants jambon-fromage*

Parsemer les triangles de pâte de fromage râpé et de jambon haché avant de les enrouler.

869 *Croissants aux tomates séchées*

Parsemer les triangles de coulis de tomates séchées avant de les enrouler et de les déposer sur la plaque.

870 *Croissants aux amandes*

Façonner un fin boudin de massepain d'une quinzaine de centimètres, le placer sur la base d'un triangle et rouler le triangle autour du massepain. Répéter l'opération avec les triangles restants et servir saupoudré de sucre glace

PÂTE
280 g de farine, un peu plus
pour saupoudrer
175 g de beurre, bien froid,
un peu plus pour graisser
¼ de cuil. à café de sel
1 cuil. à soupe de levure
de boulanger déshydratée
2 cuil. à soupe de sucre
1 œuf
1 cuil. à café d'extrait de vanille
6 cuil. à soupe d'eau tiède
lait, pour glacer

GARNITURE
2 pommes à cuire, pelées,
évidées et hachées
zeste râpé d'un citron
4 cuil. à soupe de sucre

Mettre la farine dans une jatte, ajouter 25 g de beurre et incorporer avec les doigts. Ajouter le sel, la levure et le sucre. Mettre le beurre restant au congélateur jusqu'à ce qu'il soit bien dur mais pas congelé, puis le saupoudrer de farine, le râper grossièrement et le mettre au réfrigérateur.

Battre l'œuf avec la vanille et l'eau, verser le tout dans la jatte et mélanger jusqu'à obtention d'une pâte. Pétrir 10 minutes sur un plan de travail fariné, puis mettre au réfrigérateur 10 minutes. Abaisser la pâte sur un plan de travail fariné

en un rectangle de 30 x 20 cm et placer un des petits côtés face à soi. Parsemer les deux tiers supérieurs du rectangle avec le beurre râpé en laissant 1 à 2 cm de marge. Rabattre le tiers inférieur vers le centre, puis rabattre le tiers supérieur. Pivoter la pâte d'un quart de tour et l'abaisser de nouveau de sorte qu'elle retrouve les dimensions du rectangle initial. Rabattre le tiers inférieur, puis supérieur, comme précédemment, puis envelopper de film alimentaire et mettre au réfrigérateur 30 minutes. Abaisser, rabattre et pivoter encore la pâte 4 fois en la réfrigérant chaque fois. Laisser une nuit au réfrigérateur.

Préchauffer le four à 200 °C (th. 6-7). Graisser de plaques de four. Mélanger les pommes, le zeste de citron et 3 cuillerées à soupe de sucre. Abaisser la pâte en un carré de 40 cm de côté et le diviser en 16 carrés. Déposer un peu de farce au centre des carrés, enduire les bords de lait et rassembler les coins vers le centre. Déposer les carrés sur les plaques et les réfrigérer 15 minutes.

Enduire les viennoiseries de lait et les saupoudrer de sucre. Cuire 10 minutes au four préchauffé. Réduire la température du four à 180 °C (th. 6) et cuire encore 10 à 15 minutes.

---

872 *Viennoiseries pomme-raisin*

Ajouter 85 g de raisins secs à la garniture à base de pommes.

873 *Viennoiseries danoises à l'abricot*

Remplacer les pommes par 400 g d'abricots en boîte au naturel égouttés et hachés. Ajouter ½ cuil. à café de noix muscade râpée.

874 *Viennoiseries amande-cerise*

Remplacer les pommes par 400 g de cerises en boîte au naturel égouttées et hachées. Ajouter 55 g de poudre d'amandes et 2 cuil. à soupe de jus des cerises en boîte.

875 *Viennoiseries poire-raisin*

Remplacer les pommes par 2 poires et ajouter 85 g de raisins secs.

876 Petits choux aux fraises

Verser l'eau dans une jatte résistant à la chaleur, saupoudrer de gélatine et laisser prendre 2 minutes. Placer la jatte au-dessus d'une casserole d'eau frémissante et remuer jusqu'à ce que la gélatine soit dissoute. Retirer du feu.

Mettre 225 g de fraises dans un robot de cuisine, ajouter la ricotta, le sucre et la liqueur, et mixer le tout. Ajouter la gélatine et mixer de nouveau brièvement. Verser la mousse dans une jatte, couvrir de film alimentaire et mettre au réfrigérateur 1 heure à 1 h 30, jusqu'à ce que la mousse ait pris.

Préchauffer le four à 220 °C (th. 6-7). Chemiser une plaque de four de papier sulfurisé.

Pour les choux, tamiser la farine, le cacao et le sel ensemble. Mettre le beurre et l'eau dans une casserole et chauffer à feu doux jusqu'à ce que le beurre ait fondu. Porter à ébullition et retirer du feu. Ajouter le mélange à base de farine en une seule fois et battre jusqu'à obtention d'une pâte qui se détache des parois de la casserole et forme une boule. Laisser tiédir.

Incorporer progressivement les œufs et le blanc d'œuf, et battre jusqu'à ce que la pâte soit brillante. Déposer 12 cuillerées à soupe de pâte sur la plaque et cuire 20 à 25 minutes au four préchauffé, jusqu'à ce que les choux aient levé et soient dorés.

Percer les choux à l'aide d'un couteau pointu, puis cuire encore 5 minutes. Transférer the petits choux sur une grille et les laisser refroidir complètement.

Émincer les fraises restantes. Couper les choux en deux et les fourrer de mousse à la fraise et de fraises émincées. Saupoudrer de sucre glace et réserver au réfrigérateur. Ne pas servir plus de 1 h 30 après la cuisson.

877 Petits choux aux framboises

Remplacer les fraises par les framboises et garnir les choux de framboises entières, sans les émincer.

878 Petits choux aux abricots

Remplacer les fraises par 400 g d'abricots en boîte au naturel égouttées et hachées.

MOUSSE AU MOKA
*200 g de chocolat noir,
brisé en morceaux
1½ cuil. à café de café serré refroidi
1 jaune d'œuf
1½ cuil. à café de liqueur de café
2 blancs d'œufs
200 g de framboises*

GÉNOISE
*2 cuil. à soupe de beurre,
pour graisser
1 œuf, plus 1 blanc d'œuf
4 cuil. à soupe de sucre
5 cuil. à soupe de farine*

Pour la mousse au moka, mettre 55 g de chocolat dans une jatte résistant à la chaleur et le faire fondre au-dessus d'une casserole d'eau frémissante. Ajouter le café et remuer jusqu'à obtention d'une consistance homogène, puis laisser tiédir. Incorporer le jaune d'œuf et la liqueur. Monter les blancs d'œufs en neige et les incorporer dans la jatte. Couvrir de film alimentaire et mettre 2 heures au réfrigérateur, jusqu'à ce que la mousse ait pris.

Pour la génoise, graisser un moule carré de 20 cm de côté et chemiser le fond de papier sulfurisé. Mettre l'œuf, le blanc d'œuf et le sucre dans une jatte résistant à la chaleur et fouetter 5 à 10 minutes au-dessus d'une casserole d'eau frémissante, jusqu'à ce que le mélange blanchisse et épaississe.

Retirer du feu et fouetter encore 10 minutes, jusqu'à ce que la préparation soit froide et fasse un ruban.

Préchauffer le four à 180 °C (th. 6). Tamiser la farine dans la jatte et mélanger. Répartir la préparation dans le moule et lisser la surface. Cuire 20 à 25 minutes au four préchauffé, jusqu'à ce que la génoise soit ferme au toucher. Laisser refroidir sur une grille, puis démouler sans ôter le papier sulfurisé.

Pour les barquettes, graisser un moule à roulé de 30 x 23 cm et le chemiser de papier sulfurisé. Mettre le chocolat restant dans une jatte résistant à la chaleur et le faire fondre au-dessus d'une casserole d'eau frémissante en veillant à ce qu'il ne soit pas trop liquide. Verser le chocolat dans le moule, lisser à l'aide d'une spatule et laisser prendre 30 minutes à l'abri de la chaleur.

Démouler le chocolat pris sur du papier sulfurisé et le découper en 36 rectangles de 8 x 2,5 cm, puis couper 12 de ces rectangles en deux pour obtenir 24 rectangles de 4 x 2,5 cm.

Égaliser les bords de la génoise puis le couper en 12 tranches de 8 x 3 cm. Garnir les côtés des tranches de génoise avec un peu de mousse au moka et y presser 4 rectangles de chocolat (deux longs et deux courts). Répartir la mousse restante dans les barquettes et garnir de framboises. Mettre au réfrigérateur avant de servir.

880 Barquettes de fraises au chocolat

Dans la mousse, omettre le café et remplacer la liqueur de café par de la crème de cassis. Remplacer les framboises et les fraises.

881 Barquettes framboise-chocolat blanc

Pour la mousse, faire fondre 85 g de chocolat blanc, puis y incorporer 2 jaunes d'œufs et 2 cuil. à soupe de crème fraîche épaisse. Monter 2 blancs d'œufs en ferme et les incorporer à la préparation précédente. Couvrir et laisser prendre. Poursuivre comme indiqué ci-dessus avec 150 g de chocolat noir.

PÂTE
125 g de farine
2 cuil. à soupe de sucre glace
70 g de beurre, à température
ambiante, coupé en dés
1 jaune d'œuf
1 à 2 cuil. à soupe d'eau

GARNITURE
1 gousse de vanille, coupée en deux
200 ml de lait
2 jaunes d'œufs
3 cuil. à soupe de sucre
1 cuil. à soupe de farine
1 cuil. à soupe de Maïzena
125 ml de crème fraîche épaisse,
légèrement fouettée
350 g de fraises, équeutée
4 cuil. à soupe de confiture
de groseilles, fondue

Pour la pâte, tamiser la farine et le sucre glace dans une jatte. Ajouter le beurre et le jaune d'œuf, et mélanger avec les doigts jusqu'à obtention d'une pâte souple, en ajoutant un peu d'eau si nécessaire. Couvrir de film alimentaire et réfrigérer 15 minutes.

Préchauffer le four 200 °C (th. 6-7). Abaisser la pâte sur un plan de travail fariné et foncer des moules à tartelettes de 9 cm de diamètre. Piquer la pâte à l'aide d'une fourchette, couvrir de papier sulfurisé et garnir de billes de cuisson. Cuire à blanc 10 minutes au four préchauffé. Retirer les billes de cuisson et le papier sulfurisé, et cuire encore 5 minutes, jusqu'à ce que les fonds de tartelettes soient dorés. Laisser refroidir.

Pour la garniture, mettre la gousse de vanille et le lait dans une casserole et chauffer 10 minutes à feu doux sans laisser bouillir. Mettre les jaunes d'œufs, le sucre, la farine et la Maïzena dans une jatte et fouetter jusqu'à obtention d'une consistance homogène. Filtrer le lait, le verser dans la jatte et fouetter vigoureusement.

Verser le contenu de la jatte dans la casserole et porter à frémissement à feu moyen, puis cuire 2 minutes sans cesser de remuer, jusqu'à épaississement. Retirer du feu et incorporer la crème fouettée. Répartir la préparation obtenue dans les fonds de tartelettes et laisser prendre.

Garnir de fraises, émincées si elles sont trop grosses, puis de confiture de fraises.

883 *Tartelettes aux kiwis*

Remplacer les fraises par des kiwis émincés et enduire de confiture d'abricots.

884 *Tartelettes aux raisins*

Remplacer les fraises par des raisins noirs et blancs et les répartir en cercles dans les fonds de tartelettes, puis enduire de confiture d'abricots chaude.

885 *Tartelettes aux baies*

Remplacer les fraises par des myrtilles ou des groseilles.

886 *Strudel aux pommes et sa sauce au cidre*

---

8 pommes
1 cuil. à soupe de jus de citron
115 g de raisins secs
1 cuil. à café de cannelle en poudre
½ cuil. à café de noix muscade râpée
1 cuil. à soupe de sucre blond
6 feuilles de pâte filo

huile végétale en spray
sucre glace, pour décorer

SAUCE
1 cuil. à soupe de Maïzena
450 ml de cidre brut

Préchauffer le four à 190 °C (th. 6-7). Chemiser une plaque de four de papier sulfurisé. Peler et évider les pommes, puis les couper en dés de 1 cm. Enduire les pommes de jus de citron, ajouter les raisins secs, la cannelle, la noix muscade et le sucre.

Étaler une feuille de pâte filo sur un plan de travail et l'asperger d'huile. Couvrir avec une autre feuille, puis répéter l'opération avec une troisième feuille. Couvrir la pile de feuilles avec la préparation à base de pommes, l'enrouler en partant d'un des petits côtés de la pile et coincer l'extrémité sous le rouleau. Faire glisser le strudel sur la plaque et asperger d'huile. Cuire 15 à 20 minutes au four préchauffé.

Pour la sauce, délayer la Maïzena dans une casserole avec un peu de cidre. Ajouter le cidre restant et porter à ébullition à feu doux sans cesser de remuer de sorte que la sauce épaississe. Couper le strudel en quatre et le servir chaud ou froid, saupoudré de sucre glace et nappé de sauce.

887 *Avec une sauce au toffee*

Mettre 100 ml de crème fraîche épaisse, 40 g de beurre, 55 g de sucre roux et 1 cuil. à soupe de golden syrup dans une casserole et porter à ébullition sans cesser de remuer. Laisser tiédir avant de servir.

888 *Avec un sabayon*

Dans une jatte résistant à la chaleur, fouetter 3 jaunes d'œufs avec 2 cuil. à soupe de sucre jusqu'à ce que le mélange blanchisse. Ajouter 50 ml de vin blanc doux et fouetter jusqu'à épaississement. Servir chaud avec le strudel.

889 *Strudel aux poires*

Remplacer les pommes par des poires.

175 g de farine, un peu plus
pour saupoudrer
40 g de cacao en poudre amer
55 g de sucre
1 pincée de sel
125 g de beurre
1 gros jaune d'œuf
200 g de myrtilles
2 cuil. à soupe de crème
de cassis
3 cuil. à café de sucre glace,
un peu plus pour saupoudrer

GARNITURE
140 g de chocolat noir,
brisé en morceaux
225 ml de crème fraîche épaisse
150 ml de crème aigre

Pour la pâte, mettre la farine, le cacao, le sucre et le sel dans un robot de cuisine et mixer par intermittence. Ajouter le beurre, mixer de nouveau, puis ajouter le jaune d'œuf et un peu d'eau, et mixer de façon à obtenir une pâte homogène. Au défaut de robot, mettre la farine, le cacao, le sucre et le sel dans une jatte, ajouter le beurre et l'incorporer avec les doigts de façon à obtenir une consistance de chapelure. Ajouter le jaune d'œuf et un peu d'eau de façon à obtenir une pâte homogène. Couvrir la pâte de film alimentaire et mettre au réfrigérateur 30 minutes.

Préchauffer le four à 180 °C (th. 6). Abaisser la pâte sur un plan de travail fariné et foncer des moules à tartelettes de 10 cm de diamètre. Mettre au congélateur 30 minutes. Cuire 15 à 20 minutes au four préchauffé et laisser refroidir.

Mettre les myrtilles, la crème de cassis et le sucre glace tamisé dans une casserole et chauffer jusqu'à ce que les myrtilles soient brillantes mais n'éclatent pas. Retirer du feu et laisser refroidir.

Pour la garniture, mettre le chocolat dans une jatte résistant à la chaleur et faire fondre au-dessus d'une casserole d'eau frémissante, puis laisser tiédir. Fouetter la crème fraîche, puis incorporer la crème aigre et le chocolat.

Répartir la garniture dans les fonds de tartelettes, lisser la surface et garnir de myrtilles. Saupoudrer de sucre glace et servir.

891 *Tartelettes chocolat-orange*

Préparer les fonds de tartelettes et les cuire à blanc. Remplacer la crème aigre par de la crème fraîche épaisse et incorporer le zeste râpé d'une orange, puis ajouter 2 cuil. à soupe de liqueur d'orange avec le chocolat. Verser la garniture dans les fonds de tartelettes et garnir de quartiers d'orange.

892 *Tartelettes chocolat-framboise*

Préparer les fonds de tartelettes et les cuire à blanc. Remplacer les myrtilles par des framboises, et la crème de cassis par de la crème de framboise.

225 g de farine, un peu plus
pour saupoudrer
115 g de beurre, coupé en dés
2 cuil. à soupe de sucre glace
1 cuil. à café d'extrait de vanille
1 jaune d'œuf
2 à 3 cuil. à soupe d'eau froide

GARNITURE
250 g de mascarpone
55 g de sucre glace
2 œufs
150 ml de crème fraîche épaisse
250 g de cerises noires
3 cuil. à soupe de confiture de cerises
1 cuil. à soupe d'eau

Mettre la farine dans une jatte et incorporer le beurre avec les doigts de façon à obtenir une consistance de fine chapelure. Ajouter le sucre glace, l'extrait de vanille, le jaune d'œuf et assez d'eau pour obtenir une pâte souple. Couvrir de film alimentaire et mettre au réfrigérateur 15 minutes.

Abaisser la pâte sur un plan de travail fariné et foncer 8 moules à tartelettes de 10 cm de diamètre. Mettre au réfrigérateur 30 minutes.

Préchauffer le four à 200 °C (th. 6-7). Piquer les fonds de tartelettes, puis les couvrir de papier sulfurisé et les garnir de billes de cuisson. Cuire 10 minutes au four préchauffé, retirer le papier sulfurisé et les billes de cuisson, et cuire encore 5 à 10 minutes, jusqu'à ce que les fonds de tartelettes soient croustillants et dorés.

Transférer les moules sur une grille et laisser refroidir. Réduire la température du four à 180 °C (th. 6).

Pour la garniture, mettre le mascarpone, le sucre glace et les œufs dans une jatte et fouetter le tout, puis incorporer la crème fraîche épaisse. Démouler les fonds de tartelettes et les mettre sur une plaque de four.

Garnir les fonds de tartelettes de préparation à base de mascarpone et cuire 10 minutes au four préchauffé, jusqu'à ce que la garniture commence à prendre. Laisser refroidir, puis mettre au réfrigérateur 2 heures.

Dénoyauter les cerises et les couper en deux, puis les disposer sur la garniture. Faire fondre la confiture avec l'eau dans une petite casserole, puis en arroser les cerises. Réserver au réfrigérateur avant de servir.

894 *Tartelettes aux baies fraîches*

Incorporer 2 cuil. à soupe de framboise à la garniture avant de remplir les fonds de tartelettes. Remplacer les raisins par 250 g de framboises fraîches et les couvrir de confiture d'abricots ou de raisins.

895 *Zestes d'oranges confits au chocolat*

POUR 48 ZESTES

2 oranges à peau épaisse
150 g de sucre cristallisé
150 ml d'eau

70 g de sucre
60 g de chocolat noir,
brisé en morceaux

Couper les oranges en quartiers et retirer la chair. Couper chaque morceau de zeste en 6 triangles de 1 cm d'épaisseur.

Mettre les zestes dans une grande casserole, couvrir d'eau froide et porter à ébullition. Égoutter, couvrir d'eau froide et porter de nouveau à ébullition. Répéter l'opération encore trois fois, puis égoutter.

Mettre le sucre cristallisé et l'eau dans une casserole et chauffer à feu doux sans cesser de remuer, jusqu'à ce que le sucre soit dissous. Ajouter les zestes d'orange, porter à ébullition et porter à ébullition à feu doux en remuant de temps en temps, jusqu'à ce que le sirop se soit presque totalement évaporé et que les zestes soit tendres. Laisser refroidir.

Une fois la garniture refroidie, égoutter les zestes. Étaler le sucre sur une grande assiette et, en procédant en plusieurs fois, passer les zestes dans le sucre de sorte qu'ils soient totalement enrobés. Mettre les zestes sur une grille en une seule couche au-dessus d'une plaque de four.

Saupoudrer les zestes du sucre restant et laisser sécher au moins 12 heures, de préférence une nuit entière.

Chemiser une plaque de four de papier sulfurisé. Mettre le chocolat dans une jatte résistant à la chaleur et le faire fondre au-dessus d'une casserole d'eau frémissante. Retirer du feu et mélanger jusqu'à ce qu'il soit homogène.

Plonger les zestes dans le chocolat fondu puis les disposer sur la plaque. Laisser prendre 2 à 3 heures à l'abri de la chaleur, jusqu'à ce que le chocolat ait durci.

225 g de farine, un peu plus
pour saupoudrer
115 g de beurre, coupé en dés
2 cuil. à soupe de sucre glace
1 jaune d'œuf
2 à 3 cuil. à soupe d'eau froide

GARNITURE
250 g de chocolat noir,
brisé en morceaux,
un peu plus, râpé, pour décorer
115 g de beurre
50 g de sucre glace
300 ml de crème fraîche épaisse

Mettre la farine dans une jatte et incorporer le beurre avec les doigts de façon à obtenir une consistance de chapelure. Ajouter le sucre glace, le jaune d'œuf et assez d'eau pour obtenir une pâte souple. Couvrir et réfrigérer 15 minutes.

Abaisser la pâte sur un plan de travail fariné et foncer 8 moules à tartelettes de 10 cm de diamètre. Réfrigérer encore 30 minutes.

Préchauffer le four à 200 °C (th. 6-7). Piquer les fonds de tartelettes à l'aide d'une fourchette et couvrir de papier d'aluminium froissé. Cuire 10 minutes au four préchauffé, puis ôter l'aluminium et cuire encore 5 à 10 minutes, jusqu'à ce que la pâte soit croustillante. Laisser refroidir sur une grille. Réduire la température du four à 160 °C (th. 5-6).

Pour la garniture, mettre le chocolat, le beurre et le sucre glace dans une jatte résistant à la chaleur, et faire fondre le tout au-dessus d'une casserole d'eau frémissante. Retirer du feu et ajouter 200 ml de crème fraîche. Démouler les fonds de tartelettes, les mettre sur une plaque de four et les remplir de garniture. Cuire 5 minutes, laisser refroidir et réserver au réfrigérateur.

Fouetter la crème fraîche restante et en garnir le centre des tartelettes. Servir décoré de copeaux de chocolat.

897 *Tartelettes au citron riches*

Préchauffer le four à 180 °C (th. 6). Fouetter 4 œufs avec 115 g de sucre dans une jatte, ajouter le zeste râpé de 2 citrons et 150 ml de jus de citron, et battre le tout. Incorporer 150 ml de crème fraîche épaisse. Répartir le tout dans les fonds de tartelettes et cuire 15 à 20 minutes, jusqu'à ce que la garniture ait pris. Laisser refroidir et mettre au réfrigérateur. Servir éventuellement garni de framboises fraîches.

898 *Dattes et figues farcies aux amandes* POUR 48 PIÈCES

150 g de poudre d'amandes
150 g de sucre glace
2 cuil. à café de rhum ou de cognac

1 blanc d'œuf, légèrement battu
24 dattes dénoyautées
24 figues sèches moelleuses

Mettre les amandes et le sucre dans une jatte et mélanger. Ajouter le rhum et le blanc d'œuf, et mélanger jusqu'à obtention d'une pâte homogène.

Inciser les dattes dans la longueur, puis inciser le centre des figues en croix. Diviser en deux la pâte à base d'amande, puis diviser une portion en 24 pièces et les façonner en petits boudins. Placer un boudin au centre de chaque datte, puis déposer les dattes ainsi farcies dans des caissettes en papier.

Diviser la seconde portion de pâte à base d'amande en 24 pièces et les rouler en billes, puis placer une bille au centre de chaque figue. Déposer les figues ainsi farcies dans des caissettes en papier. Réserver les dattes et les figues au réfrigérateur jusqu'au moment de servir.

899 *Dattes et figues au massepain*

Réaliser cette recette plus rapidement en remplaçant la pâte à base d'amande par du massepain.

2 cuil. à soupe de beurre, un peu plus
   pour graisser
250 g de chocolat noir,
   brisé en morceaux

4 cuil. à soupe de lait concentré
450 g de sucre glace
50 g de noisettes concassées
50 g de raisins secs

Graisser légèrement un moule carré de 20 cm de côté. Mettre le chocolat, le beurre et le lait concentré dans une jatte résistant à la chaleur, placer le tout au-dessus d'une casserole d'eau frémissante et mélanger jusqu'à obtention d'une consistance fluide et homogène.

Retirer du feu, tamiser progressivement le sucre glace dans la jatte en battant bien après chaque ajout. Incorporer les noisettes et les raisins secs. Presser la préparation dans le moule et lisser la surface. Mettre au réfrigérateur jusqu'à ce que la préparation soit bien ferme.

Transférer sur un plan de travail et couper en carrés à l'aide d'un couteau tranchant. Réserver au réfrigérateur avant de servir.

901 *Caramels canneberge-pécan*

Remplacer les raisins secs par des canneberges séchées, et les noisettes par des noix de pécan.

902 *Caramels noix-moka*

Ajouter 1 cuil. à soupe de café soluble au chocolat et au lait concentré, et remplacer les raisins secs et les noisettes par 115 g de noix hachées.

903 *Caramels gingembre-chocolat*

115 g de beurre, un peu plus
    pour graisser
6 morceaux de gingembre confit
300 ml de lait

150 g de chocolat noir,
    brisé en morceaux
450 g de sucre cristallisé

Graisser un moule carré de 18 cm de côté ou un moule de 20 x 15 cm. Ôter le sirop du gingembre à l'aide de papier absorbant, puis hacher.

Verser le lait dans une grande casserole et ajouter le chocolat, le beurre et le sucre. Chauffer à feu doux sans cesser de remuer jusqu'à ce que le chocolat et le beurre aient fondu et que le sucre soit bien dissous. Porter à ébullition et laisser bouillir 10 à 15 minutes en remuant de temps en temps, jusqu'à ce qu'une petite portion de préparation plongée dans un bol d'eau froide forme une bille souple entre les doigts. Un thermomètre à sucre doit indiquer 116 °C. Retirer du feu et incorporer le gingembre haché. Laisser reposer 5 minutes.

À l'aide d'une cuillère en bois, battre la préparation jusqu'à ce qu'elle commence à perdre sa brillance et devienne épaisse et crémeuse. Verser immédiatement dans le moule et laisser refroidir. Marquer la surface en cubes de 2,5 cm et prendre complètement. Détailler en cubes à l'aide d'un couteau tranchant.

904 *Caramels chocolat-cerise*

Remplacer le gingembre confit par 115 g de cerises confites.

905 *Caramels au sucre roux*

100 g de beurre, coupé en dés, un peu
    plus pour graisser
300 ml de lait entier

800 g de sucre blond
1 cuil. à café d'extrait de vanille

Graisser un moule carré de 18 cm de côté. Mettre le lait, le sucre et le beurre dans une grande casserole et porter lentement à ébullition sans cesser de remuer, jusqu'à ce que le beurre ait fondu. Porter à ébullition, puis couvrir la casserole et laisser bouillir 2 minutes à feu doux. Retirer le couvercle et laisser bouillir en remuant de temps en temps, jusqu'à ce qu'une petite portion de préparation plongée dans un bol d'eau froide forme une bille souple entre les doigts. Un thermomètre à sucre doit indiquer 116 °C. Retirer du feu et incorporer l'extrait de vanille. Laisser reposer 5 minutes.

À l'aide d'une cuillère en bois, battre la préparation jusqu'à ce qu'elle commence à perdre sa brillance et devienne épaisse et crémeuse. Verser immédiatement dans le moule et laisser refroidir. Marquer la surface en cubes de 2,5 cm et prendre complètement. Détailler en cubes à l'aide d'un couteau tranchant.

85 g de beurre, un peu plus
pour graisser
450 de sucre cristallisé
150 ml de lait concentré
150 g de chocolat noir,
brisé en morceaux
2 cuil. à soupe de cacao
en poudre amer

Graisser et chemiser un moule carré de 18 cm de côté. Mettre tous les ingrédients dans une grande casserole et chauffer à feu doux sans cesser de remuer jusqu'à ce que le sucre soit dissous et le chocolat fondu.

Porter à ébullition et laisser bouillir 10 à 15 minutes en remuant de temps en temps, jusqu'à ce qu'une petite portion de préparation plongée dans un bol d'eau froide forme une bille souple entre les doigts. Un thermomètre à sucre doit indiquer 116 °C. Laisser reposer 5 à 10 minutes, puis battre vigoureusement à l'aide d'une cuillère en bois jusqu'à ce que la préparation épaississe et forme de petits cristaux. Verser la préparation dans le moule et marquer des cubes de 2,5 cm.

Laisser prendre avant de détailler en cubes et de servir.

907 *Caramels à la vanille*

Mettre 450 g de sucre cristallisé avec 85 g de beurre, 150 ml de lait concentré et 150 ml de lait dans une casserole et chauffer jusqu'à ce que le sucre soit dissous. Porter à ébullition et laisser bouillir comme indiqué ci-dessus. Ajouter 1 cuil. à café d'extrait de vanille avant de battre avec une cuillère en bois. Remuer la préparation régulièrement car elle brûle facilement.

908 *Caramels au moka*

Ajouter 4 cuil. à soupe de café soluble à la place du cacao.

909 *Caramels rhum-raisin*

Chauffer à feu doux 2 cuil. à soupe de rhum dans une petite casserole jusqu'à ce qu'il soit très chaud, puis ajouter 115 g de raisins secs. Laisser refroidir pendant la préparation du caramel, puis les incorporer avant de battre avec une cuillère en bois.

910 *Caramels chocolat-orange*

Omettre le cacao et ajouter le jus et le zeste finement râpé d'une demi-orange.

911 Bouchées croquantes au chocolat

POUR 30 BOUCHÉES

175 g de chocolat blanc,
brisé en morceaux
100 g de biscuits petits beurres
100 g de noix de macadamia
ou de noix du Brésil

25 g de gingembre confit,
haché (facultatif)
175 g de chocolat noir,
brisé en morceaux

Chemiser une plaque de four de papier sulfurisé. Mettre le chocolat blanc dans une jatte résistant à la chaleur et le faire fondre au-dessus d'une casserole d'eau frémissante.

Émietter les biscuits et les incorporer au chocolat fondu avec les noix de macadamia et le gingembre confit. Déposer des cuillerées à café du mélange sur la plaque. Laisser prendre au réfrigérateur, puis décoller les bouchées du papier sulfurisé.

Faire fondre le chocolat au lait et le laisser tiédir. Plonger les bouchées dans le chocolat fondu en laissant égoutter l'excédent. Laisser prendre sur la plaque chemisée de papier sulfurisé.

912 Bouchées croquantes aux cerises

Remplacer les noix de macadamia par des noix, et le gingembre par des cerises confites hachées.

913 Bouchées croquantes aux dattes

Remplacer le gingembre confit par 55 g de dattes hachées et réduire la quantité de biscuits à 85 g.

914 Bouchées croquantes amande-abricot

POUR 24 BOUCHÉES

115 g de chocolat noir,
brisé en morceaux
2 cuil. à soupe de miel
115 g d'abricots secs
moelleux, hachés
55 g d'amandes mondées,
hachées

915 Bouchées datte-amande

Remplacer les abricots par des dattes sèches moelleuses.

916 Bouchées abricot-noisette

Remplacer les amandes par des noisettes grillées hachées.

917 Bouchées figue-amande

Remplacer les abricots par des figues sèches hachées.

Mettre le chocolat et le miel dans une jatte résistant à la chaleur et faire fondre au-dessus d'une casserole d'eau frémissante.

Incorporer les abricots et les amandes, puis déposer des cuillerées à café du mélange dans des caissettes en papier. Laisser prendre.

beurre, pour graisser
175 g de pâte feuilletée
farine, pour saupoudrer
2 cuil. à soupe de sucre roux

40 g de noisettes ou de noix
de pécan grillées finement
hachées
1 blanc d'œuf, légèrement battu

Préchauffer le four à 200 °C (th. 6-7). Graisser deux plaques de four. Abaisser la pâte sur un plan de travail fariné de façon à obtenir un rectangle de 20 x 30 cm. Égaliser les bords à l'aide d'un couteau tranchant.

Mettre les noix et le sucre dans une jatte et mélanger. Enduire la pâte de blanc d'œuf et parsemer avec les trois quarts des noix au sucre. Rabattre les longueurs du rectangle à mi-chemin du milieu du rectangle, puis les rabattre de nouveau de sorte qu'elles viennent se toucher au milieu. Passer un rouleau à pâtisserie dessus pour aplatir

le tout très légèrement. Enduire de nouveau de blanc d'œuf et parsemer avec les noix au sucre restantes. Plier une dernier fois en deux et aplatir délicatement à l'aide d'un rouleau à pâtisserie.

À l'aide d'un couteau tranchant, couper le pliage en 20 tranches fines et déposer les tranches à plat sur les plaques en les espaçant bien.

Cuire 10 minutes au four préchauffé. Retirer les palmiers du four et les retourner, puis cuire encore 5 minutes, jusqu'à ce qu'ils soient dorés et croustillants. Transférer sur une grille et laisser refroidir complètement.

919 *Palmiers au chocolat*

Remplacer le sure et les noix par 4 cuil. à soupe de chocolat râpé et 2 cuil. à café de sucre. Mettre 15 minutes au réfrigérateur avant d'enfourner les palmiers.

920 *Palmiers au fromage*

Remplacer le sucre et les noix par 85 g de fromage râpé et 2 oignons blancs finement hachés.

921 *Palmiers à la cannelle*

Remplacer le sucre et les noix par un mélange de 4 cuil. à soupe de sucre mélangées à 1 cuil. à café de cannelle en poudre.

922 *Palmiers aux tomates et pesto*

Abaisser la pâte et la napper avec 2 cuil. à soupe de pesto. Hacher finement 2 tomates séchées au soleil et en répartir la quasi-totalité sur la pâte. Plier comme indiqué précédemment en nappant avec davantage de pesto et en parsemant les tomates restantes avant le pliage final.

923 *Sacristains*

Abaisser la pâte, l'enduire d'un peu de blanc d'œuf battu et les parsemer de 4 cuil. à soupe de sucre et de 50 g d'amandes hachées. Presser légèrement les amandes dans la pâte à l'aide d'un rouleau à pâtisserie. Couper en lanières de 6 x 1 cm. Torsader les lanières et les déposer sur les plaques de four en les espaçant bien. Cuire 10 à 12 minutes au four préchauffé, jusqu'à ce que les sacristains soient dorés et croustillants. Transférer sur une grille et laisser refroidir complètement.

Mendiants au chocolat

40 g de figues, de dattes
ou d'abricots secs moelleux,
ou de zestes d'orange confits
40 g de raisins secs ou de canneberges
séchées

1 cuil. à soupe de pistaches
ou de noisettes mondées
40 g d'amandes mondées
150 g de chocolat noir,
brisé en morceaux

Chemiser plusieurs plaques de four de papier sulfurisé. Hacher finement les figues, les dattes, les abricots ou les zestes d'orange à l'aide d'une paire de ciseaux de cuisine, et les réserver.

Mettre le chocolat dans une jatte résistant à la chaleur et le faire fondre au-dessus d'une casserole d'eau frémissante. Retirer du feu et mélanger jusqu'à obtention d'une consistance homogène.

Déposer 4 à 5 cuillerées à café de chocolat sur une plaque et les étaler en disques de 5 cm de diamètre. Déposer une quantité identique de fruits, de pistaches et d'amandes sur chaque disque. Répéter l'opération avec le chocolat, les fruits, les pistaches et les amandes restants. Laisser prendre 2 à 3 heures à l'abri de la chaleur.

Macarons aux amandes

1 blanc d'œuf
85 g de poudre d'amandes
85 g de sucre, un peu plus
pour saupoudrer

½ cuil. à café d'extrait d'amande
6 à 7 amandes mondées, coupées
en deux

Préchauffer le four à 180 °C (th. 6). Chemiser deux plaques de four de papier sulfurisé. Mettre le blanc d'œuf dans une jatte et battre à l'aide d'une fourchette jusqu'à ce qu'il soit mousseux, puis ajouter la poudre d'amandes, le sucre et l'extrait d'amande et mélanger jusqu'à obtention d'une pâte collante.

Les mains saupoudrées de sucre, façonner la pâte en billes et les déposer sur les plaques. Presser une amande au centre de chaque bille.

Cuire 15 à 20 minutes au four préchauffé, jusqu'à ce que les macarons soient dorés. Transférer sur une grille et laisser refroidir complètement.

926 Macarons aux noisettes

Moudre 85 de noisettes très finement dans un robot de cuisine et les utiliser pour remplacer la poudre d'amandes. Décorer de demi-noisettes.

927 Macarons à la noix de coco

Remplacer la poudre d'amandes par 85 à 115 g de noix de coco déshydratée. Décorer de cerises confites coupées en dés.

Triangles au miel et aux noix

50 g de beurre
100 g de fromage frais
1 cuil. à soupe de miel
2 cuil. à soupe de sucre
100 g de cerneaux de noix,
    finement hachés

zeste finement râpé d'un citron
6 feuilles de pâte filo (poids total
    d'environ 90 g)
sucre glace, pour décorer

Préchauffer le four à 180 °C (th. 6). Graisser une plaque de four. Faire fondre le beurre à feu doux dans une casserole, puis laisser tiédir. Pendant ce temps, le fromage frais, le miel et le sucre dans une jatte et bien battre le tout. Ajouter les noix et le zeste de citron, et mélanger.

Enduire une feuille de pâte filo de beurre fondu et la couper en 3 lanières de même dimensions. Couvrir les feuilles restantes d'un torchon humide. Placer 1 cuillerée à café de garniture à l'extrémité de chaque lanière. Rabattre un coin de l'extrémité en biais sur la garniture de façon à obtenir une forme triangulaire, puis continuer à plier de la sorte en conservant la forme triangulaire.

Déposer les triangles sur la plaque et les enduire de beurre fondu. Répéter l'opération avec les ingrédients restants. Cuire 10 à 15 minutes au four préchauffé, jusqu'à ce que les triangles soient dorés. Laisser refroidir. Tamiser du sucre glace sur les triangles et servir immédiatement.

Petits fours au chocolat et aux amandes

40 g de poudre d'amandes
85 de sucre cristallisé
5 cuil. à café de cacao en poudre amer
1 blanc d'œuf
8 amandes mondées, coupées en deux
55 g de chocolat noir,
    brisé en morceaux

Préchauffer le four à 190 °C (th. 6-7). Chemiser une plaque de four de papier sulfurisé. Mettre la poudre d'amandes, le sucre et le cacao dans une jatte et mélanger. Ajouter le blanc d'œuf et mélanger jusqu'à obtention d'une consistance ferme. Transférer dans une poche à douille munie d'un petit embout et façonner des biscuits de 5 cm sur la plaque en les espaçant bien. Garnir de demi-amandes.

Cuire 5 minutes au four préchauffé, jusqu'à ce que les biscuits soient fermes. Laisser refroidir sur une grille.

Mettre le chocolat dans une jatte résistant à la chaleur et le faire fondre au-dessus d'une casserole d'eau frémissante. Plonger les extrémités des biscuits refroidis dans le chocolat fondu et laisser prendre.

Petits fours chocolat-noisette

Moudre 40 g de noisettes dans un robot de cuisine et les utiliser à la place de la poudre d'amandes. Placer une demi-noisette au centre de chaque biscuit.

Petits fours amande-café

Ajouter 2 cuil. à soupe de café soluble à la place du cacao. Plonger les biscuits dans le chocolat fondu ou laisser tomber tel quel.

50 g de beurre, un peu plus pour graisser
6 feuilles de pâte filo (poids total
 d'environ 90 g)
2 cuil. à soupe de confiture d'abricots
2 gros blancs d'œufs

4 cuil. à soupe de sucre
50 g de poudre d'amandes
25 g d'amandes effilées

Préchauffer le four à 180 °C (th. 6). Graisser un moule à muffins à 12 alvéoles. Faire fondre le beurre à feu doux dans une casserole, puis laisser tiédir. Enduire une feuille de pâte filo avec le beurre fondu. Couvrir les feuilles restantes avec un torchon humide. Étaler une seconde feuille sur la première, l'enduire de beurre et répéter l'opération avec une troisième feuille.

À l'aide d'un emporte-pièce de 8 cm de diamètre, découper 6 ronds dans la pile de feuille et les déposer dans les alvéoles du moule. Répéter l'opération avec les feuilles restantes. Répartir la confiture dans les alvéoles.

Monter les blancs d'œufs en neige ferme. Ajouter le sucre et la poudre d'amandes, et mélanger à l'aide d'une grande cuillère métallique. Répartir la préparation dans les fonds de tartelettes et étaler de façon à couvrir la confiture. Parsemer d'amandes effilées.

Cuire 25 minutes au four préchauffé, jusqu'à ce que les tartelettes soient dorées. Servir chaud ou transférer sur une grille et laisser refroidir.

933 *Minicupcakes au chocolat et leur ganache* POUR 20 MINICUPCAKES

55 g de beurre, ramolli
55 g de sucre
1 gros œuf, légèrement battu
55 g de farine levante
2 cuil. à soupe de cacao en poudre
1 cuil. à soupe de lait
20 grains de café enrobés de chocolat,
pour décorer

NAPPAGE
100 g de chocolat noir,
brisé en morceaux
100 ml de crème fraîche épaisse

Préchauffer le four à 190 °C (th. 6-7). Placer 20 double épaisseurs de minicaissettes en papier sur deux plaques de four. Mettre le beurre et le sucre dans une jatte et battre jusqu'à ce que le mélange blanchisse, puis incorporer progressivement l'œuf. Tamiser la farine et le cacao dans la jatte et mélanger. Incorporer le lait.

Transférer dans une poche à douille munie d'un embout large et garnir les caissettes à demi.

Cuire 10 à 15 minutes au four préchauffé, jusqu'à ce que les minicupcakes aient levé et soient et fermes au toucher. Laisser refroidir sur une grille.

Pour le nappage, mettre le chocolat et la crème fraîche dans une casserole et chauffer à feu doux sans cesser de remuer jusqu'à ce que le chocolat ait fondu. Transférer dans une jatte résistant à la chaleur et battre 10 minutes à l'aide d'un batteur électrique, jusqu'à épaississement et refroidissement.

Transférer le nappage dans une poche à douille munie d'un embout en forme d'étoile et décorer chaque minicupcake. À défaut de poche à douille, napper chaque minicupcake de nappage. Mettre 1 heure au réfrigérateur, puis servir décoré de grains de café enrobés de chocolat.

934 *Ganache au chocolat au lait*

Remplacer le chocolat par du chocolat au lait, et décorer de copeaux de chocolat blanc ou au lait.

935 *Minicupcakes café-noisette*

Remplacer le cacao et le lait par 2 cuil. à soupe de café soluble délayées dans 2 cuil. à soupe de lait. Ajouter 40 g de noisettes hachées à la préparation et décorer de noisettes grillées.

100 g de beurre, un peu plus
    pour graisser
225 g d'amandes mondées, hachées
4 cuil. à soupe de sucre
1 cuil. à café de cannelle en poudre
12 feuilles de pâte filo (poids total
    de 190 g environ)

SIROP
75 g de sucre cristallisé
4 cuil. à soupe d'eau
1½ cuil. à café de jus de citron

Préchauffer le four à 180 °C (th. 6). Graisser une plaque de four. Faire
fondre le beurre dans une casserole à feu doux, puis laisser tiédir. Mettre
les amandes, le sucre et la cannelle dans un bol et mélanger.

Enduire une feuille de pâte filo de beurre fondu, étaler une deuxième
feuille sur la première et l'enduire également de beurre. Couvrir les feuilles
restantes d'un torchon humide. Déposer un peu du mélange précédent
sur une des longueurs de la deuxième feuille de pâte en laissant une marge
de 2 cm à chaque extrémité. Rabattre les extrémités et rouler en partant
de la longueur garnie. Mettre le rouleau sur la plaque et l'enduire de beurre
fondu. Répéter l'opération avec les feuilles et la garniture restantes. Cuire
15 à 20 minutes au four préchauffé, jusqu'à ce que les rouleaux soient dorés.

Mettre le sucre cristallisé, l'eau et le jus de citron dans une casserole
et chauffer à feu doux sans cesser de remuer jusqu'à ce que le sucre soit
dissous. Porter à ébullition et laisser bouillir 5 minutes, puis laisser refroidir.
Arroser les rouleaux de sirop, laisser refroidir et couper en tronçons de 5 cm.

70 g de beurre
115 g de chocolat au lait,
    brisé en morceaux
3 cuil. à soupe de golden syrup
1 cuil. à soupe de cacao en poudre amer
100 g de riz soufflé, de pétales de maïs

soufflés ou de céréales au son brisées
    en tronçons
mini-œufs à la liqueur ou au massepain,
    pour décorer

Chemiser un moule à muffins à 12 alvéoles avec des caissettes en papier.
Mettre le beurre, le chocolat, le golden syrup et le cacao dans une
casserole et chauffer à feu doux sans cesser de remuer jusqu'à obtention
d'une consistance homogène. Retirer du feu et incorporer délicatement
le riz soufflé en veillant à ne pas l'émietter.

Répartir la préparation dans les caissettes, puis creuser un trou
au centre de chacune de façon à figurer des nids. Laisser prendre
au réfrigérateur, puis retirer les caissettes et déposer des mini-œufs
dans chaque nid.

Baklavas

225 g de cerneaux de noix
225 g de pistaches décortiquées
100 g d'amandes mondées
4 cuil. à soupe de pignons, finement
    hachés
zeste finement râpé de 2 oranges
6 cuil. à soupe de graines de sésame
1 cuil. à soupe de sucre
½ cuil. à café de cannelle en poudre
½ cuil. à café de quatre-épices

225 g de beurre, fondu, un peu plus
    pour graisser
23 feuilles de pâte filo

SIROP
450 g de sucre
450 ml d'eau
5 cuil. à soupe de miel
3 clous de girofle
2 larges bandes de zestes de citron

Pour la garniture, mettre les noix, les pistaches, les amandes et les pignons dans un robot de cuisine et hacher finement le tout, sans moudre. Transférer le tout dans une jatte et incorporer le zeste d'orange, les graines de sésame, le sucre, la cannelle et le quatre-épices.

Préchauffer le four à 160 °C (th. 5-6). Graisser un moule carré de 25 cm de côté et de 5 cm de profondeur. Découper la pile de feuilles de pâte filo à la taille du moule à l'aide d'une règle. Couvrir les feuilles en attente d'un torchon humide. Déposer une feuille de pâte dans le fond du moule et l'enduire de beurre fondu. Couvrir de 7 autres feuilles en enduisant chacune de beurre.

Parsemer avec un cinquième de la préparation précédente. Couvrir avec 3 feuilles de pâte en enduisant chacune de beurre. Répéter l'opération avec la préparation et les feuilles restantes en terminant par 3 feuilles. Enduire la dernière feuille de beurre fondu.

Couper le tout en carrés de 5 cm à l'aide d'un couteau tranchant et enduire de nouveau de beurre. Cuire 1 heure au four préchauffé.

Pendant ce temps, mettre les ingrédients du sirop dans une casserole et porter à ébullition à feu doux sans cesser de remuer de sorte que le sucre se dissolve. Réduire le feu et laisser mijoter 15 minutes sans remuer, jusqu'à obtention d'un sirop fluide. Laisser refroidir.

Filtrer le sirop refroidi et le verser sur le baklava. Laisser refroidir dans le moule et découper en carrés avant de servir.

Craquelins de Noël à la pâte filo

50 g d'abricots secs moelleux
125 g d'un mélange de fruits secs
    au sirop
50 g d'amandes mondées, hachées
2 cuil. à soupe de cognac

50 g de beurre, un peu plus
    pour graisser
6 feuilles de pâte filo (poids total
    de 90 g environ)
sucre glace, pour saupoudrer

Hacher finement les abricots à l'aide d'une paire de ciseaux de cuisine et les mettre dans une jatte. Ajouter les fruits secs, les amandes et le cognac et laisser tremper 1 à 2 heures.

Préchauffer le four à 180 °C (th. 6). Graisser une plaque de four. Faire fondre le beurre dans une casserole à feu doux, puis laisser tiédir. Pendant ce temps, couper une feuille de pâte filo en deux dans le sens de la longueur et enduire chaque moitié de beurre fondu. Couvrir les feuilles restantes d'un torchon humide. Répartir un peu du mélange précédent le long d'un grand côté d'une demi-feuille en laissant 6 cm de marge à chaque extrémité. Rouler et torsader les extrémités. Déposer le rouleau sur la plaque et l'enduire de beurre fondu. Répéter l'opération avec les ingrédients restants et cuire 15 à 20 minutes au four préchauffé, jusqu'à ce que les craquelins soient dorés. Servir saupoudré de sucre glace.

140 g de beurre
4 gros œufs
125 g de sucre en poudre
1 litre de lait
175 g de semoule

zeste finement râpé d'un citron
et 1½ cuil. à café de jus de citron
200 g de pâte filo
75 g de sucre cristallisé
4 cuil. à soupe d'eau

Préchauffer le four à 180 °C (th. 6). Faire fondre 8 cuillerées à soupe de beurre, puis laisser tiédir. Beurrer un plat à rôti de 35 x 18 cm.

Mettre les œufs et le sucre en poudre dans une jatte et battre jusqu'à ce que le mélange blanchisse. Chauffer le lait dans une casserole, puis l'incorporer dans la jatte. Verser le tout dans la casserole et ajouter la semoule et le zeste de citron. Chauffer à feu doux sans cesser de remuer jusqu'à ce que la préparation soit bouillante et épaississe. Retirer du feu et incorporer le beurre restant.

Couvrir le plat d'une feuille de pâte filo et enduire de beurre fondu. Couvrir les feuilles restantes d'un torchon humide. Étaler une deuxième feuille de pâte sur la première en veillant à ce que les extrémités couvrent les parois et enduire de beurre. Répéter l'opération jusqu'à ce que la moitié des feuilles aient été utilisées en couvrant bien les parois chaque fois. Répartir la préparation dans le moule, couvrir avec les feuilles de pâte restante en les enduisant de beurre et en rabattant les extrémités le long des parois. Découper les feuilles supérieures sur la garniture en 20 carrés.

Cuire 35 à 40 minutes au four préchauffé, jusqu'à ce que la pâte filo soit dorée. Pendant ce temps, mettre le sucre cristallisé, l'eau et le jus de citron dans une casserole et chauffer sans cesser de remuer jusqu'à ce que le sucre soit dissous. Porter à ébullition et laisser bouillir 5 minutes sans remuer.

Laisser refroidir, puis verser le sirop dans le plat. Diviser en carrés en suivant les découpes et servir.

---

85 g de beurre, coupé en dés
200 ml d'eau
100 g de farine
2 œufs, légèrement battus
huile de tournesol, pour la friture

SAUCE AUX FRAMBOISES
450 g de framboises
75 g de sucre, un peu plus
pour saupoudrer
1 cuil. à soupe d'eau

Pour la sauce, mettre les framboises, le sucre et l'eau dans une casserole et chauffer à feu doux jusqu'à ce que les framboises soient tendres. Filtrer au chinois et réserver.

Pour les beignets, mettre le beurre et l'eau dans une casserole et chauffer à feu doux jusqu'à ce que le beurre ait fondu. Augmenter le feu et porter rapidement à ébullition. Retirer du feu, puis ajouter la farine et battre jusqu'à ce que la pâte forme une boule. Laisser tiédir, puis incorporer progressivement les œufs jusqu'à obtention d'une pâte homogène et brillante.

Chauffer l'huile à 190 °C. Plonger des cuillerées à café de pâte dans l'huile et faire frire jusqu'à ce que les beignets remontent à la surface et soient dorés et croustillants. Retirer de l'huile à l'aide d'une écumoire et égoutter sur du papier absorbant. Répéter l'opération avec la pâte restante. Servir arrosé de sauce et saupoudré de sucre.

942 *Avec une sauce au rhum*

Pour la sauce au rhum, râper le zeste d'une demi-orange et presser le jus de 2 oranges. Délayer 1 cuil. à café de Maïzena dans un peu de jus d'orange, puis ajouter le jus restant. Ajouter 55 g de sucre roux et chauffer le tout dans une casserole jusqu'à épaississement. Incorporer 2 cuil. à soupe de beurre coupé en dés, le zeste d'orange et 4 cuil. à soupe de rhum, et laisser mijoter 1 minute. Servir en accompagnement des beignets.

943 Rugelach

115 g de beurre, ramolli
115 g de fromage frais
3 cuil. à soupe de sucre
125 ml de crème aigre
1 cuil. à café d'extrait de vanille
250 g de farine

GARNITURE
55 g de sucre blond
1½ cuil. à café de cannelle en poudre
85 g de raisins secs, hachés
85 g de noix, hachées
œuf battu, pour enduire

Battre le beurre en crème dans une jatte, puis incorporer le fromage frais, le sucre, la crème aigre et l'extrait de vanille. Ajouter la farine, puis mélanger avec les doigts jusqu'à obtention d'une pâte souple. Couvrir de film alimentaire et mettre au réfrigérateur.

Préchauffer le four à 180 °C (th. 6). Chemiser deux plaques de four de papier sulfurisé. Pour la garniture, mettre le sucre, la cannelle, les raisins secs et les noix dans un bol et mélanger.

Diviser la pâte en quatre et abaisser chaque portion en ronds de 20 cm de diamètre entre 2 feuilles de papier sulfurisé. (Réserver les portions en attente au réfrigérateur.) Couper chaque rond en 6 triangles et les parsemer d'un quart de la garniture. En partant de la base des triangles, rouler vers la pointe et incurver en croissants. Déposer les croissants sur les plaques, puis répéter l'opération avec les ingrédients restants et enduire d'œuf battu.

Cuire 15 à 20 minutes au four préchauffé, jusqu'à ce qu'ils soient dorés. Transférer sur une grille et laisser refroidir.

944 Rugelach abricot-noix de pécan

Étaler sur chaque rond de pâte 2 à 3 cuil. à soupe de confiture d'abricots, puis saupoudrer avec 1 à 2 cuil. à soupe de noix de pécan finement hachées avant de couper en triangles.

945 Rugelach au chocolat

Parsemer chaque rond de pâte avec 3 cuil. à soupe de chocolat noir ou au lait râpé avant de couper en triangles.

946 Rugelach framboise-raisin sec

Étaler sur chaque rond de pâte 2 à 3 cuil. à soupe de confiture de framboises, puis parsemer de 1 à 2 cuil. à soupe de raisins secs avant de couper en triangles.

947 Rugelach chocolat-noisette

Étaler sur chaque rond de pâte 2 à 3 cuil. à soupe de pâte à tartiner au chocolat et à la noisette, puis parsemer de 1 à 2 cuil. à soupe de noisettes grillées et finement hachées avant de couper en quartiers.

948 Rugelach au massepain

Râper grossièrement 115 g de massepain et le répartir sur les ronds de pâte. Parsemer éventuellement de quelques graines de pavot avant de couper en triangles.

949 Cigares tunisiens aux amandes

85 g de beurre
200 g de poudre d'amandes
200 g de sucre
2 cuil. à soupe d'eau de fleur d'oranger

1 blanc d'œuf, légèrement battu
12 feuilles de pâte filo d'environ
28 x 38 cm
100 ml de miel

Préchauffer le four à 200 °C (th. 6-7). Faire fondre le beurre à feu doux dans une casserole et le laisser tiédir.

Mettre les amandes et le sucre dans une jatte et mélanger. Ajouter l'eau de fleur d'oranger et le blanc d'œuf, et mélanger jusqu'à obtention d'une pâte ferme. Diviser la pâte en six et façonner chaque portion en boudins de 28 cm de longueur. Étaler une feuille de pâte filo sur un plan de travail et enduire de beurre fondu. Étaler une deuxième feuille sur la première et enduire de beurre. Déposer un boudin de pâte à une extrémité et rouler fermement. Égaliser les bords et diviser en 6 tronçons, puis mettre sur une plaque de four. Répéter l'opération avec les ingrédients restants.

Cuire 25 à 30 minutes au four préchauffé, jusqu'à ce que les cigares soient croustillants et dorés. Réchauffer le miel dans une casserole et le verser sur les cigares, puis laisser refroidir avant de servir.

950 Cigares tunisiens aux noisettes

Remplacer la poudre d'amandes par des noisettes finement hachées.

951 Cigares tunisiens aux pistaches

Remplacer les amandes par des pistaches finement hachées.

952 Raviolis sucrés à l'italienne

3 cuil. à soupe d'huile d'olive vierge
    extra, un peu plus pour graisser
200 g de farine, un peu plus
    pour saupoudrer
85 g de sucre
3 jaunes d'œufs
3 à 4 cuil. à soupe d'eau

GARNITURE
115 g de ricotta
1½ cuil. à soupe de sucre
zeste râpé d'un demi-citron
1 cuil. à soupe de jus de citron

GLAÇAGE
1 blanc d'œuf, légèrement battu
sucre

Préchauffer le four à 180 °C (th. 6). Graisser légèrement une plaque de four. Mettre la farine et le sucre dans une jatte et creuser un puits au centre. Verser les jaunes d'œufs, l'huile et 3 cuillerées à soupe d'eau dans le puits, et mélanger jusqu'à obtention d'une pâte ferme en ajoutant un peu d'eau si nécessaire. Pétrir quelques minutes, puis laisser reposer 15 minutes.

Pendant ce temps, préparer la garniture en mélangeant tous les ingrédients. Diviser la pâte en deux et abaisser les portions sur un plan de travail fariné en rectangles de 40 x 30 cm. Couper en carrés de 5 cm, puis déposer 1 cuil. à café de garniture sur un carré. Humecter les bords, couvrir avec un second carré et sceller en pressant avec les dents d'une fourchette. Mettre le ravioli sur la plaque et répéter l'opération avec les ingrédients restants.

Enduire les raviolis de blanc d'œuf et saupoudrer de sucre. Cuire 20 à 25 minutes au four préchauffé, jusqu'à ce qu'ils soient croustillants et dorés. Laisser tiédir avant de servir.

953 Raviolis orange-chocolat

Pour la garniture, faire fondre 25 g de chocolat au bain-marie. Laisser refroidir, puis incorporer à la ricotta avec 1 cuil. à soupe de liqueur d'orange et le zeste râpé d'une demi-orange.

Tarte aux amandes et aux framboises

	GARNITURE
175 g de farine, un peu plus pour saupoudrer	115 g de beurre
125 g de beurre	115 g de sucre
2 cuil. à soupe de sucre	115 g de poudre d'amandes
1 jaune d'œuf	3 œufs, battus
1 cuil. à soupe d'eau froide	½ cuil. à café d'extrait d'amande
	4 cuil. à soupe de confiture de framboises
	2 cuil. à soupe d'amandes effilées

Tamiser la farine dans une jatte et incorporer le beurre avec les doigts de façon à obtenir une consistance de fine chapelure. Ajouter le sucre, le jaune d'œuf et l'eau, et mélanger jusqu'à obtention d'une pâte ferme en ajoutant un peu d'eau si nécessaire. Envelopper de film alimentaire et mettre au réfrigérateur 15 minutes.

Préchauffer le four à 200 °C (th. 6-7) Abaisser la pâte sur un plan de travail fariné et foncer un moule à tarte carré de 23 cm de côté. Piquer la pâte et mettre au réfrigérateur 15 minutes.

Mettre le beurre et le sucre dans une jatte et battre jusqu'à ce que le mélange blanchisse, puis incorporer la poudre d'amandes, les œufs et l'extrait d'amande. Étaler la confiture dans le fond de tarte et garnir avec le mélange à base d'amande. Parsemer d'amandes effilées.

Cuire 10 minutes au four préchauffé, puis réduire la température du four à 180 °C (th. 6) et cuire encore 25 à 30 minutes, jusqu'à ce que la garniture soit dorée. Laisser refroidir, puis couper en parts.

955 Tarte aux amandes et aux abricots

Ajouter 55 g d'abricots secs moelleux à la garniture et remplacer la confiture de framboises par de la confiture d'abricots.

956 Triangles de pâte filo au chocolat

85 g de beurre, fondu, un peu plus pour graisser	2 cuil. à soupe de noisettes grillées, hachées
150 g de chocolat noir, concassé	5 grandes feuilles de pâte filo
115 g de miettes de génoise au chocolat	4 cuil. à soupe de cognac ou de jus de pomme
2 cuil. à soupe de sucre blond	sucre glace, pour saupoudrer

Préchauffer le four à 200 °C (th. 6-7). Graisser légèrement une plaque de four. Faire fondre le beurre dans une casserole à feu doux et laisser tiédir. Mettre le chocolat, les miettes de génoise, les noisettes, le sucre et brandy dans une grande jatte et mélanger.

Étaler une feuille de pâte filo sur un plan de travail et l'enduire de beurre fondu. Couper la feuille en deux dans le sens de la longueur, puis couper chaque moitié en 4 lanières dans le sens de la longueur. Déposer un peu de garniture à une extrémité d'une lanière, puis rabattre un coin de l'extrémité en diagonale de façon à obtenir une forme triangulaire, puis continuer à plier ainsi de façon à obtenir un triangle régulier. Mettre le triangle sur la plaque et enduire de beurre fondu. Répéter l'opération avec les lanières restantes, puis avec les feuilles de pâte restantes. Cuire 8 à 10 minutes au four préchauffé, jusqu'à ce que les triangles soient dorés. Laisser refroidir et saupoudrer de sucre glace.

957 Triangles cerise-coco

Pour une garniture aux fruits, égoutter et concasser 425 g de cerises noires en bocal égouttées et hachées. Mettre dans un bol et ajouter 55 g de noix de coco déshydratée, 55 g de génoise émiettée, 2 cuil. à soupe de sucre blond, ¼ de cuil. à café de cannelle en poudre et 1 cuil. à soupe de rhum.

Mignardises rhum-chocolat

55 g de chocolat noir,
brisé en morceaux
12 noisettes grillées, pour décorer

GARNITURE
115 g de chocolat noir,
brisé en morceaux
1 cuil. à soupe de rhum ambré
4 cuil. à soupe de mascarpone

Mettre le chocolat dans une jatte résistant à la chaleur et le faire fondre au-dessus d'une casserole d'eau frémissante en veillant à ce qu'il ne soit pas trop liquide. Déposer environ ½ cuil. à café de chocolat fondu dans une petite caissette en aluminium et en couvrir le fond et les bords. Répéter l'opération avec 11 autres caissettes et laisser prendre 30 minutes, puis mettre au réfrigérateur 15 minutes. Si nécessaire, réchauffer le chocolat et enduire les caissettes d'une seconde couche. Mettre au réfrigérateur encore 30 minutes.

Pendant ce temps, pour la garniture, faire fondre le chocolat et laisser tiédir. Incorporer le rhum et le mascarpone de façon à obtenir une consistance homogène, puis laisser refroidir complètement en remuant de temps en temps.

Transférer la garniture dans une poche à douille munie d'un embout en forme d'étoile de 1 cm et garnir les caissettes. Garnir d'une noisette entière et servir.

959 *Mignardises au cognac*

Remplacer le rhum par du cognac et décorer avec des amandes entières.

960 *Bouchées crémeuses à la menthe*

100 g de sucre glace, un peu plus
pour saupoudrer
1 blanc d'œuf

extrait de menthe
colorant alimentaire vert
(facultatif)

Chemiser une plaque de four de papier sulfurisé. Tamiser le sucre glace. Mettre le blanc d'œuf dans une jatte et fouetter à l'aide d'une fourchette jusqu'à ce qu'il soit mousseux. Ajouter la moitié du sucre glace et mélanger. Ajouter quelques gouttes d'extrait de menthe, puis ajouter progressivement assez de sucre glace pour obtenir une pâte ferme. Ajouter un peu de sucre glace si nécessaire. Ajouter de l'extrait de menthe selon son goût.

Diviser la préparation en deux et colorer éventuellement une moitié avec quelques gouttes de colorant vert.

Saupoudrer le plan de travail de sucre glace, puis abaisser la pâte de sorte qu'elle ait 5 mm d'épaisseur. Découper des ronds ou les formes de son choix à l'aide d'un emporte-pièce et les déposer sur la plaque. Laisser sécher quelques heures à l'abri de la chaleur et de l'humidité.

961 *Bouchées crémeuses menthe-chocolat*

Faire fondre 115 g de chocolat noir au bain-marie et le laisser tiédir. Plonger les bouchées à demi dans le chocolat fondu. Remettre les bouchées sur la plaque et laisser prendre.

Bouchées crémeuses au chocolat

*200 g de chocolat noir,
brisé en morceaux
2 cuil. à soupe de crème fraîche liquide
225 g de sucre glace
poudre pour boisson chocolatée,
pour saupoudrer*

Chemiser une plaque de four de papier sulfurisé. Mettre 55 g de chocolat dans une jatte résistant à la chaleur et le faire fondre au-dessus d'une casserole d'eau frémissante. Incorporer la crème fraîche et retirer du feu.

Tamiser le sucre glace dans le chocolat fondu et mélanger à l'aide d'une fourchette, puis pétrir jusqu'à obtention d'une pâte ferme, homogène et souple.

Saupoudrer un plan de travail de chocolat et abaisser la pâte de sorte qu'elle ait 5 mm d'épaisseur. Découper des ronds à l'aide d'un emporte-pièce de 2,5 cm de diamètre et les poser sur la plaque. Laisser reposer 12 heures à une nuit, jusqu'à ce que les bouchées aient pris et soient sèches.

Chemiser une autre plaque de four de papier sulfurisé. Faire fondre le chocolat restant et plonger rapidement les bouchées dans le chocolat à l'aide de 2 fourchettes de façon à les enrober de façon uniforme. Laisser égoutter l'excédent et mettre sur le papier sulfurisé. Laisser prendre.

Bouchées crémeuses au café

*350 g de sucre glace
2 cuil. à soupe de lait concentré
2 cuil. à soupe de café serré
115 g de chocolat au lait,
brisé en morceaux*

Chemiser une plaque de four de papier sulfurisé. Tamiser le sucre glace. Mettre la moitié du sucre glace, le lait concentré et le café dans une jatte et bien mélanger, puis incorporer assez de sucre glace pour obtenir une pâte ferme. Façonner la pâte en petites billes, les déposer sur la plaque et les aplatir avec les dents d'une fourchette. Laisser sécher quelques heures à l'abri de la chaleur et de l'humidité.

Mettre le chocolat dans une jatte résistant à la chaleur et le faire fondre au-dessus d'une casserole d'eau frémissante. Laisser tiédir, puis plonger les bouchées à demi dans le chocolat fondu. Laisser égoutter l'excédent de chocolat et remettre les bouchées sur la plaque. Arroser les bouchées avec le chocolat restant en minces filets et laisser prendre.

85 g de beurre
85 g de sucre
3 cuil. à soupe de golden syrup
85 g de farine
1 cuil. à café de gingembre en poudre
1 cuil. à soupe de cognac
zeste finement râpé d'un demi-citron

GARNITURE
150 ml de crème fraîche épaisse
ou de crème fouettée
1 cuil. à soupe de cognac (facultatif)
1 cuil. à soupe de sucre glace

Préchauffer le four à 160 °C (th. 5-6). Chemiser 3 plaques de four de papier sulfurisé. Mettre le beurre, le sucre et le golden syrup dans une casserole et chauffer à feu doux en remuant de temps en temps jusqu'à ce que le tout ait fondu. Laisser tiédir, puis tamiser la farine et le gingembre dans la casserole et battre vigoureusement. Ajouter le cognac et le zeste de citron. Déposer de petites cuillerées de préparation sur les plaques en les espaçant bien.

Cuire une plaque après l'autre 10 à 12 minutes, jusqu'à ce que les snaps soient bien dorés. Sortir la première plaque du four et laisser reposer 30 secondes, puis décoller les snaps et les enrouler autour du manche d'une cuillère en bois. Si les snaps durcissent trop rapidement, les remettre au four 30 secondes pour les assouplir. Laisser durcir autour du manche et laisser refroidir sur une grille. Répéter l'opération avec les plaques restantes.

Pour la garniture, mettre la crème fraîche, le cognac et le sucre glace dans un bol et fouetter jusqu'à ce que la crème soit bien ferme. Juste avant de servir, garnir les snaps à l'aide d'une poche à douille.

965 *Avec une crème au café*

Dissoudre 2 cuil. à soupe de café instantané dans 2 cuil. à soupe de lait chaud. Ajouter à la crème avec le sucre glace et le cognac, et fouetter jusqu'à ce que la crème soit épaisse. Garnir les snaps avec garniture ainsi obtenue.

966 *Avec une crème au mascarpone*

Mettre 500 g de mascarpone et 1 cuil. à soupe de sucre dans une jatte. Couper une gousse de vanille en deux et prélever les graines pour les ajouter dans la jatte. Battre vigoureusement et garnir les snpas.

967 *Snaps au cognac en coupelles*

Graisser l'extérieur d'une tasse de thé. Préparer les snpas comme indiqué ci-dessus, puis, après les avoir laissé reposer 30 secondes, les placer sur la tasse de thé de façon à obtenir une forme de coupelle. Après quelques secondes, retirer de la tasse et laisser prendre sur une grille. Servir garni de crème fouettée et de fruits, ou de crème glacée. Garnir juste avant de servir.

968 Truffes au rhum

175 g de chocolat noir,
brisé en morceaux
4 cuil. à soupe de crème fraîche
épaisse
2 cuil. à soupe de beurre
2 cuil. à soupe de sucre glace
3 cuil. à soupe de rhum
85 g de poudre d'amandes
2 à 3 cuil. à soupe de cacao
en poudre amer

Mettre le chocolat, la crème fraîche et le beurre dans une jatte résistant à la chaleur et faire fondre au-dessus d'une casserole d'eau frémissante. Retirer du feu et incorporer le sucre glace, le rhum et la poudre d'amandes.

Laisser refroidir jusqu'à ce que la préparation soit ferme et les façonner en 24 billes. Tamiser le cacao sur une assiette et passer les truffes dedans. Déposer les truffes dans des caissettes et mettre au réfrigérateur avant de servir.

969 Truffes aux amandes

Omettre le rhum et ajouter 1 cuil. à café d'extrait d'amande. Rouler les truffes dans du chocolat râpé ou enduire de chocolat blanc fondu.

970 Truffes au cognac

Remplacer la poudre d'amandes par de la poudre de noisettes, puis ajouter 3 cuil. à soupe de cognac à la place du rhum.

971 Chocolats à la liqueur

100 g de chocolat noir,
brisé en morceaux
20 cerises confites
20 noisettes ou noix de macadamia
50 g de chocolat noir et copeaux
de chocolat noir, pour décorer

GARNITURE
150 ml de crème fraîche épaisse
2 cuil. à soupe de sucre glace
4 cuil. à soupe de liqueur

Chemiser une plaque de four de papier sulfurisé. Mettre le chocolat dans une jatte résistant à la chaleur et le faire fondre au-dessus d'une casserole d'eau frémissante. Répartir le chocolat dans 40 petites caissettes en papier et l'étaler sur les parois à l'aide d'une petite cuillère ou d'un pinceau, puis retourner les caissettes sur la plaque et laisser prendre.

Décoller délicatement les caissettes du chocolat et placer une cerise ou une noix dans chaque coupelle de chocolat.

Pour la garniture, fouetter la crème fraîche avec le sucre glace tamisé jusqu'à ce qu'elle soit bien ferme, puis incorporer la liqueur.

Transférer la garniture dans une poche à douille munie d'un embout de 1 cm de diamètre et la répartir dans les coupelles. Mettre au réfrigérateur 20 minutes.

Pour décorer, faire fondre le chocolat, puis en arroser la garniture de façon à la recouvrir. Ajouter des copeaux de chocolat et laisser prendre avant de servir.

972 Chocolats au whisky

Remplacer la liqueur par du whisky et ajouter un peu de café serré à la crème.

Truffes au chocolat blanc

2 cuil. à soupe de beurre

325 g de chocolat blanc,
  brisé en morceaux

5 cuil. à soupe de crème fraîche épaisse

1 cuil. à soupe de liqueur d'orange
  (facultatif)

Chemiser un moule à roulé de papier sulfurisé. Mettre le beurre et la crème fraîche dans une petite casserole, porter à ébullition sans cesser de remuer et laisser bouillir 1 minute, puis retirer du feu. Ajouter 225 g de chocolat et mélanger jusqu'à ce qu'il ait fondu, puis incorporer la liqueur. Verser la préparation dans le moule et mettre au réfrigérateur 2 heures, jusqu'à ce qu'elle soit ferme. Diviser la préparation en petites portions et façonner des billes. Mettre au réfrigérateur encore 30 minutes.

Mettre le chocolat restant dans une jatte résistant à la chaleur et le faire fondre au-dessus d'une casserole d'eau frémissante. Plonger les truffes dans le chocolat fondu en laissant l'excédent retomber dans la jatte, puis les déposer sur du papier sulfurisé. Créer de la texture en passant les dents d'une fourchette dans le chocolat puis laisser prendre.

974 ## Truffes au chocolat blanc et noir

Enrober les truffes de chocolat noir fondu plutôt que de chocolat blanc.

975 ## Truffes au chocolat au lait

Remplacer le chocolat blanc par du chocolat au lait, et la liqueur d'orange par du cognac ou de l'amaretto. Enrober de chocolat blanc ou de chocolat au lait.

976
Truffes au chocolat à l'italienne

175 g de chocolat noir,
  brisé en morceaux

2 cuil. à soupe d'amaretto
  ou de liqueur d'orange

40 g de beurre

4 cuil. à soupe de sucre glace

50 g de poudre d'amandes

50 g de chocolat noir, râpé

Mettre le chocolat et liqueur dans une jatte résistant à la chaleur et faire fondre le chocolat au-dessus d'une casserole d'eau frémissante. Ajouter le beurre et mélanger jusqu'à ce qu'il ait fondu. Incorporer le sucre glace et la poudre d'amandes, puis laisser reposer à l'abri de la chaleur jusqu'à ce que la préparation soit assez ferme pour être manipulée. Façonner 24 billes avec la préparation.

Mettre le chocolat râpé sur une assiette et rouler les truffes dedans. Placer les truffes dans 24 petites caissettes et mettre au réfrigérateur jusqu'au moment de servir.

Bouchées chocolatées au chamallow

125 g de chocolat au lait,
brisé en morceaux
40 g de minichamallows
multicolores

25 g de noix, hachées
25 g d'abricots secs moelleux,
hachées

Chemiser une plaque de four de papier sulfurisé. Mettre le chocolat dans une jatte résistant à la chaleur et le faire fondre au-dessus d'une casserole d'eau frémissante. Ajouter les chamallows, les noix et les abricots, et mélanger de façon à bien les enrober de chocolat.

Déposer des cuillerées à café du mélange sur la plaque, puis mettre au réfrigérateur jusqu'à ce que les bouchées aient pris.

Décoller délicatement les bouchées du papier sulfurisé et placer éventuellement dans des petites caissettes en papier.

978 **Bouchées aux cacahuètes**

Remplacer les noix par des cacahuètes concassées et les abricots par des cerises confites coupées en quartiers.

Bouchées chocolatées à la crème glacée

Chemiser une plaque de film alimentaire. Prélever des boules de crème glacée à l'aide d'une cuillère à glace et les déposer sur la plaque. Il est également possible de couper la crème glacée en petits cubes. Planter un pique à cocktail dans chaque portion de crème glacée et laisser durcir au congélateur.

Mettre le chocolat et le beurre dans une jatte résistant à la chaleur et le faire fondre au-dessus d'une casserole d'eau frémissante. Plonger rapidement les portions de crème glacée dans le chocolat chaud et remettre au congélateur. Laisser au congélateur jusqu'au moment de servir.

600 g de crème glacée
200 g de chocolat noir,
brisé en morceaux
2 cuil. à soupe de beurre

Petits biscuits à la cacahuète

85 g de beurre, un peu plus pour graisser
85 g de sucre
115 g de beurre de cacahuètes
1 œuf
3 cuil. à soupe de golden syrup
175 g de farine

GARNITURE
55 g de chocolat au lait ou noir,
 brisé en morceaux
2 cuil. à soupe de beurre
25 g de sucre glace

Mettre le beurre et le sucre dans une jatte et battre jusqu'à ce que le mélange blanchisse. Ajouter le beurre de cacahuètes, l'œuf et le golden syrup, et bien battre le tout. Tamiser la farine dans la jatte et mélanger jusqu'à obtention d'une pâte souple. Réfrigérer 30 minutes.

Préchauffer le four à 180 °C (th. 6). Graisser une plaque de four. Façonner la pâte en billes de 2,5 cm, les disposer sur la plaque en les espaçant bien et les aplatir légèrement à l'aide d'une spatule. Presser un doigt au centre de chaque bille pour former un creux. Cuire 10 minutes au four préchauffé, jusqu'à ce que les biscuits soient dorés. Laisser reposer quelques minutes sur la plaque, puis transférer sur une grille.

Pour la garniture, mettre le chocolat et le beurre dans une jatte résistant à la chaleur et faire fondre au-dessus d'une casserole d'eau frémissante. Incorporer le sucre glace. Garnir les creux des biscuits avec la préparation.

981 *Petits biscuits à la confiture*

Remplacer la garniture par la confiture de son choix et farcir les creux avant la cuisson des biscuits.

---

982 *Éclats de chocolat aux noix du Brésil*

huile de tournesol, pour graisser
350 g de chocolat noir,
 brisé en morceaux
100 g de noix du Brésil, hachées

175 g de chocolat blanc,
 concassé
175 g de caramel mou, concassé

Huiler un moule carré de 20 cm de côté et le chemiser de papier sulfurisé. Mettre la moitié du chocolat noir dans une jatte résistant à la chaleur et le faire fondre au-dessus d'une casserole d'eau frémissante, puis le répartir dans le moule. Parsemer de noix du Brésil, de chocolat blanc et de caramel.

Faire fondre le chocolat restant et le répartir dans le moule de façon à couvrir les noix, le chocolat blanc et le caramel. Laisser prendre, puis briser en éclats avec la pointe d'un couteau.

983 *Éclats aux noix de macadamia*

Remplacer les noix du Brésil par des noix de macadamia, le chocolat blanc par du chocolat au lait.

984 *Brisures de caramel*

beurre, pour graisser
500 g de sucre cristallisé
300 ml d'eau

4 cuil. à soupe de vinaigre de malt
½ cuil. à café de bicarbonate

Graisser un moule carré de 18 cm de côté. Mettre le sucre, l'eau et le vinaigre dans une grande casserole et chauffer à feu doux sans cesser de remuer jusqu'à ce que le sucre soit dissous. Porter à ébullition et laisser bouillir sans remuer jusqu'à ce qu'une petite portion de la préparation plongée dans de l'eau froide se sépare en filaments durs. Un thermomètre à sucre doit indiquer 138 °C.

Retirer la casserole du feu, puis ajouter immédiatement le bicarbonate et bien mélanger. (La préparation formera des bulles et lèvera dans la casserole.) Dès que la préparation cesse de bouillonner, la verser immédiatement dans le moule et laisser prendre.

Dès que le caramel a pris, le démouler sur une plaque et le briser en éclats à l'aide d'un rouleau à pâtisserie.

985 *Petites étoiles aux amandes*

3 blancs d'œufs
200 g de sucre
½ cuil. à café d'extrait d'amande

200 g de poudre d'amandes
10 à 12 cerises confites, coupées
en deux

Préchauffer le four à 160 °C (th. 5-6). Chemiser deux plaques de four de papier sulfurisé. Monter les blancs d'œufs en neige ferme dans une jatte. Incorporer progressivement le sucre sans cesser de battre, puis ajouter l'extrait d'amande. Ajouter la poudre d'amandes et mélanger.

Transférer la préparation dans une poche à douille munie d'un embout en forme d'étoile et former des étoiles sur les plaques en les espaçant bien. Garnir chaque étoile d'une demi-cerise.

Cuire 25 à 30 minutes au four préchauffé, jusqu'à ce que les étoiles soient croustillantes et légèrement dorées. Laisser refroidir sur la plaque.

986 *Rochers à la noix de coco*

Remplacer la poudre d'amandes par de la noix de coco râpée déshydratée. Hacher les cerises et les incorporer à la préparation avec la noix de coco. Déposer de petits tas de préparation sur les plaques de four et cuire comme indiqué ci-dessus.

4 blancs d'œufs
200 g de sucre
1 cuil. à café de Maïzena
40 g de chocolat noir, râpé

GARNITURE
100 g de chocolat noir,
  brisé en morceaux
150 ml de crème fraîche épaisse
1 cuil. à soupe de sucre glace
1 cuil. à soupe de cognac (facultatif)

Préchauffer le four à 140 °C (th. 4-5). Chemiser deux plaques de four de papier sulfurisé. Monter les blancs d'œufs en neige souple dans une jatte et incorporer progressivement la moitié du sucre. Continuer à battre jusqu'à ce que la neige soit très épaisse et brillante. Incorporer délicatement le sucre restant, la Maïzena et le chocolat râpé. Transférer la préparation dans une poche à douille munie d'un embout lisse ou en forme d'étoile et dessiner 16 rosettes ou billes sur les plaques.

Cuire environ 1 heure au four préchauffé, en changeant la position des plaques dans le four à mi-cuisson. Éteindre le four sans ouvrir la porte et laisser refroidir les meringues dans le four fermé. Décoller délicatement les meringues du papier sulfurisé.

Pour la garniture, mettre le chocolat dans une jatte résistant à la chaleur et le faire fondre au-dessus d'une casserole d'eau frémissante. Napper le dessous des meringues et laisser prendre à l'envers sur une grille. Mettre la crème fraîche, le sucre glace et le cognac dans une jatte et fouetter jusqu'à ce que la crème soit ferme, puis assembler les meringues deux par deux avec la crème obtenue.

175 g de beurre
115 g de sucre
1 jaune d'œuf
100 g de poudre d'amandes
175 g de farine
55 g de chocolat noir,
  brisé en morceaux

Mettre le beurre et le sucre dans une jatte et battre jusqu'à ce que le mélange blanchisse. Ajouter le jaune d'œuf, puis incorporer la poudre d'amandes et la farine. Bien mélanger, façonner une boule et envelopper de film alimentaire. Mettre au réfrigérateur 1 h 30 à 2 heures.

Préchauffer le four à 160 °C. Chemiser 3 plaques de four de papier sulfurisé.

Façonner la pâte en billes en les roulant entre les paumes des mains. Répartir les billes sur les plaques en les espaçant bien. Cuire 20 à 25 minutes au four préchauffé, jusqu'à ce que les biscuits soient dorés. Transférer délicatement les biscuits sur une grille et laisser refroidir.

Mettre le chocolat dans une jatte résistant à la chaleur et le faire fondre au-dessus d'une casserole d'eau frémissante. Étaler le chocolat fondu sur le dessous des biscuits et assembler les biscuits deux par deux. Remettre sur la grille et laisser prendre le chocolat.

4 blancs d'œufs
1 pincée de sel
125 g de sucre cristallisé

125 g de sucre fin
300 ml de crème fraîche épaisse,
légèrement fouettée, en garniture

Préchauffer le four à 120 °C (th. 1-2). Chemiser 3 plaques de four de papier sulfurisé. Monter les blancs d'œufs en neige ferme avec le sel dans une jatte. (La jatte peut être retournée sans que la neige ne bouge.) Incorporer le sucre cristallisé très progressivement sans cesser de battre, la meringue doit commencer à être très brillante. Saupoudrer le sucre dans la jatte très progressivement sans cesser de battre, de sorte que la meringue soit très ferme.

Transférer la meringue dans une poche à douille munie d'un embout de 2 cm en forme d'étoile et former délicatement 26 volutes de meringue sur les plaques.

Cuire 1 h 30 au four préchauffé, jusqu'à ce que les meringues soient légèrement dorées et se décollent facilement du papier. Éteindre le four sans ouvrir la porte et laisser les meringues refroidir dans le four fermé.

Juste avant de servir, assembler les meringues deux par deux avec de la crème légèrement fouettée.

990 *Meringues au sucre roux*

Remplacer le sucre cristallisé et le sucre fin par du sucre roux pour obtenir des meringues délicieusement moelleuses.

991 *Meringues aux pistaches*

Incorporer délicatement 55 g de pistaches finement hachées ou de noisettes grillées finement hachées après que tout le sucre a été ajouté.

150 g de beurre, un peu plus
pour graisser
85 g de sucre blond
85 de miel

225 g de flocons d'avoine grillés
85 g de flocons d'avoine
115 g de dattes, hachées

Préchauffer le four à 190 °C (th. 6-7). Graisser et chemiser le fond d'un moule carré de 20 cm de côté. Mettre le beurre, le sucre et le miel dans une casserole et chauffer à feu doux sans cesser de remuer jusqu'à ce que le beurre ait fondu et le tout soit homogène. Retirer du feu.

Piler légèrement les flocons d'avoine grillés, ôter les morceaux les plus gros et incorporer le reste dans la casserole avec les dattes. Répartir la préparation dans le moule et presser légèrement.

Cuire 20 à 25 minutes au four préchauffé. Laisser quelques minutes dans le moule, puis couper en 16 carrés et laisser refroidir complètement dans le moule.

993 *Moelleux croquants aux abricots*

Remplacer les dattes par des abricots secs hachés et ajouter 25 g d'amandes effilées à la préparation.

Miniflorentins

75 g de beurre
75 g de sucre
25 g de raisins secs
3 cuil. à soupe de cerises confites
   hachées
3 cuil. à soupe de gingembre confit haché

2 cuil. à soupe de graines de tournesol
100 g d'amandes effilées
2 cuil. à soupe de crème fraîche épaisse
75 g de chocolat noir ou de chocolat
   au lait, brisé en morceaux

Préchauffer le four à 180 °C (th. 6). Chemiser deux plaques de four de papier sulfurisé. Faire fondre le beurre à feu doux dans une casserole, ajouter le sucre et mélanger jusqu'à ce qu'il soit dissous. Porter à ébullition, retirer du feu et incorporer les raisins secs, les cerises confites, le gingembre confit, les graines de tournesol et les amandes effilées. Ajouter la crème fraîche et bien mélanger. Déposer des cuillerées à café de la préparation sur les plaques en les espaçant bien.

Cuire une plaque au four préchauffé 10 à 12 minutes, jusqu'à ce que les florentins soient dorés. Sortir la plaque du four et redécouper les ronds à l'aide d'un emporte-pièce de façon à égaliser les bords. Laisser refroidir avant d'ôter les florentins de la plaque. Répéter l'opération avec la seconde plaque.

Mettre le chocolat dans une jatte résistant à la chaleur et le faire fondre au-dessus d'une casserole d'eau frémissante. Étaler les deux tiers du chocolat sur du papier sulfurisé et laisser prendre très légèrement. Déposer les florentins sur le chocolat fondu côté lisse vers le bas et laisser prendre. Découper le chocolat dur autour des florentins et les retirer du papier sulfurisé. Napper les faces de chocolatées avec le chocolat restant, créer de la texture en y passant les dents d'une fourchette et laisser pendre.

Salami en chocolat à l'italienne

100 g de biscuits petits-beurres
75 g de biscuits amaretti
200 g de chocolat noir
175 g de beurre, coupé en dés,
   un peu plus pour graisser

3 cuil. à soupe d'amaretto, de rhum
   ou de cognac
1 gros jaune d'œuf
50 g d'amandes mondées, hachées
sucre glace, pour saupoudrer

Hacher les petits-beurres et les amaretti dans un robot de cuisine et les transférer dans une jatte.

Mettre le chocolat dans une jatte résistant à la chaleur, ajouter le beurre et l'amaretto, et faire fondre au-dessus d'une casserole d'eau frémissante. Retirer du feu et mélanger. Ajouter les miettes de biscuits, le jaune d'œuf et les amandes, et bien mélanger. Laisser prendre 2 heures à l'abri de la chaleur.

Graisser un morceau de papier d'aluminium, poser la préparation dessus et façonner en un boudin de 30 cm de longueur avec les mains et une spatule. Envelopper de papier d'aluminium et mettre au congélateur au moins 4 heures, jusqu'à ce que la préparation soit ferme.

Saupoudrer du papier sulfurisé avec du sucre glace. Retirer le salami du papier d'aluminium et le déposer sur le papier sulfurisé. Rouler le boudin dans le sucre glace jusqu'à ce qu'il soit uniformément enrobé et ressemble à un salami. Laisser prendre 1 heure à l'abri de la chaleur, puis couper en tranches avant de servir.

996   *Truffes au chocolat multicolores*

POUR 5 TRUFFES

300 g de chocolat au lait,
    brisé en morceaux
100 ml de crème fraîche épaisse
1 cuil. à café d'extrait de vanille
1 cuil. à soupe de sucre glace
20 g de beurre

DÉCORATION
confettis en sucre multicolores
étoiles en sucre argentées et dorées
chocolat blanc râpé ou décorations
    multicolores de son choix

Mettre le chocolat et la crème fraîche dans une jatte résistant à la chaleur et faire fondre le chocolat au-dessus d'une casserole d'eau frémissante en remuant de temps en temps. Laisser tiédir, puis incorporer l'extrait de vanille, le sucre glace et le beurre. Laisser prendre la préparation au réfrigérateur.

Prélever une cuillerée à café de préparation et la façonner en bille, puis répéter l'opération avec la préparation restante.

Enrober les truffes avec les décorations de son choix et les déposer dans des petites caissettes en papier.

997   *Tourtes aux pommes alphabet*

POUR 4 TOURTES

225 de farine, un peu plus pour
    saupoudrer
1 pincée de sel
2 cuil. à soupe de sucre glace
120 g de beurre froid (ou la moitié du
    beurre remplacé par du saindoux),
    coupé en dés
1 œuf, blanc et jaune séparés
1 à 2 cuil. à soupe d'eau froide

GARNITURE
675 g de pommes, pelées, coupées
    en deux, évidées et finement émincées
2 cuil. à soupe de jus d'orange
1 cuil. à café de cannelle en poudre
3 cuil. à soupe de sucre

Tamiser la farine, le sel et le sucre glace dans une jatte, puis incorporer le beurre avec les doigts de façon à obtenir une consistance de chapelure. Ajouter le jaune d'œuf et l'eau, et façonner en boule la pâte ainsi obtenue. Couvrir et mettre au réfrigérateur 30 minutes.

Préchauffer le four à 200 °C (th. 6-7). Mélanger la pomme, le jus d'orange, la cannelle et le sucre, et répartir le mélange dans 4 ramequins. Humecter le bord de chaque ramequin.

Abaisser la pâte sur un plan fariné, y découper 4 ronds et en couvrir les ramequins. Égaliser les bords et les marquer à l'aide d'une fourchette. Enduire de blanc d'œuf et percer un trou au centre. Découper des lettres dans les chutes de pâte, les mettre sur les tourtes, et placer les ramequins sur une plaque de four. Cuire 30 à 35 minutes au four préchauffé.

998 Crèmes à la vanille et au chocolat

POUR 4 CRÈMES

450 ml de crème fraîche épaisse
6 cuil. à soupe de sucre
1 gousse de vanille
200 ml de crème fraîche épaisse
2 cuil. à café de gélatine en poudre

3 cuil. à soupe d'eau
50 g de chocolat noir,
    brisé en morceaux
copeaux de chocolat,
    pour décorer

Mettre la crème fraîche et le sucre dans une casserole et ajouter la gousse de vanille. Chauffer à feu doux sans cesser de remuer jusqu'à ce que le sucre soit dissous, puis porter à ébullition. Réduire le feu et laisser mijoter 2 à 3 minutes. Retirer du feu, ôter la gousse de vanille et ajouter la crème fraîche.

Verser l'eau dans une jatte résistant à la chaleur, saupoudrer de gélatine et laisser reposer jusqu'à ce que le mélange soit mousseux. Faire fondre au-dessus d'une casserole d'eau frémissante et incorporer dans la casserole. Répartir la préparation dans deux jattes.

Mettre le chocolat noir dans une jatte résistant à la chaleur et le faire fondre au-dessus d'une casserole d'eau frémissante, puis l'incorporer dans l'une des deux jattes. Verser la crème au chocolat dans 4 coupes à dessert et mettre au réfrigérateur 15 à 20 minutes, jusqu'à ce que la crème ait pris. Verser la crème à la vanille sur la crème au chocolat et mettre au réfrigérateur jusqu'à ce qu'elle ait pris. Avant de servir, décorer de copeaux de chocolat.

999 Petits pots de chocolat au rhum

POUR 6 PETITS POTS

225 g de chocolat noir
4 œufs, blanc et jaune séparés
6 cuil. à soupe de sucre
4 cuil. à soupe de rhum ambré
4 cuil. à soupe de crème fraîche épaisse

DÉCORATION
crème fouettée
pastilles de chocolat marbrées

Mettre le chocolat dans une jatte résistant à la chaleur et le faire fondre au-dessus d'une casserole d'eau frémissante. Laisser tiédir.

Mettre les jaunes d'œufs et le sucre dans une jatte et battre jusqu'à ce que le mélange blanchisse. Incorporer le chocolat fondu avec le rhum et la crème fraîche épaisse.

Dans une autre jatte, monter les blancs d'œufs en neige souple, puis les incorporer dans la première jatte en deux fois. Diviser la préparation dans 6 coupes à dessert et mettre au réfrigérateur au moins 2 heures.

Pour servir, décorer de crème fouettée et de pastilles de chocolat.

Note : cette recette contient des œufs crus.

beurre, pour graisser
2 cuil. à soupe de sucre, un peu plus
    pour enrober
6 cuil. à soupe de crème fouettée
2 cuil. à café de café soluble
2 cuil. à soupe de liqueur de café

3 gros œufs, blancs et jaunes séparés,
    plus 1 blanc d'œuf supplémentaire
150 g de chocolat noir, brisé
    en morceaux
cacao en poudre amer,
    pour saupoudrer

Préchauffer le four à 190 °C (th. 6-7). Graisser les parois de 6 ramequins d'une contenance de 175 ml, puis les enrober de sucre et les déposer sur une plaque de four. Mettre la crème fraîche dans une casserole et la réchauffer à feu doux. Incorporer le café et la liqueur, puis répartir la préparation dans des ramequins.

Monter les blancs d'œufs en neige souple, puis incorporer progressivement le sucre jusqu'à ce que la neige soit ferme et brillante, mais pas sèche.

Mettre le chocolat dans une jatte résistant à la chaleur et le faire fondre au-dessus d'une casserole d'eau frémissante. Ajouter le jaune d'œuf, puis incorporer un peu de blancs en neige. Ajouter progressivement les blancs en neige restants et répartir la préparation dans les ramequins. Cuire 15 minutes au four préchauffé, jusqu'à ce que les soufflés aient pris. Saupoudrer de cacao et servir immédiatement.

300 g de chocolat noir,
    brisé en morceaux
5 cuil. à soupe de sucre
20 g de beurre

1 cuil. à soupe de cognac
4 œufs, blancs et jaunes séparés
cacao en poudre amer,
    pour saupoudrer

Mettre le chocolat dans une jatte résistant à la chaleur, ajouter le sucre et le beurre, et faire fondre le tout au-dessus d'une casserole d'eau frémissante sans cesser de remuer. Retirer du feu et incorporer le cognac, puis laisser tiédir. Ajouter les jaunes d'œufs et mélanger jusqu'à obtention d'une consistance homogène.

Monter les blancs d'œufs en neige ferme, puis les incorporer dans la jatte. Déposer des cercles à entremets en inox sur des assiettes à dessert, puis répartir la préparation dans les cercles et lisser la surface. Laisser prendre au réfrigérateur au moins 4 heures.

Retirer les mousses du réfrigérateur et retirer délicatement les cercles à entremets. Saupoudrer de cacao et servir immédiatement.

Note : cette recette contient des œufs crus.

Index

302